新潮文庫

魔術はささやく

宮部みゆき著

目次

魔術はささやく

「この人たちは本当に申し開きの立たぬことをしているのです。本人も世間も弁解の言葉を知らぬようなことをしているのです」

――G・K・チェスタトン「マーン城の喪主」

プロローグ

一九八×年九月二日付東京日報第十四版第二社会面より抜粋

挙式目前　マンションから飛び降り自殺

一日午後三時十分ごろ、東京都A区三好《みよし》町一丁目のパレス大倉マンション（六階建）の屋上から若い女性が飛び降り、全身を強く打って死亡した。

綾瀬《あやせ》警察署の調べでは、この女性は同マンションに住む加藤文恵《ふみえ》さん（24）。同マンションの屋上には高さ約一・五メートルの手すりがあり、加藤さんはこれを乗り越えて約十五メートル下の路上に飛び降りるところを目撃されている。

加藤さんは一週間後に結婚式を控えており、遺書はなく、同署では動機について調べている。

同年十月九日付夕刊紙「アロー」第二版社会面より抜粋

今日午後三時四十五分ごろ、営団地下鉄東西線高田馬場駅のホームから若い女性が飛び降り、進入してきた中野行き快速電車にはねられ死亡した。
死亡した女性は埼玉県K市千石町二丁目コーポ川口に住む会社員、三田敦子《あつこ》さん(20)で、ホームにいた利用客が三田さんの行動に気づき、制止しようとしたが間に合わなかった。遺書は発見されていないが、戸塚《とつか》警察署では現場の状況から自殺と判断し、動機を調査している。

平明で客観的な報道記事からは、ある事件・事故の関係者もしくは現場に居合わせた人たちの受けた衝撃の全《すべ》てをうかがい知ることはできない。読者はそこで何が起こったのかを知ることはできても、そこに何が残ったのかを知ることはない。

読者は知らない。加藤文恵が路上に向けて飛び降りたとき、そこに居合わせて干した布団《ふとん》を叩《たた》いていた主婦を知らない。彼女は、加藤文恵が、何かに追いかけられているかのように早足で階段をのぼり、屋上を横切り、フェンスをよじのぼり始め、下に落ちていくまで、その一部始終を見ていた。そしてそのあと、フェンスに近づいた彼女が、冷たい銀色の金属に触れ、それからあわてて手を放したことを、読者は知らない。彼女が、まるでその手すりが加藤文恵を招き寄せて上らせ、下に落としたように感じたことを知らない。

読者はまた、鑑識課員たちが路上に散らばった加藤文恵の脳味噌《のうみそ》を手で拾い集めてビニール袋に入れたことも知らない。マンションの管理人がホースで水をまいて血を洗い流し、そこに塩をまいたことも知らない。加藤文恵その人が、死の直前に誰かと電話で話をしていたことも知らない。

また、三田敦子を助けようとした中年のサラリーマンのことも知らない。彼はそのとき、自宅の住宅ローンの借り換えがスムーズに進むかどうか考えていたところだった。三田敦子は彼の前をフラフラと通りすぎ、背後から来る何者かを気にしているように二、三度振り向くと、ホームの端に足を踏み出した。

サラリーマンはとっさに彼女の薄い上着の襟首《えりくび》をつかんだ。もしそのとき、三田敦子がきちんと上着のボタンをとめていたなら、きっと彼が彼女を助け得ただろうことを、読者は知らない。電車が金属音をたてて三田敦子をひいたとき、呆然《ぼうぜん》とホームにたたずんだ彼の手に残った上着のなめらかな感触を知らない。三田敦子が飛び込む前、同じホームにいた老人の利用客に時刻表を読んでやっていたことも知らない。その老人が帽子をとって彼女に礼を言い、階段をあがっていったことも知らない。

事故の処理に手間がかかったのは遺体が飛散していたためであり、もっとも発見の遅れた彼女の頭部が、電車を徐行でバックさせたとき、一両目と二両目の連結器の間から、湿った音をたてて落ちたことも知らない。そのとき、三田敦子の両目がぽっかりと暗くあきっぱなしになっていたことも知らない。これらのすべては行間に埋もれ、いずれは忘れ去られていくだけのものなのだ。

そして今——

記事を読んで事件を知った多くの人たちの知らない場所で、一人の若い娘が、友人二人を乗せて走り去っていくタクシーに手を振って見送っていた。

本当なら、マンションの前まで車をつけて欲しかった。そう言ってみればよかったと、静まり返った路上で彼女は後悔していた。

大丈夫、走って帰ればほんの二、三分だもの、大通りで落としてくれればいいわ。友人に言ったその言葉を、彼女は頭のなかで繰り返した。大丈夫、なにも怖がることなどない。

青ざめた街灯の光の下に、人けのない道路が延びている。角を一つ折れて、交差点を一つ渡る。百メートルもありはしない。彼女は歩き出した。

角を曲がる直前で、腕時計のアラームが鳴った。音楽会場や映画館できまり悪い思いをするときと同じように、静寂のなかで妙に大きく響く音だった。

そのとき、彼女は思った。うしろから誰か来る。

足を速める。背後の気配もスピードをあげて迫ってくる。

彼女は肩越しに振り向いた。路上には誰もいない。それでいて、彼女は追われていると感じていた。逃げなければ恐ろしいことになる。捕えられたら恐ろしいことになる。

どやしつけられたように身体《からだ》を震わせて、彼女は駆け出した。髪を乱し、靴音《くつおと》を響かせながら、彼女は走った。息が詰まって声が出せなかった。ただ走って、走って、走った。逃げて逃げて逃げ続けた。

うちへ、うちへ、うちへ。安全な場所へ。

誰か助けて。

そのまま足を緩めず、赤信号が輝く交差点に飛び出したとき、痛いほどまぶしいヘッドライトの光とともに、救いは最悪の形でやって来た。

同じ夜同じ空の下で、一対《いっつい》のこぎれいな手が大判のスクラップ・ブックを開いていた。

スクラップ・ブックの見開きの右側のページには、きっちりと切り取られた二人の女性の死亡記事が、ていねいにのりづけしてあった。漂白されているように白いその手は、細い指を伸ばし、二つの記事を軽く叩いた。

加藤文恵。三田敦子。

左側のページには、サービスサイズのカラー写真が一枚、貼《は》りつけられていた。黒ぶちの眼鏡をかけ、白い歯並びを見せて笑っている、若い男の顔写真だった。

どこかで時計が午前零時を知らせた。

白い手はスクラップ・ブックを閉じ、明りを消した。

第一章　発端

1

目を覚ます直前まで、日下《くさか》守は夢を見ていた。

夢のなかで彼は、十二年前の四歳の子供に戻り、生まれ故郷の家に帰っていた。そこではまだ母の啓子がいて、玄関の脇《わき》の靴箱の上に置いた電話に出ていた。黒いコードを指先でまさぐりながら、小腰をかがめ、あいづちをうつたびに頭をうなずかせながら。

その光景は、記憶のなかにあるものではなかった。彼はあのとき家にはいなかったからだ。

「日下さんが出勤してきていないんですが……」というその電話を、彼は実際には聞いていない。父親が行方不明になったことを知ったのは、もっとずっと後のことだった。

それでいて、薄いブルーの霧のかかった夢のなかの彼は、柱にもたれ膝《ひざ》を抱え、青ざめる母親の顔を見ていた。つぶやく声を聞いていた。

目が覚めたあと暗い天井を見あげ、今さらどうしてこんな夢を見たんだろうと、少年は考えた。

「じいちゃん」の夢なら、今までにも何度か見たことがある。たいていは、亡《な》くなる直前の思い出だ。今になってみれば予感があったのだろう、あつらえた新品の道具をくれた。そしてあの三重鎖錠《さじょう》の金庫。あれは手強《てごわ》かった。卒業試験だったのだ。

身をよじって枕《まくら》もとのデジタル目覚し時計を見る。午前二時を指していた。

ため息をひとつついて、布団にもぐりこむ。あたりがまた静まり返ると、階下からぼそぼそと話し声が聞こえてきた。伯母のより子一人の声だった。

電話なのだ。

布団をはねのけてベッドから足をおろし、冷たい床を踏んで、守は廊下に出た。ちょうど反対側の部屋のドアが開いて、パジャマの上にカーディガンをはおった真紀《まき》が、眠そうな顔をのぞかせたところだった。

「電話ね」彼女は短く言うと、守の先に立って階段を降り始めた。タクシー・ドライバーを父親に持ち、深夜の電話の意味するところを――その可能性をよく知っている従姉《いとこ》の頰《ほお》に浮かんでいる懸念《けねん》の色に、守は緊張した。

二人が降りていくと、より子は電話を切ったところだった。裸足《はだし》で廊下に立っていた。

「何があったの？」真紀が訊《き》いた。より子は口をへの字に曲げた。

「やっちゃったらしい」

「事故ね？」

より子はうなずいた。目はまっすぐに娘を見ていた。

「病院、どこ？　お父さん、怪我《けが》したんでしょう？」せきこんで、真紀は続けた。

「お父さんじゃないのよ」

「じゃ、なによ？　どうしちゃったの？」

「事故は事故なんだけどね」より子は唇《くちびる》を湿した。「人身だよ。はねちゃったのよ」

十一月の冷気が、守の足から心臓に駆け登った。

「若い女の子だって。ほとんど即死だって。今の電話、警察からよ」

「――警察」

「お父さん、逮捕されてるのよ」


その夜の残りを、守は眠れないままに過ごした。

守が、母親の姉である浅野より子のもとに引き取られて、ちょうど九カ月目になる。新しい家族との暮しにも、東京での学生生活にも、ようやく慣れてきたところだった。

浅野一家は東京の下町、ゼロメートル地帯とも呼ばれる、軒よりも高い位置に川の流れる町に住んでいる。より子伯母のつれあいの浅野大造は、キャリア二十五年の個人タクシーの運転手で、一人娘の真紀は、この春短大を出て就職したばかりだ。

守の生まれ故郷は、東京よりも桜前線の訪れが一カ月ほど遅い、枚川《ひらかわ》という市だった。小さな城下町で、規模は小さいが良質な温泉が涌《わ》き、観光客の落とす金と、歴史ある名産の塗物でなりわいをたてている土地だった。

守の父、日下敏夫《としお》は、枚川市役所で働く公務員だった。十二年前突然失踪《しっそう》し、そのあとで五千万円の公金横領が発見されたときには、財務課長補佐という肩書きがついていた。

守は、父がその地位についたとき、家族でささやかなお祝いをしたことを、おぼろげに覚えている。その肩書きが、やがて地元新聞の見出しにでかでかと書き立てられて、市民の非難と軽蔑《けいべつ》の的になることなど、そのときは誰も考えてもみなかったのだ。

そして、敏夫の陰には女がいた。

父の失踪後、取り残された守と母の啓子は、枚川に残って生活してきた。なぜ母が故郷を離れなかったのか、その理由を、守はとうとう聞き損ねてしまった。日下啓子は去年の暮、突然逝《い》ってしまったからだ。三十八歳で、脳血栓《のうけっせん》だった。

独りぼっち。

母親を亡くす少し前に、守は大切な友人「じいちゃん」も失っていた。だからそのころの彼の辞書には、まさにその言葉しか残っていなかった。独りぼっち。

伯母のより子から、東京に来ないかという申し出があったのは、啓子の葬儀の数日後のことだった。

亡くなる前、一時的にではあるが、啓子はふっと意識の戻ったことがあった。そのとき、今まで黙っていたけれど、東京には伯母さん一家が住んでいるから、母さんにもしものことがあったときには連絡しなさい、と言った。

そんなことは、今まで一度も聞かされたことがない。守は驚いたし、腹もたった。そしてすぐに、母親の住所録を繰って連絡すると、より子と大造が駆け付けてきて、結局は一緒に啓子を看取《みと》ってくれたのだった。

そのあとにも、驚くことはあった。伯母夫婦は啓子の生前にも、何度となく、母子《おやこ》で上京して一緒に暮さないかと誘っていたのだという。

「あたしはね、十八のときに今の亭主と結婚したんだけど、うちの方のふた親、つまりあんたからみればおじいちゃんとおばあちゃんだけど、大反対されてね。どうにもならなくて、えいっとばかりに駆け落ちしちまったのよ」

あのときより子は、歯切れのいい東京の下町言葉で、守にそう語ってくれた。

「今考えてみれば、反対されたのも無理はなかったのよ。いまでこそ堅気な個人タクシーやってるけど、あのころのうちの人ときたら、わけのわかんない風来坊みたいなところがあったからね。一緒になってからだって、あたしも何度か、実家を飛び出したことを後悔したことがあるもの。でもねえ、やっぱり、こっちにも意地ってもんがあるし、田舎町のことだから、子供を抱いて舞い戻ったところで、なんにもいいことなんかあるはずないってわかってたからね」

そんなより子が、ようやく故郷の両親と妹に連絡してみようと思ったのは、ほんの五年前のことだった。

「笑い話みたいなんだけど、テレビでホームドラマを見ててね。ふっとそんな気になっちまったのね。まあ、そういう時がきてたんだね。自分の暮しも安定したし、なんていうか、つっぱらかってたところも消えて。うちの人と真紀にも勧めてもらえたし、で、恐る恐る昔の住所に手紙を出して……」

その手紙は、「あて所に尋ねあたりません」の付箋《ふせん》がついて返送されてきた。するともうどうにもたまらなくなって、より子は枚川に向かう特急に飛び乗った。故郷に戻れば、昔からの住人たちがいる。啓子の所在と境遇を知るには、さして時間は必要なかった。

「あのとき、いきなり啓子の勤めている工場に訪ねていったんだけど、あの子、あんまり変わってなかったからすぐに分かったよ。もう二十年以上も会ってなかったけど、やっぱり分かった。ただ、事情が事情だし、もともと、あたしたち姉妹はあんまり仲がいい方じゃなかったから、話なんてできやしなかった。二人で親の墓参りに行って、あたしはお墓に親不孝を謝ってね。それからかな……啓子が自分のことをぽつぽつ話してくれたのは。でもそのときは、あまり詳しいことまでは聞かせてくれなかった。あんたにも会わせてもらえなかったし。でも、それも仕方ないと思ったのよ。悪いのはこっち。飛び出したっきり、親の葬式にも帰って来なかった姉ちゃんだもんねえ」

それきり、顔を会わす機会はつくれなかった。より子自身にとって、飛び出した故郷はやはり、さまざまな意味で遠い場所だったし、より子が近づくことを、啓子が静かに、だがきっぱりと拒否するような色も見えたからだった。

「それもしょうがないのよ。そう簡単には許してもらえるはずがないからね」

それでも、以来、数カ月に一度の割で、手紙のやりとりは始まった。そして、再会から一年ほどたってようやく、啓子はこれまでの事情をすべて、細かなところまで打ち明けてきたのだった。

「びっくりしたよ……。可哀《かわい》そうだったし、呆《あき》れちまった。そんな亭主のことなんかとっと忘れて、あんたを連れてこっちへ出てこいって、何度も何度も勧めたのに、啓子は全然聞いてくれなかった。いつかきっと敏夫さんは帰ってくるから、それまで待ってる。それだけでね。本当に、あの子は頑固《がんこ》だったよ。啓子って子は。あんたにも、お父さんは必ず戻ってくるって教えてきたから、どうか余計なことを言わないでそっとしておいてくれって。その約束を破ったら、姉さんを一生恨むわよ、なんてさあ……」

より子は、不本意ながらも、その約束を守った。だから、十二年前に失踪したとき、敏夫が自分の名前を書き印鑑を押した離婚届を残していたこと、啓子がそれをそのままにとっておいたこと――その事実も、啓子が亡くなって初めて、伯母の口から、守は聞いた。

母さんという人がわからなくなったと、彼は正直に伯母に話した。伯母は答えた。あたしもだよ、と。だけど、啓子らしいと思うよ。

「だからあたしは、あんたのお父さんて人の顔も知らないのよ。あたしがあんまり悪く言うもんだから、啓子は写真も見せてくれなかったし、あたしも見たくもなかったしね。ちらっと聞いたかぎりでは、背の高い、ちょっとばかり様子のいい男だったらしいけど」

そして、より子はじっと守を見つめると、こう言った。

「あんたは啓子に似てるよ。目のあたりなんかそっくりだもの。だから心配なんだよ。啓子みたいな人間はさ、強いからね。独りでいたらいけないんだよ。みんな自分で抱えこんじまって、そのうちにふっといなくなっちまうんだから」

東京においで。あたしたちと一緒に暮そう。

守がより子のその言葉を聞き入れる気持になったのは、確かに、不可解な部分を山ほど残して消えてしまった母親になかったものを、伯母の目のなかに見つけたからかもしれなかった。

それでも、東京での生活は、最初から順調なものではなかった。都会には慣れられても、浅野一家に居候《いそうろう》することになじめなかったのだ。

そんな守を助けてくれたのが、意外なことに真紀だった。彼女にはへだてというものがなかった。それが同情からきているものではなく、もともと真紀の持っているあっけらかんとした性質なのだということを悟るまで、守は何度か戸惑った。

「いきなり十六歳の弟ができて、わたしは二十一歳のオバンになりさがっちゃった」と、彼女は笑う。初対面のあと、大造が守を評して、「やっぱり暗い感じの子供だな」と言ったとき、真紀は「そお？　わたしは好みのタイプだわ」と言ったそうだ。

友人たちと飲んで帰ってきて、「タクシーがつかまんないの。迎えに来て」と電話をかけてくる。しかたなしに駅前まで行くと、困り果てて手をつかねている男友達を脇に、真紀は電柱にもたれかかって歌をうたっている。

「君、真紀ちゃんとこの？」男友達が頭をかく。「僕、家まで送ろうと思っていたんだけどね」

「いいのよ、こんな人ほっときなさい」真紀は言う。「守ちゃん、いい？　こういうシティ・ボーイになっちゃダメよ」

結局、守は彼女をかつぐようにして帰る羽目になった。真紀はずっと歌をうたっていて、途中で守が笑いだしてしまうと、彼女も一緒になって笑った。

「ね、東京も悪くないでしょ？」

――悪くないと、守は思っていた。それだからこそ、今夜こうして闇《やみ》を見つめ、遠くからとぎれがちに聞こえてくる真紀の泣き声を聞いているのはたまらなく辛《つら》かった。

ベッドを抜け出し、守は窓を開けた。

すぐ目の前に運河が見える。家と運河との間は、コンクリート製のなだらかな土手が隔てている。風向きによっては家のなかにいても川の匂《にお》いがするが、真夏の真っ盛りでないかぎり、それもそれほど悪いものではない。

東京に来て初めて、守は、頑丈なコンクリートで流れを堰《せ》き止め、矯正《きようせい》し、はみを噛《か》ませてある運河というものを見た。枚川では川は人より低いところを流れていたし、流れは自由で、川はすべて生きていて、自己主張していた。だが、東京の運河は、どれもとろんとして、飼い馴《な》らされていることにすっかり満足しているように見えた。

「そうでもない。台風が来ればそれがわかるぞ」大造はそのときそう言った。

九月の中ごろ、関東地方にとりわけ大きな雨台風がやってきたとき、守は大造と雨ガッパを着こんで土手にあがり、その言葉に嘘《うそ》がないことを知った。

俺《おれ》たちは眠っていないぞ。川はそう吠《ほ》えていた。速い雨水を集め、その力を内側に取り込みながら悠々《ゆうゆう》と流れていく。力あるものは急がないのだ、というように。

もしもおまえたちが油断したなら、目を離したなら、そのときはきっと一撃で土手を突き崩し、かつて俺たちのものだった土地を再び平定して、今お前たちが勝手に自分のものだと思い込んでいるだけのものを取り戻し、そしてすべてを海へと還《かえ》すのだ。

そのときのことを思い出して、守はまた、土手にのぼりにいこうと思った。

今夜の川は、一面に黒い板のように凪《な》いでいた。対岸には最近大きな観光バス会社の車庫ができて、夜通し明りのついている場所がある。寝静まっている町に、そこだけが煌々《こうこう》と輝いている。時折、点在する信号機が赤や青にまたたく。夜中に見ると、信号のランプは悲しいほどきれいなものだ。

守はゆっくりと、台風の日に歩いたとおりに土手をつたっていった。橋の下まで来ると、ちょうど頭の上を、一台のオートバイが爆音を轟《とどろ》かせて走り抜けていった。

錆《さび》の浮いた鉄の階段が、橋脚の方に続いている。守は階段を降り、そこに立てられている一本の細い柱に近づいた。

水位柱だった。台風の日に大造と肩を並べ、目に入る雨をまばたきしてはらいながら見あげたものだった。

石の柱に、白いペンキで、昔この地方を襲った台風のときの最高水位がしるしてある。守の目の高さほどのものもあれば、頭一つ上についているものもあった。印の横には、その水位をもたらした台風の名前と、年月日が書き添えてある。

ただ一つ、そこだけ赤いペンキで、脇《わき》にこう書かれている印があった。

「警戒水位」と。

「もう二度と、あそこまで水が上がることはないよ」あのときその印を指さして、大造は言った。「大水は昔の話だ。もう心配することはねえ。この土地は安全だよ」

本当にそうなのだろうか。守は今、考えていた。警戒水位は二度とやって来ないというのは本当なのだろうか。

新しい家で、新しい家族に囲まれて、だがそこにもやはり不運がやって来たことを、少年は考えていた。そしてなによりも、自分の身について回る何かが、浅野一家にも災いをもたらし始めたのではないかという気がしてならなかった。

川は眠っていた。足元を探って石ころを拾い、水面の暗がりに投げる。思いがけないほど近くで水音がした。満潮なのだ。

ひたひたと寄せてくる夜より暗い水は、守の心のなかにも忍び込んできた。

2

女子大生タクシーにはねられ死亡
十四日午前零時ごろ、東京都K区緑二丁目の交差点を横断していた同区石橋三丁目東亜女子大学三年菅野《すがの》洋子さん（21）が、S区森上一丁目、浅野大造運転手（50）の運転するタクシーにはねられ、全身打撲でまもなく死亡した。浅野は業務上過失致死の現行犯で逮捕され、城東警察署の取り調べを受けている。

その男は、十四日の朝刊でその事故を知った。

最初に目に入ったのは見出しだけだった。社会面の左下の隅《すみ》に、ごく小さく、「女子大生タクシーにはねられ死亡」と。何気なく読み過ごして、しばらくしてからその意味に気がついた。あわてて読み返し、内容を確かめると、ゆっくりと新聞をたたみ、眼鏡をはずして目をこすった。

名前に間違いはない。住所も同じだ。

購読している別の経済紙に手をのばすと、社会面を広げる。紙面の同じような場所に、行数が二行だけ多く、同じ事故が報じられていた。二行多いのは、城東警察署がこのタクシー運転手を信号無視の疑いで調べていることが書き加えられているからだった。

なぜこんなことに。

首を振りながら、彼はそっけない活字の列を見つめ続けていた。どうしてこんな不公平なことが起こるのだ。それしか頭に浮かばなかった。

階段に足音がした。朝の遅い彼の妻の、まだ眠りから覚めきっていない足どりだ。彼女が今の自分を見たらどう思うだろうと、男は考えた。

株が暴落したの？　取引先で何かあったの？　事故？　親しい方が亡《な》くなったの？　そんなふうに尋ねるだろう。どうしてそんなに怖い顔をしているのよ、と。

理由を話すわけにはいかない。誰にも。

テーブルを離れ、妻と顔を合わせるまえに居間を出た。洗面所に入り、コックを全開にした。水は季節を先どりする。手のひらですくうと、しびれるほど冷たかった。その冷たさは、彼の記憶の底に押し込められているある朝の雨の冷たさに似ていた。

何度も顔を洗った。顎《あご》から水滴をしたたらせながら顔を上げ、曇りどめされた一枚鏡に映った自分の顔を見る。鉛色だった。

テレビの音が聞こえてきた。妻がスイッチを入れたのだろう。その音にまぎれてしまうほど小さな声で、彼はもう一度つぶやいた。

「不公平だ」

タオルで顔をぬぐうと、彼はコーヒーの香りのするキッチンを通り抜け、階段をあがった。書斎に入り、きっちりとドアをたてきると、デスクのいちばん下の引き出しの鍵《かぎ》を取り出して、開けた。

引き出しの奥に、ブルーの表紙のアルバムが一冊しまいこんであった。彼はそれを取り出し、ページを開いた。

そこには三枚の写真があった。一枚は、学生服を着てデイパックを肩にかけ、自転車のペダルに足を掛けている、十五、六歳の少年の写真だった。もう一枚では、同じ少年が二十歳ぐらいの若い女性と並んで歩いている。三枚目の写真には、ダーク・グリーンの乗用車――個人タクシーだ――を掃除しているがっちりした体格の中年の男が写っている。そしてやはり同じ少年がいる。写真の端の方で、水の吹き出すホースを手に、今にもそれを中年の男に向けそうな様子をしている。二人とも笑っていた。

男はアルバムのページを繰った。

一つ前のページには、一枚しか写真がなかった。かっぽう着に似た白い作業着を着て、頭にも白い布をかぶり、左手に木製の盆を、右手に刷毛《はけ》を持った、三十代後半の女性の写真だった。急にカメラを向けられて驚いたのか、ちょっと笑い、まぶしそうに目を細めている。美人ではないが、ふっくらした頬《ほお》の線が優しかった。

男はじっと、その女性の写真をながめた。それからページを戻し、少年の写真に目をやった。

さっきと同じように小さな声で、写真に語りかけるように、男は言った。

「守、とんでもないことになったな」

写真は笑顔を返してきた。


同じ朝に、東京の別の一角で、同じ記事に目をとめた人物がいた。

若い娘だった。彼女はめったに新聞を読まない――このことが始まるまでは、新聞をとってさえいなかった。だが今は、毎朝一番に社会面の記事に目を通すのが日課になっている。

彼女は三度繰り返して同じ記事を読んだ。読み終えたあと、煙草《たばこ》に火をつけ、ゆっくりとふかした。その手が震えた。

煙草を二本灰にすると、彼女は着がえを始めた。出勤する時間が迫っているのだ。

真っ赤なスーツを選んだ。化粧も入念にした。出がけに戸締まりを確かめ、ポットに残ったコーヒーを流しに捨てると、衝動的にテーブルの上から新聞を取り上げ、ぎゅっと握りしめて部屋を出た。

外階段を降りていると、表を掃いていた女性が声をかけてきた。家主の女房だ。夫婦で階下の部屋に住んでいて、金には細かいがそのほかのことではうるさいことを言わないので、ここは居心地のいいアパートだった。

「高木さん、昨日、留守の間にお母さんから荷物が届きましたんですよ。ゆうべ、あなた帰りが遅かったから、渡しそびれちまって」

「置いといてください。今日帰ってきたら取りに行きますから」彼女は返事をし、足早に通りすぎた。

「へいへい」ほうきをとめて、家主の女房はひとりごちた。「ありがとう、ぐらい言ったってバチはあたらないと思うけどね」

目をやると、高木和子《かずこ》はアパートの前の通りを横切り、小走りに駅に向かっていく。途中、回収車を待って積み上げられているゴミの山のなかに、握りしめていた新聞を叩《たた》きつけるように捨てるのが見えた。

「もったいないことをするねえ」

家主の女房は顔をしかめ、鼻をふんと鳴らすと、掃除に戻った。

同じころ、また違う場所で、同じ記事が広げられていた。漂白されたように白く、骨ばった手がハサミでそれを切り取っている。

切り終えると、白い手はスクラップ・ブックを引き寄せ、記事を丁寧に貼《は》りつけた。

加藤文恵。三田敦子。菅野洋子。

死亡記事が三つ並んだ。

3

浅野一家の朝も新聞記事で始まった。

守も真紀も一睡もできなかったし、電話連絡を受けたあと、とるものもとりあえず警察に駆けつけたより子は、明け方になって、青ざめた顔で帰ってきた。

「会わせてくれないんだよ。夜中だから駄目《だめ》だって、その一点ばりで」

朝刊を広げてのぞきこむとき、三人とも手が震えていた。

「本当なのね」

自分に言い聞かせているような口調で、ぽつりと真紀が言った。守自身も、おかしいようだが、無味乾燥な記事を見ても、事実を生々しく感じることができなかった。夜中の電話は夢だったようにも思えた。

知らないうちに撮られた自分の写真を見ると、見ず知らずの他人の顔のように見えることがある。「浅野大造」と活字で書かれた名前を見るのは、それと似ていた。これは誰か別の不運な「浅野大造」の身に起こったことで、伯父さんはもうすぐ何ごともなく帰ってくるんじゃないか——

「厳しいわね」より子が言って、新聞をたたんだ。三人で、黙りこくったままの朝食を始めた。

真紀は、泣きはらしてふくらんだまぶたを濡《ぬ》れタオルで冷やしながら、ほとんど何も口にしなかった。

「食べないと毒だよ」より子が言った。

「いいわよ。今日は会社、休むもの」

「冗談じゃない、ちゃんと行きなさいよ。今、忙しい時期なんだろう？　それにあんた、もう有給休暇がないって言ってたじゃないの」

きっと母親を見あげると、真紀は鋭く言い返した。

「お母さん、よくそんなこと言ってられるわね。会社も休暇もどうでもいいわよ。お父さんが逮捕されてるのよ。平気でいられないわよ」

「あんたがうちにいたってなんの役にもたちませんよ」

「お母さん――」

「いいかい」より子は箸《はし》を置き、太い肘《ひじ》をテーブルにのせて身を乗り出した。

「事故だって、必ずお父さんが悪いと限ったことじゃないんだよ。今は警察にいたって、今日にも帰してもらえるかもしれない。あたしはお父さんを信用しているからね。絶対に大丈夫。だから安心して、お勤めに行きなさいよ」

少し声を和らげて、付け加えた。「うちにいてどうすんの？　クヨクヨ考えるばっかりで、かえってよくないじゃないの」

「おばさん、今日はどうするつもりなんですか」守は訊いた。

「すぐに社長さんに連絡して、弁護士の佐山先生を頼んでもらうよ。一緒にお父さんに会いに行ってもらって――差し入れもしてあげないと。着るものとか、小銭ぐらいならいいらしいし。下着は新しいのを買ってこないと。で、なんでもタッグはみんなとって、紐《ひも》のついてるものは駄目で……」

確認するようにつぶやいていたより子は、二人の子供の表情に気づいて口をつぐんだ。それから、強《し》いてきぱきした調子を取り戻した。

「そのあとあたしは佐山先生の事務所へ行って、話を聞いてくるからね」

より子が「社長さん」と呼ぶのは、大造が独立して個人タクシーを始めるまで二十年間勤めていた「東海タクシー」の里見社長のことだった。佐山弁護士はそこの顧問弁護士である。

時計を見ながらしぶしぶと真紀がテーブルを離れると、より子はその背中に言った。

「少し濃いめに化粧しなさいよ。あんたったら、百年の恋も醒《さ》めるような顔だよ」

守と真紀を送り出すとき、より子はもう一度、くよくよ考えるんじゃないよと念をおした。

「駅まで乗せてってくれない？」

守の自転車の荷台をさして、真紀は言った。「こんな顔でバスに乗るの、嫌《いや》だわ」

走り出してしばらくすると、守の背につかまりながら、真紀はつぶやいた。

「お父さん、朝ごはん食べられたかしら」

どう答えようかと、守は考えた、せっかくきれいに化粧したのに、また泣き出しちゃいけないよ。

「警察だって、それぐらいちゃんとしてくれるよ」

「──逮捕されてる人間にも？」

「事故なんだから」努めて明るく、守は言った。「それにおじさんは表彰されたこともある模範運転手じゃないか。警察だってわかってるよ。大丈夫だよ」

「そうかな……」

真紀は片手で長い髪をかきあげた。守の自転車は軽くよろけた。

「お父さん、丼《どんぶり》もの嫌《きら》いなのよね。警察で出されるごはんってみんな丼ものじゃない？」

「テレビドラマではね。だけど、朝から出前する店なんかあるかな」

「じゃ、ごはんにお味噌汁《みそしる》かしら」

そして、ひとりごとのように付け加えた。「なんでもいいけど、暖かいもの食べさせてくれてるといいな……」

守も同じことを思った。今朝の冷え込みは厳しかった。秋と初冬がこっそりといれかわっている。

駅前で真紀を降ろし、守は言った。「会社に行ったら、泣いてちゃ駄目だよ」

「わかってる」

「彼氏の前では別だけど。うんと慰めてもらっておいでよ。いちばん姉さんの力になってくれる人だろうから」

「前川さんのこと？」真紀は言った。彼女は隠し立てしない性格で、交際を始めて間もない会社の同僚のことも、家でうちあけていたのだ。守も一度、電話をとりつぐ際に挨拶《あいさつ》を交わしたことがあった。

「うん。頼れそうな人だった。てきぱきしててさ」

「そうね。彼ならね」真紀は微笑《ほほえ》んで、肩先から髪をはねのけた。守は自転車をこぎだし、角を曲がるとき振り向いて、ちょっと手を上げた。見送っていた真紀も手を振って応《こた》えた。

守の通う都立高校は、浅野家から自転車で二十分ほどのところにある。二年前に新築されたばかりの校舎で、公立にしては破格の空調設備まで完備されており、前庭にはきれいに刈り込まれた植え込みがレイアウトされ、白い建物とつりあっている。

食堂の裏手に設けられている学生用の駐輪場まで、スピードを落とさずに走り抜ける。まだ誰の姿も見えない。ベランダに並べて干された三本のモップだけが見おろしていた。

二階へあがり、一年A組のドアを開けた途端、いくらか持ち直しかけていたそれまでの気分が吹っ飛んだ。

うんざりだ、と、守は思った。

教室の前の出入口の脇《わき》に、生徒たちへの伝達事項を貼り出すための掲示板がある。そこに、今朝新聞で見た大造の事故の記事が、そこだけきっちりと切り抜いて、画鋲《がびょう》でとめてあった。そして、黒板いっぱいにかな釘《くぎ》文字で、

「殺人事件発生!」と書きなぐってある。赤いチョークで、記事の方向に矢印を引っぱってあるという念のいれようだった。

どこにでもこういうやつはいるのだ。場所が変わっても時がたっても。怒りを抑えて守は考えた。人間は、せんじつめれば七種類しかいないという話を聞いたことがある。他人の不幸がうれしくてたまらない連中は、退治しても退治してもはびこる雑居ビルのゴキブリみたいなものだ。

大造の記事はいわゆるベタ記事で、紙面の隙間《すきま》を埋めるように割り付けされていた。一行だけ上に飛び出し、二字だけ最下段にはみだしている。その切り抜きにくい記事をきっちりとなぞってあるところに、こんなことをした人間の悪意を、守は感じた。

父親の事件があったあと、枚川でも同じようなことがあった。都会とは比較できないほど事件が少なく、平穏で人の出入りの少ない田舎町では、一度起こった事件は根をおろしてしまう。母の啓子が死に、守が枚川を離れるまで、噂《うわさ》や中傷はどこへでもついてまわった。守はいつでも「あの日下敏夫の息子」だったのだ。

また同じことの繰り返しだ。なされたことの卑劣さより、そのこと自体に守は傷ついた。何度も何度も同じことが繰り返される。

これが誰の仕業《しわざ》かは見当がついた。そいつには、言葉で言っても、殴ってもわかりはしないだろう。守は思った。いつか理解できるときがくるとすれば、それは、そいつ自身が未来のどこかで、時速百キロのスピードで「逮捕」の二文字にぶつかったときだけだろう。

規律のうるさくない公立高校では、一部の生徒の遅刻が当り前になっている傾向がある。三浦邦彦《くにひこ》もその一人で、一時限目の授業が終わるころになってやってきた。後ろの出入口を開け、のんびりと教室に入ると、急ぐ様子もなく椅子《いす》を引く。

守は振り向かず、彼を見ようともしなかったが、相手がこちらを気にしていることは充分によくわかった。一メートル八十センチの長身で、バスケット部の俊足で、窓ガラスを見ては髪を撫《な》でつけ、四〇〇ccのバイクを飛ばし（半年で限定解除の試験にパスしてみせると豪語しながら）、タンデム・シートには半月ごとに違う女の子を乗せている三浦邦彦。

背中にあてられている視線ががまんできないほど強くなったので、とうとう一度だけ、守は振り向いた。三浦と目があった。相手は頬をゆがめて笑った。それに呼応するように、教室の後ろの方のどこかで抑えた笑い声がした。

間違いなかった。黒板と切り抜きは三浦の仕業なのだ。

小学生みたいだ。守は思った。本当に、枚川でされたのと同じ種類の嫌がらせなのだから、三浦と彼の仲間の頭の構造は、十歳になるやならずのところで成長を止めてしまっているのだろう。

「三浦、早く席につけ」

教壇から、片手に英語のリーダーを手にした教師が声をかけた。このクラスの担任でありながらこの程度の注意しかできないし、しようともしない。教室にやってきて黒板のなぐり書きを見たときも、何一つ言わず、黙って消して授業を始めた。生徒たちからは、名字の「能崎《のざき》」をもじって「能なし」と呼ばれている。

表情を欠いた顔で、「能なし」は続けた。「日下、よそ見するな」

またひそかな笑い声がはじけた。

「なにこれ？　バッカみたい」

一時限目が終わったあと、大きな声がして、切り抜きが掲示板からはがされた。クラスメートたちに「あねご」と呼ばれている元気のいい女生徒で、切り抜きをくしゃくしゃにしてくずかごに捨てると、目の隅《すみ》でちらりと三浦を見た。三浦は無反応で、仲間たちと窓際《まどぎわ》にたむろしている。

守と三浦がこんな険悪な状態になったのは、入学して間もなくの、ごくささいなことが原因だった。

馬鹿《ばか》らしい話だと、思い出すたびに守は思う。軽率だったと自分を責めてみることもある。

隣のクラスに、入学してすぐに学校中で評判になったほどの美人の女生徒がいる。守も何度か見かけたことがあったし、確かにこの辺ではちょっとお目にかかれないタイプの可愛《かわい》い女の子だった。

四月末のある放課後、その彼女が財布を落としてしまったことが、そもそもの発端だった。一応校内を探してはみたが、出てこない。時間的にも、とりあえず事務室に届けを出して帰宅するしかなかったのだが、困ったことに、財布のなかには彼女の自宅の鍵《かぎ》と、通学に使っている自転車の鍵も入っていた。

スペアは家にあるから今日のところは置いて帰ろう、友人たちとそう話しているところに、三浦が仲間たちと通りかかった。そして彼女に、自分がバイクで送ってやると言い出したわけなのだ。

隣のクラスの女の子は、三浦のバイクのタンデム・シートに乗りたがるタイプではなかった。内気で、学則もきちんと守り、バイクよりは自転車に、ディスコよりは映画に行きたがる――それもちゃんと両親の許可をとって――女の子だったのだ。

彼女は断わった。怖がっていることがはた目にもわかった。だが、もともとそれであきらめるような三浦ではない。彼女に、校外にとめてあるバイクをまわして来るまでそこで待っているように言い置くと、思いがけないチャンスににやにやしながら、急いで立ち去った。

そのとき、たまたま守も帰宅するために自転車を出しに来たところだった。彼は話の一部始終を聞いていた。女の子の困り果てた、今にも泣き出しそうな顔も見ていた。そのまま逃げてしまえば、明日以降、三浦たちにどんな因縁をつけられることになるかわからない。

そこで、守は声をかけた。自転車の鍵をはずしてあげるから、財布が見つかったことにして帰ったらいいよ、と。

女の子は救われたような顔をした。ホント？　本当にできる？

うん。自転車の鍵ぐらいなら、簡単にはずせるよ。守は答えた。「――ぐらいなら」というのは、自分の能力を非常に控え目に表現した嘘《うそ》ではあったが、はずせることは事実だった。

戻ってきた三浦に、女の子はサドルにまたがったまま、今お財布が見つかったの、だから自転車を使えるようになったから、これで帰れるわ、と言った。三浦は完全に肩すかしをくったわけだった。

真相がどこでどうばれたのか、誰が話したのかいまだに分からないし、守も知りたいとも思わない。だが、数日後にはほとんどの生徒たちがことの次第について噂していたし、三浦とその仲間の守を見る目付きには、それまでにはなかった険悪な色が浮かんでいた。

それから半月ほどして生徒名簿が配られたとき、守の名字と保護者の名字が違っているのを発見して、三浦たちは彼のどこを責めたら一番効果的なのかを悟ったらしい。一週間ほどで、守の家庭の事情から枚川での日下敏夫の事件まで調べあげてしまった。歪《ゆが》んだ熱意のすごさに、守はいささか唖然《あぜん》とした。

ある朝登校して、机の上にペンキで「泥棒《どろぼう》の子は泥棒」と書かれているのを見つけたのも、このころのことだった。覚悟はしていたし、慣れっこになっているつもりでも、一瞬頬《ほお》が強張《こわば》った。

そこへ、用務員室から借りてきたペンキ落としを持ってやってきたのが「あねご」だったのだ。あだ名ばかり聞かされていたので、彼女の名前が時田沙織《さおり》であることも、このとき初めて知った。

「『あねご』でいいわよ。本人には一言の相談もなしに親の趣味でつけちゃった名前だもん」と、彼女は豪快に笑ったものだ。

掲示板から切り抜きをはがしたあと、あねごはまっすぐ守の方にやって来た。空いている隣の席にどすんと腰をおろすと、そばかすの浮いたつやつやした顔を心配げに曇らせて言った。

「朝刊で読んだよ。たいへんだね」

素朴《そぼく》で単純なその「たいへんだね」という言葉に、事故が起きてから初めて、守のなかで何かがぐっと動いた。二人ともしばらく黙った。

「だけど、事故だからね」あねごは言った。「事故なんだからさ」

「うん」うなずいて、守は窓の外に目をやった。

4

高木和子が現在勤めている「イースト興産」は、JR新宿駅東口から徒歩五分ほどの場所にあった。

「最近、売上げが芳《かんば》しくないようだけど、身体《からだ》の調子でも悪いの？」

朝礼のあと、直属の上司が声をかけてきた。言葉の後のほうは付け足しで、要するに成績不良を非難されているのだということを、彼女はよくわかっていた。返事をしないまま今日の予定表を書いていると、上司はくわえ煙草《たばこ》で彼女の椅子の後ろに立っている。

「ちょっと、不調なんです」仕方なしに、そう答えた。相手は鼻から煙を吹き出し、ふうんと言った。

「まあ、あまり無理しないことだね」

十時きっかりに、和子は会社を出た。とりあえず駅前に足を向ける。好天で風は心地よく、すれちがう人たちも活気にあふれて見える。そのなかを、和子はほとんど足元ばかり見つめて歩いた。

採用されたとき、また当面の生活のめどがついたことへの安堵《あんど》と同時に、彼女は思った。あたしはまた新宿に戻ってきた。戻りたくはなかったのに。

彼女はこの街を嫌《きら》っていた。ごみごみと建て込んだビルを嫌い、駅の通路にも、高層ビル街の植え込みにさえ漂うゴミと吐瀉物《としゃぶつ》と排泄物《はいせつ》の匂《にお》いを嫌っていた。この街で落とされる金を、それを落としていく人間を嫌っていた。

それなのに、あたしはその金を拾いに戻ってきた。そう思うとなおさらこの街の全《すべ》てが我慢ならないのだ。

午前中はまるで仕事にならなかった。今朝の新聞記事が頭にこびりついて、意思とはうらはらに、何度もよみがえってくるのだ。喫茶店でコーヒーを飲み、いつもよりもっとひどく煙草をふかし、この街ならどこにいても目に入る高層ビルをながめながら時間をつぶした。店の隅にピンク電話が一台ある。さっきから、ほとんど空いていることがない。背広姿のサラリーマンが、派手なシャツにチェックの上着の水商売風の男が、デパートに買い物に来たらしい主婦が、いれかわりたちかわり受話器を取り、コインを入れる。

正午近くなって、和子はようやく席を立ち、電話に近づいた。アドレス帳を繰り、「S」の欄を開く。満杯に近く埋まっているページの中に、個人的な友人の名は一つだけしかなかった。

菅野洋子。

名前の下の住所と電話番号は一度消され、書き直されている。洋子はこっそりと引っ越し、新しい住所を教えてくれるとき、絶対にほかの誰にも言わないでくれとくどいほど念を押した。

和子はダイヤルを回した。呼出し音を数えた。

一回、二回、三回……鳴り続ける。洋子の家族は誰も上京してきていないのだろうかと思いかけたとき、呼出し音がとぎれた。

「もしもし？」

急に怖《おじ》けづいて、和子は電話を切りかけた。相手が出たら言おうと思っていた言葉を見失ってしまい、受話器を耳から離す。

もしもし？　もしもし？　と、遠く聞こえる。呼びかけてくる。和子は気をとりなおした。

「あの、菅野洋子さんのお宅でしょうか」

ちょっと間があって、相手は答えた。「はい、そうですが」

「わたし、洋子さんの友達です。あの……今朝の新聞を読みまして……」

「そうですか」相手の声が小さくなった。「わたくしは洋子の母です。娘がお世話になりまして」

「洋子さんが亡《な》くなられたのは間違いないんでしょうか。あの、わたし――」

「わたしどももまだ信じられないんですよ」

和子は受話器を握りしめて目を閉じた。

「事故に遭われたというのも本当ですか」

「本当です」声に力が入った。「ひどいことです。あんまりですよ。運転手は自分は悪くないって言ってるんです」

「お気の毒です。洋子さん——もう帰ってきているんですか」

「はい。今日の午後、とりあえず実家へ連れて帰ります。通夜《つや》も葬式もあちらであげることにしてありますもんで」

「わたし、お葬式にうかがいたいんです。時間と場所を教えていただけませんか」

ありがとうございますと言って、洋子の母は詳しく説明を始めた。和子はメモをとった。

「洋子とは、学校でのお友達ですか」

和子は黙っていた。もしもし？ と声がした。

「わたしたち、一緒に仕事をしていたんです」和子は答え、電話を切った。

店はこみ始めていた。ランチタイムで、客の大半は制服を着たＯＬたちだった。和子は突然、自分の真っ赤なスーツをひどく疎《うと》ましいもののように感じた。

外に出ると、駅の旅行センターに向かい、カウンターに並んで切符を買った。菅野洋子の故郷は、東京から特急で二時間ほどの地方都市だった。何も面白いことのないところなのと、洋子はよく言っていた。

ねえ、私怖いのよ。

最後に会ったとき、洋子は言っていた。こんな偶然てあるかしら。こんなことが続くなんておかしいわよ。しまいには泣き声になっていた。

あたしだって怖いわ。和子は思った。

怖いけど、でも洋子、あんたは事故で死んだんだから。信号無視のタクシーがあんたをはねとばして殺したんだから。あんなことはもう終わりよ。あんたで終わり。

あたしは偶然を信じているもの。日ざしに目を細めて歩きながら、和子は自分に言い聞かせた。この東京ではどんなことだって起こるんだから。

三カ月ほど前、新宿に買い物に来て、ステーション・ビルのエレベーターに乗ったときのことだった。彼女を含めて十人ほどの客が乗り込み、ドアが閉じるまでの短い間に、エレベーターの前を一人の若い男が通りかかった。貧弱な体格と猫背《ねこぜ》ぎみの歩き方に見覚えがあった。

和子はどきりとした。それが通じたかのように、男も彼女に気がついた。

男は彼女の「客」だった。

息が詰まるような瞬間だった。和子は身を縮めた。男は彼女に向き直った。近づいてこようとした。エレベーターのドアが閉じ始めた。男はドアに手をかけた。

「満員だよ」乗り合わせた客の誰かが言った。ドアは閉じ、和子の視界から、男のびっくりしたような顔が消えていった。

あれも偶然だった。とんでもない偶然のいたずらだった。一度別れた「客」と、こんなにも大勢の人間が集まる街で出くわすなんて。

東京には何でもあり、どんなことだって起こる。いちいち気にしちゃいられないのよ。

もう一度、和子は自分に言い聞かせた。

5

その夜、守と真紀は、より子の口から事故のあらましと大造の様子を知らされた。

「お父さん、一時はすごく興奮して大変だったらしいんだけど、今は落ち着いているそうだからね。心配ないよ」

しっかりした声で、より子はまずそう切り出した。

こんなときこそ力をつけるべきだという彼女の意見で、浅野一家は揃《そろ》って近くのステーキ・ハウスに出かけてきていた。ロッジのような造りの店内は明るく、八分ほどの客の入りで、ステーキ・ソースの香りが漂っていた。

真紀は容易に安心させられなかった。

「だけど、なぜまだ警察に泊められてるの？　帰してくれたっていいじゃない」

真紀姉さん、今日一日でやつれたみたいだ。守は思った。目の下にうっすらとくまが浮いている。より子のほうがまだ元気そうだった。

「それがいろいろ難しくてね、順々に話すけど」より子は言って、いつも持ち歩いている大きなバッグからたたんだ用箋《ようせん》を取り出した。佐山法律事務所の用箋だった。

「あたしは頭がよくないからね。佐山先生に書いてもらってきたんだよ。あんたたちにちゃんと説明できるようにね」

　事故が起こった緑二丁目の交差点は、大造が熟知している場所だった。幹線道路から一本だけ住宅街に入ったところで、四つ角の東南側は大きな児童公園、東北側には建設中のまだシートがかけられたマンションがある。北西と南西の角は普通の住宅だが、北西の角の家は一階が煙草屋になっていて、道路に面して自動販売機と公衆電話が一台ずつ据《す》え付けられている。事故のあと駆けつけてきた巡査が救急車を呼ぶときには、この電話を使った。

「おまわりさんがそんなにすぐ来たんですか」

「うん。たまたま近くを見回ってるところで、物音を聞いてすぐ飛んできたんだって。それがまたついてなかったところでね。お父さん、それでなくても動転してるところだろ？　怒鳴りつけられて、自分でもなにがなんだかわからなくなっちゃったらしいんだよ」

「おまわりさんを殴りでもしちゃったの……？」真紀が目を見開いた。

「そこまではしなかったけど、まあ、それに近いようなことをね。相手のおまわりさんも若い人だそうだから、血がのぼりやすかったんじゃないかね。それで、そのまま逮捕されちまったわけなんだって」

「ひどいわ」真紀は壊れそうな顔をした。

「おじさんがそんなに混乱するなんて……」守は言いよどんだ。

「うん。ひどい事故だったんだよ。それに、うちのお父さんは、今まで事故ってものに縁がなかったからね。軽くぶつけられたことはあるけど、人身なんてね、絶対にありっこないって自信を持ってた人だったからね」

料理が運ばれてきたが、誰も手を出さなかった。冷めないうちに食べようよと、より子が促した。

「それで、事故そのものの事情はどうなの？　そっちもお父さんが悪かったの？　あたしにはそんなこと考えられないわ」

より子は気が重そうにため息をついた。

「佐山先生の話だと、それがわからないんだって」

「わからないって？」

「事故現場を見ていた人が、今のところ一人も見つかってないそうなんだよ。そりゃ、事故が起きてから集まってきた弥次馬《やじうま》はわんさといますよ。だけど、お父さんが相手の女の子をはねちゃったその場を見ていた人がいないんだってよ」

疲れたように、より子は額に手をやった。「相手の女の子は死んでしまってるし」

「お父さんはどう言ってるの？」

「相手の女の子——菅野洋子さんの方が、いきなり飛び出してきたんだって。交差点の、お父さんの進行方向の信号は間違いなく青だったって」

「じゃあ、そうなのよ。お父さん、嘘《うそ》をつく人じゃないわ」

真紀は力んだが、それがそのまま警察で通用するはずのないことは、言っている本人もわかっているのだった。

「それでね」しばらくして、より子は続けた。「菅野さん、救急車で病院に運ばれる途中で亡くなったんだけどね、ちょっとのあいだは意識があって、事故のことを話したらしいんだよ」

「何て言ったんです？」

テーブルに目を落とし、より子は口をつぐんでいる。守と真紀は顔を見合わせた。

「半分はうわごとだったらしいけど。『ひどい、ひどい。あんまりだわ』――繰り返し繰り返し、そんなふうに言ったんだって。さっきのおまわりさんも、救急隊員の人も、はっきり聞いているそうなんだよ」

ひどい、ひどい。あんまりだわ。その言葉が、三人の囲んでいるテーブルの上を漂った。

守は寒気を感じた。

「お父さんは、菅野さんが走って飛び出してきた、よけようとしたけど間に合わなかった、信号は青だったって言ってる。警察はそうは考えてない。言い分はまるっきりくいちがってるし、その場を見ていた人もいない。とても難しい状況ですって、佐山先生はおっしゃってたよ。実況検分とかいうものをして、お父さんがどのくらいのスピードで走ってて、どのへんでブレーキをかけて、どこでとまったかはわかるんだって。だけどねえ、その瞬間に信号が赤だったか青だったか、菅野さんが本当に走って飛び出してきたのかは、警察にもわからないもんね」

「――どうなるの？」真紀がつぶやいた。「このままいったら、お父さんどうなるの？」

「まだ断言はできないけれど」より子は「できない」というところを強調した。用箋に目をやり、言葉を探す。「このまま、お父さんに有利な証拠が出てこないで、お父さんの言葉を信じてもらえなかったら、刑務所行きは免《まぬか》れないだろうって。お父さんは職業運転手だし、相手が亡くなっているからね」

真紀は両手で顔を覆《おお》った。守は訊《き》いた。

「そうでなければ？　いい材料が出てくればどう変わるんですか？」

「どっちにしても不起訴で済ますことは難しいと思うけれど、略式命令か、裁判になっても執行猶予《ゆうよ》がつくだろうって。できるだけその方向で努力してみますというお話だったよ。大違いだもんね」

より子は無理に笑ってみせた。「どっちにしろ前方不注意ってことはあるし、ついてないよねえ。お父さん、スピードも十キロオーバーだったんだってさ。普段はそれでなんてことないんだよね。走り慣れてて、いつもは十時を過ぎたら人っこ一人見かけたことがない場所だっていうんだから」

より子は二人の子供の顔を見た。

「さ、お食べ。お父さんだってちゃんと食事はしてるんだから。丼《どんぶり》ものじゃないってよ」

真紀は動きもしなかった。やがて、グラスをとりあげて一口水を飲んだ。

「ずっとこのままなの？　家に帰ってもこられないの？　取り調べが済んだら帰してくれないのかしら。お父さん、逃げたりしないわよ」

「それもきいてはみたんだけどね……」

「ひどいわよ」

より子はまた用箋に目を落とした。

「交通事故で、相手が亡くなってしまうと、普通ね、十日間のコウリュウ——勾留《こうりゅう》ってのは、どうしても仕方のないものなんだって。なにも、お父さんの場合だけが特別なんじゃないんだよ。だいたいそんなもんなんだって」

「それで、おばさんや僕たちはおじさんに会えるんですか？」

より子は眉間《みけん》にしわを寄せて用箋を読んだ。

「それが……駄目でね」

「なんでよ！」

「ええと——〈接見禁止〉ってのがついてて……」

「それもよくあることなの？　そうなの？」

より子は口ごもった。

「違うのね？」

いきりたつ真紀に、より子は言いにくそうに説明した。

「緑町の辺りは、お父さん、よく知ってるんだよ。事故のあった交差点からちょっと左に行くと、深夜営業の喫茶店があってね、そこでよくコーヒーを飲んだりしてるんだって。そういう場所だから、警察は、今自由になると、お父さんがそういう知りあいに頼んで、自分に有利なことを証言してもらうように細工するかもしれないと考えているんだって」

「目撃者をでっちあげるってことですか」

「そうだね」

「猜疑心《さいぎしん》のかたまりだわ」

「でも、現実にそういう例もあるそうなんだよ」

「お父さんは違うわよ」真紀は吐き捨てた。

「あたりまえですよ。母さんだってそんなこと夢にも思ってないよ」より子の口調もきつくなった。

「こっちで何かできることはないのかな」守は言った。より子は表情を緩め、優しく言った。

「あんたたちは元気にしてればいいの。あとのことは、あたしが佐山先生と相談してやっていくから。大丈夫だよ」

そうそう、と、軽い調子で付け加えた。「明日、母さん、佐山先生と一緒に菅野さんの実家までうかがってくるからね。洋子さんは大学に行くためにこっちで一人暮ししてたんで、実家はちょっと遠いんだよ。向こうで一泊することになると思うけど、頼んだよ」

「お通夜ですか」

「そうよ。事故の様子はどうであれ、娘さんが一人亡《な》くなってるんだからね」より子は口元を引きしめた。「示談のこともあるし」

むっつりと食事を終え、三人が帰宅すると、明りを消してある家の奥で電話が鳴っていた。より子があわてて鍵《かぎ》を開け、真紀が走って受話器をとった。

「もしもし、はい？　浅野でございますが」

瞬時に、顔が強張《こわば》った。それで守にはわかった。

「姉さん、代わる！」

それより先に、真紀は受話器を放《ほう》り出した。

「いたずら電話だね」守はぶらさがった受話器を拾い上げた。もう切れている。

「なんて言ってきたの？」より子は怖い声を出した。

「人殺し野郎って。女をひき殺したやつは死刑だって。あとは聞かなかったわ。酔っ払ってたみたい」

「放っておきなさい」より子は背を向けて座敷に入っていった。まだ電話を見つめたまま、真紀は訊いた。

「お母さん、昼間もこんな電話があったの？」

より子は返事をしない。

「お母さんたら！」

黙ったままだ。守はどうしようもなく二人の顔を見比べた。

「あったのね。そうなのね」真紀は泣き声になった。「どうしてこんなことになるの？　もう嫌《いや》よ……」

「そんな泣き言ばっかり言ってるんじゃないの！」

「だって、会社でもあったのよ。出勤するなり課長に呼びつけられて、これは君の家のことかって、新聞を見せられたわ」

「それでなんだって言うの」より子の頰《ほお》も強張った。「あんた、謹慎しろとでも言われたの？」

「そうは言わないわ。だけどわかるでしょ？　みんな知りたがってるのよ。お父さんがどうなるのか。本当に信号無視で人をひき殺したのかどうか」

真紀は唇《くちびる》を嚙《か》んで守を見た。涙をこらえているので目がキラキラしていた。

「守ちゃんだってそうだったんじゃない？　学校で嫌な思いをしたんじゃない？　世間なんてみんなそんなもんなんだわ」

真紀が部屋に閉じこもってしまったあと、守はより子に言った。

「これからしばらくは、かかってくる電話には僕が出るようにするよ」

より子は苦笑した。「あんたも苦労する子供だね」

そしてふと、真顔に戻った。「守、日下さんの——あんたのお父さんのときにも、こういうことがあったんだね？」

あったなんてものではなかった。守は思った。

「でも、親父《おやじ》の事件が起きたときは、僕はまだ小さかったからね。何を言われてるのか、意味もわかんなかったよ」

それから一時間ほどの間に、もう二本、電話があった。最初のものはヒステリックな女の声で、交通戦争がどうのこうのとわめいていた。

二本目は、ちょっと変わっていた。若い男の声だった。

「菅野洋子を殺してくれてありがとう」

いきなり、そう言ってきた。せきこむような浮かれているような、うわずった声だ。

「本当にありがとう。あいつは死んで当然だったんだ」

驚きで返す言葉もないうちに、一方的に電話は切れた。

なんてやつだ。しばらくの間、守はあっけにとられて受話器をながめていた。

十一時過ぎに、もう一本電話がかかってきた。

「いつもそんな喧嘩《けんか》ごしで電話に出てると、女の子にふられるんだからね」

あねごだった。守は笑って謝った。

「今日はどうもありがとう」

「切り抜きを捨てたこと？　あんなの当然よ。それより、あたしさ、あとで三浦をとっちめてやりに行ったの。そしたらあいつ、馬鹿《ばか》にしてんのよ。アリバイがあんだって」

「アリバイ？」

「そうよ。あいつ、毎度のことだけど、今朝も遅刻して来たじゃない？　教室に入る前、正門のところで先生につかまったんだって。だから、朝早く出てきて切り抜きを貼《は》ったり黒板に落書きしたりできるはずなかった、先生が証人だなんてぬかしやがったけど、それじゃアリバイなんかになりゃしないわよね」

守は、あねごのサバサバした性格を好ましいとは思うが、もうちょっと女の子らしい言葉づかいをしたほうが本人も得だろうにと感じることはある。

「どっちにしろ、本人でなくてもあいつの仲間がやったことなんだろうし、かまわないんだ。あねごこそ、あんまりあいつを刺激しないほうがいいよ」

「その辺は心得てるよ。三浦はあたしみたいなタイプにはちょっかい出してこないしね」

だけど不思議なんだよね。あねごは考えこむように言った。

「三浦ってさ、中身はともかく、外見はかっこいいタイプじゃない？　あれで女の子にもモテるんだよね。バスケット部でも、一年生でレギュラー入りしているのはあいつだけだし、成績だって悪い方じゃない。なのにさぁ、どうしてあんなネチネチした弱い者いじめみたいなことをするんだろう」

「病気だって思っていれば間違いないよ」

「あれで結構、人に言えないコンプレックスなんかあったりすんのかしらね」

おやすみと言って電話を切ったあと、守は彼女の言ったことを考えてみた。

三浦は何でも持っている。父親は大手の保険会社に勤めていて、家も裕福だ。あねごの言うとおり、容姿にも不足はないだろうし、能力にも欠けるところはない。

ただ、貪欲《どんよく》なのだ。守は思う。自分には足りないものはないが、同じように足りないものがない人間はほかにもたくさんいる。自分も十持っていて、隣の人間も十持っている状態で、その隣にいる人間に対して優越感を感じたいと思ったら、相手から何かを取り上げてしまうしか方法がない。そうしないと満足できない。

三浦のような人間——今は大多数がそうなのだ——が満足感と幸福感を得ようと思ったら、もう足し算では駄目なのだ。引き算しながら生きていくしかない。

あいつは楽しいんだろうな。三浦の顔を思い浮かべて、守はひとりごちた。誰かから何かを取り上げることが、ただもう純粋に楽しいからやっているだけなのだろう。

喧嘩が激烈になったのは、午前零時を過ぎたころだった。

より子と真紀だった。守は自分の部屋に引っ込んでいたが、次第にトーンのあがっていくやり取りは、階上にもまともに聞こえてきた。

「信じられないわよ」真紀の声は涙まじりで、興奮に語尾がぶるぶる震えていた。「お父さんが可哀《かわい》そう。お母さん、お父さんのことをそんな人間だと思ってるのね」

「お父さんとあたしのあいだのことを、あんたにとやかく言われることはないわよ」

より子も大声で言い返す。怒ってはいるが、真紀よりは冷静を保っていた。

「あたしだって、お父さんがそんな無責任な人じゃないって信じてるわよ。だけどね、それじゃどうにもならないことだってあるの。あたしはね、真紀、あんたがおむつをあてるころからタクシーの運転手の女房をやってるんだよ。事故がどんなもので、どんな理不尽なことがあるか、あんたより骨身にこたえて知ってるんだよ」

「お父さん、信号無視して人をひき殺すような人じゃないわ。嘘《うそ》をついてそれを隠そうとする人でもないわ」

「そうですよ。誰がそうじゃないなんて言うもんかね」

「言ってるじゃない。頭さげて示談してもらうってことは、そういうことでしょ？　こちらが悪うございましたって」

「お話にならないよ」

より子がテーブルに手のひらを叩《たた》きつける音がした。

「人ひとり死んでるんだよ。償うことを考えるのがそんなに恥ずかしいのかね。それに、何度も言うけど、お父さんのためにも、示談を取ることがどうしても必要なんだから」

「あたしは嫌よ」真紀は頑張った。「そんな卑怯《ひきょう》な妥協をするお母さんのこと、一生許さないから」

「ああ、勝手にしなさい」より子は言い放った。しばらく黙り込んだあと、勢いが言わせてしまった。

「真紀、あんたね」より子の声も震え始めていた。「ふたことめにはお父さんのため、お父さんのためって言ってるけど、よく考えてごらん。それだけかい？　あんた、お父さんが刑務所に行くようなことになったり、前科がついたりしたら困ると思ってるんじゃないの？

世間体《せけんてい》が悪い、恥ずかしい。みんな自分のためじゃないか。あたしに言わせれば、それこそとんでもない身勝手ないいぐさだよ」

沈黙。

真紀がわっと泣き出し、階段をかけあがってくる音を、守は聞いた。ドアが乱暴に開けたてされ、静まり返る。

十分ほどしてから、守は真紀の部屋のドアをノックしてみた。返事はないが、声をかけて細めに開けた。真紀はベッドに腰かけ、両手を頰にあててうつむいている。

「真紀姉さん――」

「ひどいじゃない」鼻詰まりの声で、彼女は言った。「いくら親だって、言っていいことと悪いことがあるわよ」

守は半開きにしたドアによりかかり、黙って真紀をながめた。

「あたしの言ってること、そんなに間違ってる？」

「間違ってやしないよ」

「じゃ、お母さんはどうして……」

「おばさんの言うことも正しいと思う」

真紀は髪をかきあげて顔を上げた。

「そういうの、ずるい答えね」

守はちょっと笑ってみせた。「そうだね」

「守ちゃんは、どうだったの？」

「僕も、おじさんは無責任な違反をする人じゃないと思う」

「そうじゃないの。守ちゃんのお父さんのときのことよ」

頰に涙を残したまま、真紀はまっすぐに守の顔を見つめている。

「親父の場合は、弁解の余地がなかった。本当に使い込みをしてたんだから」

「ちゃんと立証されたの？　証拠があったの？」

守はうなずいた。

「ショックだったでしょうね」

守は答えなかった。あの当時のことを今になって言葉で説明したくなかった。どこかに作り事が混じってしまうような気がするのだ。

ただ、守が父親を許せないと思うのは、使い込みをしたからではなかった。そのあと姿を消してしまったことが許し難いのだ。犯した罪をスリッパを脱ぐように簡単に捨てて、自分だけ新しい靴《くつ》を履きに行ったのだから。

「――真紀姉さん」

「なあに」

「それ、どっちも本当だよ」

「どっちも？」

「姉さんが心からおじさんを信じていて、だからおじさんの言い分も聞かずに示談にするようなやり方をしたくないってこと。それと、おじさんが前科者になったらどうしようってそれを心配する気持と」

真紀はまばたきもしなかった。

「守ちゃんまでそんなこと言うの？」

守はひるまなかった。「どっちも本当なんだ。どっちも同じぐらい強い気持なんだよ。おばさんだって、おじさんの言葉を誰も信じてくれない、立証できなければどうしようもないの一言で片付けられてしまうことに、にえくりかえるほど腹を立てているはずなんだ」

守は時々、人間の心というのは、両手の指を組み合わせたような形をしているのではないかと思うことがあった。右手と左手の同じ指が、互い違いに組み合わされる。それと同じで、相反する二つの感情が背中合わせに向き合って、でも両方とも自分の指なのだ。

母さんだってきっとそうだったはずだ、と思う。

離婚届けに手もつけず、生きているあいだ一言も、夫に対する非難の言葉を口にせず、日下の姓を捨てることもしなかった。だけど母さんだって、親父を憎んだことがなかったはずはない。たとえほんの一瞬であったとしても。

真紀は立ち上がり、押し入れから小型のボストン・バッグをとりだした。衣類を詰め始める。

「出ていくつもり？」

「友達の家に泊めてもらうわ」ちょっと笑みを見せる。「ちゃんと帰ってくるから」

「前川さんのところ？」

「ううん、あの人はご両親と一緒に住んでいるんだもの。なかなかレディス・コミックみたいにはいかないものよ。それに——」

真紀は口をつぐんだ。何か言いたそうな間が開いて、守は待った。だが真紀は先を続けなかった。

彼女が通りに出てタクシーを拾うところまで、守は送っていった。家に戻ると、居間でより子が煙草《たばこ》を吸っていた。珍しいことだった。

「真紀の家出は珍しいことじゃないよ。心配いらない」赤い目をして、そう言った。

守はランニングに出ることにした。毎晩、約二キロのコースを走ることを日課にしているのだった。

ウエアに着替えて降りてくると、より子の部屋はもう明りが消えていた。廊下を通り過ぎるとき、ため息が聞こえた。

母さんのため息と似てるな。守は思った。

6

深夜だった。

彼は独り、エンジンを切り明りを全《すべ》て落とした車の運転席について、窓の外を見ていた。

彼の車は、運河の土手に寄せて橋のたもとに停《と》めてあった。街灯の明りも、シルバー・グレイの車体をほのかに光らせるほどにしか届かない。

彼は待っていた。

少年が毎晩、決まった時刻にランニングする習慣のあることは、調べてあった。彼がこの暗がりに身をひそめているのは、少年に会うためだった。

煙草に火をつけ、夜気を入れるために運転席側の窓を細く開けた。微風と、運河の匂《にお》いが忍び込んできた。

町は眠りこんでいる。

星が見える。新しい発見をしたような思いで、彼は夜空を仰いだ。長いこと、空には星があることなど忘れていた。ちょうど、自分のなかに良心があったことを忘れていたのと同じように。

よどんだ川と、低い家並み。町工場とモルタル塗りの住宅の間に、場違いな欧風マンションが混じる。二軒先の家では、洗濯物《せんたくもの》を取り込み忘れている。白いシャツと子供の丈のズボンが、彼の孤独な待機につきあうように闇《やみ》に沈んでいる。

四本目の煙草に火をつけたとき、待ち人がやって来た。

少年は街角を曲がり、緩いペースで走りながら、彼の車のバックミラーに現われた。彼は急いで煙草を消し、シートに身を沈めた。

思っていたより小柄《こがら》な子だった。これから背が伸びるのだろう。淡いブルーのトレーニング・ウエアに包まれたその姿は、夜の町のなかでひどく無防備に、そして清潔に見えた。右、左、右、左。歩幅は乱れず、さして苦しそうでもない。肘《ひじ》まで袖《そで》をまくり上げ、両腕は規則正しく振られている。

やっぱり、この子はいいランナーになるぞ。彼は思い、ふとそれを誇らしく感じた。足取りも軽く、少年は近づいてきた。絵本で見るピーター・パンのように。顔は前を向いたままで、彼に気づいた様子はない。

車を数歩追い越して、少年は足を止めた。

リズミカルだった呼吸が乱れ、少年は今、肩で息をしていた。その姿がフロントガラスいっぱいに広がった。

反射的に、男はさらに深くシートに身をひそめようとした。だが身体《からだ》が動かなかった。顔を見られるはずのないことはわかっている。そこに立つ少年は、頭上から照らす街灯の光のなかにいる。暗がりに沈む彼の姿が見わけられるはずもない。あの子はただ、物陰に停められている見慣れない車を不審に思っているだけなのだろう。

動けなかった。真正面から彼を見つめている少年から視線をそらすこともできなかった。見つめていたかったからだ。

少年は、奇妙な音を耳にしたかのように軽く首をかしげ、彼のいる方向を見ている。繊細そうな、いい顔立ちをしていた。大人になってからも決して人に疎《うと》まれることのない、優しい顔をしていた。

母親譲りなのだと、彼は思った。ただ、まっすぐに結ばれた口元だけは、見る目のあるものには、内に秘められた意志の強さを教えるだろう。

その瞬間、呼吸の止まるようなその二、三秒の間、彼は今までに感じたことのない強い衝動と戦わなくてはならなかった。

その衝動とは、ドアを開けることだ。外に出ることだ。地面に降りて自分の足で立ち、少年に声をかけることだった。なんでもいい、話しかけてみたい。どんな答え方をするか、どんな声なのか、どんなふうにあの表情が変わるのか、この目で見ることだった。

それができないことも、今はまだその勇気がないことも、彼は知っているのに。

少年はやがて、かぶりを振るようにして身をひるがえし、また走り始めた。遠ざかるにつれ、ブルーのウエアが白く見える。やがて一つ先の角を折れて、姿が消えた。

彼は息をつき、自分の手のひらに汗がにじんでいることに気がついた。少年の消えた曲り角から目を離さないまま、しばらくじっと座っていた。

私だ。この私なんだ。彼の心のなかで、一続きの言葉がハンマーで叩くように繰り返し響き続けた。私だ。私なんだ。

その言葉を声に出しながら、少年の走り去った方向に駆け出したい誘惑をしりぞけることができるまで、彼はじっと動かずにいた。やがて、ひとつ息をついて身体を起こすと、上着の内ポケットを探った。

ごく小さなものが、彼の指先でキラリと光った。

指輪だった。少年と彼の母親の写真をとじたアルバムと一緒に、彼がひそかに保管し続けてきたものだった。

かつては日下敏夫の指にはめられていたエンゲージ・リングだった。裏面に刻まれたイニシャルは、今でも薄れていない。

今後はこれを身に着けていよう。身体のなかの、心臓に一番近い場所に。彼は指輪を内ポケットに戻した。

キーに手をのばし、エンジンをかけた。車を出すとき、誘惑に負けなかった代償のように、もうひとつの言葉が響き始めた。

私は償いをするつもりだ。

ようやくその機会がやって来た。守、私はお前に会いに戻ってくるよ。

第二章 不審

1

翌日は土曜日だったので、午前中の授業が終わると、守はその足で、学校から二つ先の駅前にある大型スーパー、「ローレル」城東店に向かった。毎週土曜の午後と日曜日は、ここの四階にある書籍コーナーでアルバイトをしているのだ。

従業員用の入り口を抜け、アルバイト店員のブルーのタイム・カードを押すと、更衣室へ入る。シャツのうえに、書籍とレコード売り場だけで使われているオレンジ色のうわっぱりのような制服を着て、やはりアルバイト店員用のブルーのラインの入った名札を胸ポケットにとめる。

いったん鏡を見る。「ローレル」では、従業員の服装チェックが厳しい。アルバイト店員でも、サンダル履きや長髪は許されない。女性のソバージュ・ヘアやマニキュアも禁止である。

通用階段で四階にあがると、ちょうど書籍コーナーの倉庫の脇《わき》に出る。取次業者からの午後の便がついたばかりで、店員たちが荷ほどきと検品を始めていた。

「よう、おはよう」

大型カッターで梱包《こんぽう》テープを切りながら、佐藤というアルバイト店員が声をかけてきた。アルバイトといってもベテランで、守も最初は彼から仕事を教えられた。

書店の仕事の大部分は、体力の要る力仕事である。入庫・出庫・陳列・配達・返品と、商品として扱われる場合の本というものは、電気機器と同じぐらい重いものなのだ。二十五人いるこのコーナーの店員たちのうち、二十人までが十代から三十代までの男性であるのもそのためだった。残り四人の女性はレジ係であり、たった一人の五十代の男性は私服警備員である。

「高野さんが、お前が出てきたらちょっと顔を見せるように言ってたぜ」

慣れた手つきで仕分けにかかりながら、佐藤が言った。規則違反の袖《そで》まくりをして、よく陽焼《ひや》けした腕を丸出しにしている。働いて、ある程度資金がたまると、寝袋をかついでふらりと旅に出るというのが佐藤の生活パターンだった。金がなくなると、また戻ってきて仕事に励む。

つい先月もそんなことがあって、「どこへ行ってきたんですか」と尋ねると、「ゴビ砂漠《さばく》」という答えが返ってきた。コーナーの店員たちの間では、現在のところ、休暇中の佐藤の居場所として考えられない場所は月面だけだ、というのが定説になっている。

「高野さん、どこにいるんだろ？」

「事務室だろ。月例会議に出す資料をつくってるから」佐藤は顎《あご》で倉庫の奥のドアをさした。

高野さん――高野一《はじめ》は書籍コーナーのチーフで、一般的な役職になおすと係長クラスになる。まだ三十歳になったばかりの若さだ。「ローレル」では厳密な能力第一主義をしているために、大卒五年目でチーフ・マネージャーにあがった例まである。

もう一つ、「ローレル」では、社員同士で呼び合う場合、肩書き抜きという方針もとっている。職種や役割分担にあわせて細分化しており、異動によって頻繁《ひんぱん》に変化する肩書きを覚えるために社員たちが時間を割くことも、顧客や取引先に手間をかけさせるのも、非合理的であるという考え方なのだ。だから名刺にも肩書きは刷り込まない。それでなくても大規模小売業界は生存競争が激しく、生き残るためには膨大なエネルギーを必要とするのだから、要らないものはどんどん切っていくことが至上命令となっているのだった。

同時に、現場で働く店員たちにとっては、「気楽でいいや」という制度でもある。

守も気楽に事務室のドアをノックした。高野は売上げ集計用のオフコンを前に、アウトプットされたデータを手にしていたが、守を見ると表情がふっと曇った。

「おはよう。事故の件、聞いたよ。大丈夫か？」

ほんの一瞬、守はヒヤリとした。真紀が勤め先でされたと同じような詰問《きつもん》が飛んでくるかと思ったのだ。高野は続けた。

「何か力になれることがあったら、遠慮なく言ってくれよ。今日も休んでもよかったんだぞ。

浅野さん、どうなんだい？」

安堵《あんど》と同時に、守はうしろめたい気持になった。アルバイトを始めてほぼ半年、高野の人柄《ひとがら》はよくわかっているはずなのだ。職場での上司としても、友人としても、真紀の上役のようなものの考え方をする人間ではない。

「心配かけてすみません。今のところ、僕たちにできることは何もなさそうなんです。弁護士さんに任せてあるから」

守はスツールを引き寄せて腰かけ、これまでの事情を簡単に説明した。

「藪《やぶ》のなかってやつだな」高野は回転椅子《いす》の背に寄りかかり、頭の後ろで腕を組んで、天井を見上げた。「弱ったね……信号にしろ、死んだ女性の行動にしろ、証明のしようがないからなぁ」

「僕らはおじさんを信じています。でも、それだけじゃ通用しないんですね」

「一番の問題は、菅野洋子というその女性の言葉だね」

「『ひどい、ひどい。あんまりだ』ですか」

長い脚を組みかえて、高野は椅子に座り直した。「僕が現場にいた警官だとしても、やっぱりそれを聞き捨てにするわけにはいかないだろうと思うよ」

「死にかけている人が嘘《うそ》をつくはずないと思いますもんね」

「うん」考え込むときの癖で、高野は顎をひっぱった。「でも、聞いた人間の側が嘘にしてしまうってことは考えられる」

「そうさ。菅野さんが確かにそう言ったとしても、それが浅野さんに向けた言葉だったとは限らない」

「だけど、彼女は一人だったんですよ、事故にあったとき」

「そうとも限らないさ。ボーイフレンドでも一緒にいて、喧嘩《けんか》別れして走って帰る途中だったのかもしれない。あるいはたちの悪い痴漢に追いかけられていたのかもしれない。人けのない夜道だったんだから、充分考えられることじゃないか。で、交差点で信号を無視して飛びだし、はねられる。そして叫ぶ。『ひどい、あんまりだ』――な？」

「そして、ボーイフレンドだか痴漢だか、ともかく菅野さんを走って逃げさせた人物は、彼女が事故にあったのを見て逃げてしまう……？」

「うん。警察は、菅野さんが交差点にさしかかるまでの行動は調べているんだろうか」

「さあ……そこまで聞いてみなかったな」

守の心に、かすかな希望のさざ波がたった。同時に、昨夜のいたずら電話が別の角度で思い出されてきた。

「そういえば、若い男の声でヘンな電話があったんですよ」

「菅野洋子を殺してくれてありがとう。あいつは死んで当然だったんだ。そのくだりを話すと、高野は濃い眉《まゆ》をひそめた。

「そのこと、弁護士さんには話したかい？」

「いいえ。ただのいたずらだと思いましたし」

「話したほうがいいな。いたずらにしてはたちが悪いし、異常じゃないか」

「うん……ただその電話については、僕はいまいち、自信がない」

「どうしてだい？」

「こういう事件のときって、信じられないようなことをする連中が出てくるんですよ。僕の親父《おやじ》のときにもあったんです。電話や投書で、真《まこと》しやかな嘘をついてくるんです。親父が失踪《しっそう》したあと、居所を知っているといって、詳しく場所や名前まであげてある匿名《とくめい》の投書があったんです。調べてみたら、地名や人の名前以外は全部デタラメでした。そうかと思うと、横領の件は日下氏がやったものではない、真犯人は別にいて、彼はぬれぎぬを着せられたのだ、とかね。もちろん、それだって全部嘘っぱちですよ」

守はちょっと肩を揺すってみせた。親父にかかわる話はどうも肩がこる。

「だから今度の場合も、その電話はあてにできないって気がする」

「そうか……」

「でも、現場にほかに誰かいたかもしれないというのは考えられますね。話してみます」

高野一は、守が父親の事件を自分から話した数少ない相手の一人だった。

未成年だから、アルバイトの採用には一応保護者の許可が要る。その際に守は、両親が亡《な》くなったので伯母のもとに引き取られたのだとだけ説明していた。

だが、ここで働き出して高野と親しくなるにつれて、守の持っている少しひねくれた一面が顔を出した。

高野さんはいい友達だ。尊敬したくなるような人だ。けれども、親父の事件を知ったらどうだろう？　それで態度が変わるようなら、この人だって本物じゃないな。

だから話したのだ。ところが、高野は平気な顔をしていた。

「僕が問題だと思うのは」と、彼は言ったものだ。「守が、親父さんを探し出して五千万円横領した際のノウハウを教えてもらうんだと言い出した場合だけだろうな」

そして笑って言い足した。「但《ただ》し、そのときには僕もついていく」

2

フロアに出て仕事を始めるとすぐに、守は店内の新しい装飾品に気がついた。

二メートル四方はある、大型のビデオ・ディスプレイだった。銀色の軽金属の枠組《わくぐみ》のなかに、今は紅葉の山々が映し出されている。エスカレーターをあがったところの狭いホールに向けて、鮮やかな色彩が画面いっぱいに躍っている。

「スゴイでしょ？　新兵器だってよ」

レジの女子店員が、手をとめて見とれている守に笑って言った。「月曜日から稼動《かどう》してるの」

「環境ビデオってやつかな？」

「そうね。まあ、ビニールでできた紅葉を飾りつけるよりはずっと気が利《き》いてるわよ。お客さんのうけもいいみたい。だけど、お金かかったらしいわよ」

「そうでしょうね。全階にあるのかな？」

「モチよ。二階の奥に集中管理室をつくって、専門のオペレーターがつめてるわ。そのスペースをあけるのがたいへんな騒ぎでね。おかげで、あたしたちの女子更衣室がまた狭くなっちゃった」

「気をつけろよ。『ビッグ・ブラザー』の登場だぜ」

棚《たな》を整理しながら、佐藤がしかめっつらをして見せる。守と女子店員は顔を見合わせた。

「そら、また始まった」

佐藤は放浪の旅と同じくらいSFが好きなのだ。俺《おれ》のバイブルはオーウェルの「一九八四年」だと公言してはばからない。

「笑ってる場合じゃないぜ。あのビデオはさ、俺たち従業員をひそかに監視する装置をカムフラージュするためにつけられたものなんだ」

「佐藤さん、ついこの間までは、女子トイレには盗聴器がしかけてあるから、上役の悪口をしゃべらないほうがいいぞなんて言ってたのよ」

「嘘じゃないって。マネージャーは、今年のバレンタイン・デーに、女の子の誰と誰が高野さんにこっそりチョコレートを渡したかまで知ってるんだ」

「バカ。全員であげたのよ。お金出しあって。佐藤さんだってもらったじゃない」

「だから、『こっそり』と言ってるでしょうが」

「いいい、誰が渡したの？」レジの女の子は乗り出した。

「マネージャーに聞いてみろよ」

守はスクリーンに近づき、見上げた。スイッチやコントロール・パネルのようなものは見あたらず、画面だけがどおんと立っている。映像は、紅葉した山を背に栗拾《くりひろ》いを楽しむ観光客のものに変わっていた。

ただ、枠組の左下の隅《すみ》に、アルファベットのMとAふたつを組みあわせたロゴがついているのを見つけた。どこかで見た覚えがあると感じたが、思い出せなかった。

「どうせビデオをかけるなら、あんな風景だけじゃなくて、『二〇〇一年宇宙の旅』でもやってくれりゃいいのに」佐藤が言っている。

「冗談じゃない、あんなの映してたら、お客さんは退屈で居眠りしちゃうわよ」

守は笑いながら仕事に戻った。


「日下君、お客さんよ」

呼ばれて振り向いてみると、すぐそばに、所在なさそうに手を握ったり開いたりしながら、宮下陽一が立っていた。

クラスメートの一人である。小柄できゃしゃな身体《からだ》つきに、女生徒がうらやましがるようなすべすべの頰《ほお》をしている。

守は今まで、彼が授業以外の場で誰かと話をしているのを、片手で数えるほどしか聞いたことがない。成績はかろうじて水面上に頭が出ているという程度で、欠席も多い。その原因が三浦とその仲間たちにあることは、誰もが知っていた。

「やあ、こんちは。買い物かい？」

声をかけると、陽一はあねごに見習わせたいような様子ではにかんでみせた。

「『近代芸術』なら、向こうの雑誌の棚にあるはずだけど……」

陽一が美術部に籍を置き、そこでは顧問の教師にも注目されていることは、守も知っていた。教室で彼が「近代芸術」を読んでいるのを見かけたこともある。その雑誌は、守が書店で働いていなければ、一生題名さえ知らずに終わったに違いないタイプの専門誌だった。

そのとき陽一が開いていたページには、実に異様な絵が載っていた。人間の形はしているが、目鼻のない、性別も分からない不可思議な「もの」たちが、コロシアムか神殿のような場所に立っているのだ。

「それ、なんだい？」

思わずきいてしまった。陽一は、ぱっと目を輝かせた。

「『不安な女神たち』だよ。デ・キリコの作品のなかで、僕はこれが一番好きなんだ」

女神ねえ……そう言われてみれば、長いローブのようなものを着ている。ページをのぞきこむと、「キリコ展　大阪で開催」と見出しが出ていた。

「キリコの作品を集めた展覧会が大阪の画廊で開かれるんだ。海外の作品も借りてきて展示するんだって」

「へえ……女流画家って、変な絵を描《か》くんだな」

守の言葉に、陽一はにこにこ笑った。実際、彼が笑うのを見たのはそのときが初めてだった。

「キリコは女性の名前じゃないんだ。イタリアの素晴らしい画家だよ。シュールレアリスムの先駆者なんだ。後に続く画家はみんな彼の影響を受けているんだよ」

そのときの生き生きした表情は、初めて自転車に乗れるようになった子供のようだった。

キリコという画家の名前を、陽一はアイドル歌手の名を呼ぶように口にするのだった。

それがきっかけで、守は陽一と親しくなった。あいかわらず、陽一の愛している絵の世界は、守にはどう頑張《がんば》っても理解のつかないものではあったが。

陽一は両手いっぱいに自分のものを持っていて、他人の目にはそれがどんなに貧弱で変わったものに見えようと、一向に気にせず微笑《ほほえ》んでいる。それだからこそ、三浦は彼を、守と同じくらいに我慢のならないものとしてとらえているようだった。

「どうかしたのかい？　なにか話があるんなら……」

急に嫌《いや》な予感がして、守はきいてみた。「三浦たちがまたちょっかいでも出してきたのかい？」

機会さえあれば、彼らは陽一の貧しい体格やおどおどした態度をあげつらって楽しんでいるのだ。そして「能なし」はいつも見て見ぬふりをしている。

「ううん、なんでもないんだ」陽一はせわしく否定した。「ちょっとその辺まで来たから、日下君がここでバイトしているの思い出して、寄ってみただけなんだ」

意外だが、うれしい言葉だった。いくらほかのクラスメートたちよりは親しいと言っても、陽一は、学校以外の場所で同級生に会ったときには、相手が気づかないうちに一つ手前の角を折れて避けてしまうタイプだと思っていたからだ。

「そう。もう三十分もすればあがれるから、よかったら待っててくれれば一緒に出られるよ」

「うん……」陽一は爪先《つまさき》をあちこちに動かし、うつむいている。「実は僕……」

「ちょっとおにいさん、これの下巻はどこにあるの？」

中年の女性客が、ロマンス本を片手に守に呼びかけてきた。陽一は叱《しか》られたようにびくんとした。

「忙しそうだね、じゃ、僕、帰るよ。またね」

言ったかと思うと、とめる間もなく逃げるようにエスカレーターへ走っていってしまった。

「ちょっと、早くしてよ」

お客がいらいらと催促する。釈然としないまま、守はそのロマンス本の下巻を取りに行った。

3

高木和子が菅野洋子の実家についたときには、もう通夜《つや》が始まっていた。

洋子の言っていたとおりのこぢんまりとした町だった。「菅野家」という人の手の形の矢印をたどって坂道をのぼると、狭い切り通しを抜けたところに三軒の家が軒先をくっつけあうようにして建っている。洋子の家はそのいちばん端だった。

風の強い夜だった。菅野家の脇《わき》に設けられている小さなテントの幌《ほろ》が、ときどき、びっくりするほど大きな音をたててはためいた。

受付に、洋子とおもざしの似た若い娘が座って、機械的に頭を下げている。妹だ。

東京に出てきたいってせがんでたんだけど、あきらめさせたの。洋子が言っていたことを思い出した。なんにもいいことなんかないよ、って。

御霊前の袋には、その場で思いついた偽名を書いて差し出した。町中の人間が集まってきたのではないかと思えるほど、参列者が多い。和子はあわただしく焼香を済ませ、祭壇から離れて読経《どきょう》を聞いた。空っ風に震えていると、手伝いに来ているらしい町内会の人たちが、焚《た》き火にあたるよう勧めてくれた。

「東京から来たの？」

そばにいた中年の主婦が、この土地独特の語尾のあがるイントネーションで、和子に訊《き》いた。

「はい。二時の特急で」

駅に到着すると、そこから広い河原が見えた。和子は急に、肩の力が抜け、背中から重荷が取り除かれたような気持になった。しばらくのあいだ、橋の上や、河原や、雑木林のなかをなだらかに続く小道を散歩し、気がつくと五時近くになっていた。身体もすっかり冷えていた。

「そいじゃあ、洋子ちゃんの大学の友達だね？」

指先を火で暖めながら、和子はうなずいた。主婦は、盆を手に通りかかった若い娘を呼び止め、薄いけれど熱い番茶の湯飲みを二つ取ると、一つを和子に渡してくれた。

「洋子ちゃんねえ、うちの娘と同い年でさあ。うちのと違って学校の勉強もできたし、とっても器量のいい娘だったから、菅野さんとこでも、洋子ちゃんのやりたいことは何でもさせてやりたいって、大学まであげてやったんだよね」

「——知ってます」

「そんだけど、死んでしまったらなんもならないよねえ」

和子は黙って番茶をすすった。

「東京ってのは、怖いとこだねえ」

「交通事故は、どこにいたって起こることですよ」和子は言った。「洋子さん、運が悪かったんです」

そっけない口調に、主婦はとがめるような顔で和子を見やった。和子は焚き火を見つめ、燃える薪《まき》がこもった音をたててはぜると、火の粉に目を細くした。

そう。洋子は運が悪かったのだ。あれは事故だった。二つの自殺と一つの事故。たとえ死体が三つ並んでいても、なんの関連もあるわけがないのだ。

受付のテントのなかから、洋子の妹が表に出てきた。和子は主婦に会釈《えしやく》し、湯飲みを盆に戻すと彼女に近づいていった。

「洋子さんの妹さんでしょう？」

娘は立ちどまり、洋子とよく似た黒目がちの瞳《ひとみ》を彼女に向けた。

「はい、妹の由紀子《ゆきこ》です」

「わたし、東京で洋子さんと親しくしていたの」

「そうですか。遠いところ、わざわざありがとうございました」

通りかかる人の邪魔にならないように、二人は道端に寄った。すっかり葉の落ちた灌木《かんぼく》の枝が、和子のウールのスーツに触れてがさがさと音をたてた。

「お姉さんと、このごろ連絡をとっていた？」

由紀子はかぶりを振った。「最後に電話があったのは、半月ぐらい前でした。どうしてですか？」

「別に」なんでもないようなふりで、和子は通夜の場で許される程度の笑みを浮かべた。

「急なことだったんで、わたしも彼女と最後に話してからずいぶんたってるわ。残念だったわ……」

「おねえちゃん、こっちへ帰ってきたいって言ってたんですけど」由紀子は言った。和子は目を上げた。

「帰りたいって？」

「ええ。寂しくなっちゃったって。でも、せっかく大学に入って、もう三年でしょう。あと一年我慢すれば卒業だし……大学はもうすぐ休みになるんだし、そのうちおかあちゃんが泊まりに行くからって、なだめてた矢先だったんです」

いい、いい。

あたし怖いの。洋子の言葉が和子の耳によみがえった。

「あなたは？　洋子に聞いたんだけど、あなたも東京に出てくるんじゃなかったの？」

「そうしたいと思ったときもあったけど、気がかわっちゃった」

「どうして？」

「理由なんてありませんよ。こっちにいい就職口が見つかったし、あたしは特に勉強が好きなわけでもないし。おねえちゃんは英語の勉強をしたくて大学に進んだんだから」

少し、すねたような顔になった。「それに、二人とも大学までいけるほど、うちには余裕がないもの」

人声がたえまなく、せせらぎのように聞こえてくる。線香の香りがする。

「こんなことで死んじゃうなんて、おねえちゃんバカよ」

不意に、子供のような口調で由紀子は言った。涙があふれていた。

「なにも、聞いていないのね……」和子は静かに言った。

「なにもって、なにを？」

和子はバッグを開け、ハンカチを取り出すと、由紀子の手に押しつけた。

「なんでもないわ」

和子は駅に戻ろうと思った。洋子に最後の別れをして、もうここにいる理由もなくなった。早く東京に帰ろう。

菅野家の玄関先で騒ぎが始まったのは、そのときだった。大声が入り乱れ、何かを叩《たた》くような音がする。誰かがぶつかったのか、花輪が一つグラリと揺れ、菊の花びらが降った。周りの人間があわてて支える。

「運転手の奥さんだわ」由紀子が言った。

「洋子をはねた人？」

「ええ。弁護士を連れて来ているの。ああ、たいへん、おとうちゃんたら――」

由紀子は走っていった。和子も様子をうかがいながら後に続いた。

「帰れったら帰りやがれ！」

怒声が響いた。明りがついている家のなかから、転がるように人が二人、飛び出してきた。一人は背広姿の男で、もう一人は黒っぽいスーツを着たやや太めの体格の女だ。

「わたしどもは本当にただ、おわびをさせていただきたくて」

「おまえらにいくらわびてもらったって洋子は戻ってこねえんだ、帰ってくれ！」

声と一緒に、何か黒いものが素早く飛んできた。よける間もなく、それはまともに女の顔に当たった。

「浅野さん！」

よろける女を、背広の男が受けとめた。和子は小走りに近づき、女に当たったものを見た。足元に落ちている。

靴《くつ》だった。男ものの、重い革靴だ。

女はしゃがみ込み、顔の右側を押えていた。血が流れ出ている。通夜に集まった地元の人たちは、遠巻きにながめているだけで、誰も手を貸そうとはしなかった。

「大丈夫ですか」和子は声をかけた。

「こりゃひどいな」

背広の男がかがんでのぞきこみ、自分が怪我《けが》をしたかのように顔をしかめた。襟《えり》に金のバッジが光っている。由紀子の言ったとおり、弁護士だ。和子も一度、仕事上のことで弁護士と会う羽目になったことがある。あのときは、バッジを光らせていた相手がひどく恐ろしく見えたものだった。

和子と弁護士は、二人で女を抱えるようにして道端まで連れていった。隣家の低い石垣《いしがき》に座らせると、女は顔を押えていないほうの手で、二人をなだめるようなしぐさをした。

「大丈夫ですよ、先生」

「そうは見えませんよ。お嬢さん――」

弁護士は彼女に向き直った。「申し訳ないが、ちょっとのあいだだけ、この人をみていていただけませんか。私は車を手配してくるから。すぐ医者に診せたほうがいいと思う」

「そうですね。どうぞ」

弁護士は駅の方向に走っていった。うまく車が見つかるといいけれど。和子は心もとない気持がした。

「すみませんね。見ず知らずのお嬢さんにお手間をかけさせて。私なら大丈夫ですから、どうぞ——」

「そうは見えませんよ。ひどい血だわ」

女の顔の傷口を弁護士の置いていった大判のハンカチでおおってやりながら、和子は言った。

「お嬢さんは、菅野さんのお知りあいですか」

「ええ。東京から来たんです。あなたは浅野さん——運転手さんの身内の方でしょ？」

「そうです。わたし家内のより子といいます」

「……たいへんですね」

「しかたないことですよ。お嬢さんが亡《な》くなったんですからね」浅野より子は気丈に言った。

「おわびしてもすぐ許していただけることじゃありませんよ」

「それにしたって、こんなことまですることはないわ」

「佐山先生に——さっきのあの男の人は、弁護士の佐山先生っていうんですけどね、一緒に来てもらったのがかえってよくなかったのかもしれませんね。だけど、わたしどもとしては、きちんとしたことをする用意がありますってところを見せたかったんですよ。それに、こっちの説明だって聞いてほしかったんです」

　打ち明けるような言葉に、和子は目を伏せた。浅野より子は困ったように、片目だけで和子を見上げた。

「あら、ごめんなさいね。菅野さんのお友達にこんなことを言っちゃって」

「いいんです。私、冷静でいられないほど洋子と親しかったわけじゃありませんから」

　それは複雑な意味で嘘《うそ》を含んだ言葉だったが、より子は少しほっとしたようだった。

「浅野はね、菅野さんのほうが車の前に飛び出してきたって言っているんです」

　一瞬、和子は息が止まった。

「なんかもう、なにかから逃げているようなすごいスピードで走り出してきて、よけようがなかったって。そんなことをするなんて、自殺行為ですよ」

「あの……」

「はい？」より子は苦労してもう一度和子を見上げた。

「それ、本当ですか」

「本当です」浅野より子は力をこめてうなずいた。「主人は嘘なんかついていやしません」

　遠くでヘッドライトが輝き、大きくなってきた。佐山弁護士がタクシーを調達して戻ってきたのだった。より子と弁護士は車に乗り込み、市立の救急病院へ向かった。和子は二人と別れた。

ゆっくりと夜道を歩き、駅の明りを目ざした。

菅野洋子のほうから車の前に飛び出してきた。よけられないほどの勢いで。

ねえ、あたしは怖い。再び、洋子の言葉が聞こえてきた。和子だってわかっているでしょう、あの二人が自殺するはずがないわよ。あれは誰かがあの人たちを――

そんなはずがない。和子は打ち消した。いったい誰が、どんな方法で？　人を殺すことはできても、本人の意思に反して自殺させることなどできるはずがないのだ。

いい、いい。はずがない。でも――

ガード下の暗闇《くらやみ》で、背後からもう一つの足音が聞こえてくるのに気がついて、和子は振り向いた。

少し離れたところで、さほど大きくない人影が立ち止まった。遠くにぽつりと一つだけ立っている街灯の明りを背負って、顔が見えない。

「これは、驚かせて申し訳ありませんでした」と、人影は言った。和子はじっと、闇を透かして相手を見つめた。

影は近づいてきた。

4

その夜、守が家に帰ってみると、裏口の引き戸のガラスが一枚、完全に割られて飛び散っていた。そして、戸の脇《わき》の壁のうえに、褐色《かっしょく》のペンキのようなもので「人殺し」と汚く書きなぐられていた。

近所の人に聞いてみると、夕方、ガラスが割れるような音を聞いたという。表に出てみると、学生風の男が走って逃げていく後ろ姿がちらりと見えたそうだ。

守はガラスの破片を片づけ、壁の殴り書きを落とした。そのときになってようやく、それがペンキでもマジックでもなく、血で書かれたものらしいことに気がついた。

洗面所で手を洗っているとき、電話が鳴った。より子からだろうと思って受話器をとると、若い男の声が耳に飛び込んできた。昨日と同じ声だ。

「菅野洋子を殺してくれた浅野さんは、まだ警察につかまっているんですか?」

「おい、ちょっとあんた――」

「早く帰してもらえるといいですね。警察もバカだ。ちょっと調べれば、あいつが殺されても仕方ないことぐらいすぐわかるのに」

「いいかい、ちょっと聞いてくれよ、あんたの言ってること、本当に――」

電話は切れた。守は何度も呼びかけてみたが、ツー、ツーという音が返ってくるだけだった。

警察がちょっと調べてみればすぐわかる?

調べているんだろうか。レンジにやかんをかけ、時計の音しかない寂しい家のなかで、守は考えた。菅野洋子という女性の私生活。

ありっこないな、と思った。これは事故なのだから。

「こんばんは」と、玄関で声がした。出てみると、両手いっぱいに大きな袋を抱えたあねごが立っていた。同じような荷物を手にして、弟の伸二もついてきている。「こんばんはー」と、平和な声を出してペコリと頭をさげた。

「今日さ、一人で留守番だって言ってたじゃない？　夕飯、差し入れに来てやったよ」

あねごは元気がいい。

「オレ、お目つけ役だよ」伸二はヘラヘラした。「二人っきりにするとアブナイからさ。ねえちゃんじゃなくて、日下さんが」

あねごは、バレリーナのようにサッと足を横にあげて弟を蹴《け》とばした。

「お姉さん、まだ家出中？」

「へんてこりんな話だね」

ハンバーガーを食べ終え、二杯目のコーヒーに砂糖とミルクをたっぷりいれながら、あねごは言った。

奥のテレビのある部屋から、小さいが高い電子音が聞こえてくる。伸二は真紀がコレクションしたテレビ・ゲームの新作に、片っ端からチャレンジしているようだった。

「でもさあ、それ、やっぱ警察か弁護士さんに相談してみたら？　バイト先の高野さんって人の言うことだって、あたってるかもしれないよ」

「そうするつもりだよ。ただ、今日は佐山先生も、おばさんと一緒に菅野さんの実家に行っているから――」

守は時計を見上げた。八時半を過ぎている。

「そろそろ電話がかかってくると思うんだけど」

「でもなんか、イヤだね。その電話の男の言ってることに何か意味があるなら、浅野さんにとっては何かの助けになるかもしれないけど……だいたい、赤の他人の耳に、あんな女は死んで当然だって告げ口するなんてさぁ。菅野さんて、女子大生でしょ？　歳《とし》は二十歳ぐらいだったよね。フラれ男の陰険な仕返しって感じ、しない？」

「大いにする」守はため息をついた。「だから、あてにならないという説も立ててる」

「なにを立ててるって？」伸二が顔を出した。

「ガキは引っ込んでなさい」あねごがぶつ真似《まね》をした。

「陰険と言えばさ、どう？　三浦のやつ、家の方まで手を出してきちゃいないでしょうね？」

すぐに否定の言葉が口にのぼらなかったので、守は意識して無表情を保とうとした。それが失敗に終わっていることは、あねごの顔を見ていればわかった。わかると、今度はたまらずに吹き出してしまった。

「笑いごとじゃないよ。今度はあいつ、何をやったの？」

「たいしたことじゃないよ。本当に。そんなに心配しないでいいよ」

「だけどさ……」

「逆じゃないか。あんまりあねごに心配されると、女の子にボディ・ガードしてもらっているという、非常にナサケナイ気分になってしまう」

「そんなつもりじゃないよ、あたしは」

あねごは目をパチパチさせた。場違いだが、長くてきれいなまつげだなと、守は思った。

「ごめん、冗談だって」笑ってみせた。「ありがとう」

あねごは微笑《ほほえ》んだ。時田沙織の微笑を——爆笑ではない——見ることができるのは、めったにない特権である。

「怒らない？」彼女は、ちょっとためらってから訊《き》いた。

「何を？」

「ともかく怒らないでよ」

「——うん。難しい注文だけど、まあ、いいよ。何さ？」

「あたしさ、日下君のお父さんもきっと心配してると思うんだよね。今度の事件」

答えようがなかった。

「どこか近くにいて、日下君とお母さんのこと、ずっと見てるんじゃないのかな。今は浅野さんとこにいることもちゃんと知っていて、会いに来たいんだけど、敷居が高くてできなくて……」

「母さんの命日に墓参りに行くと、誰かが先に来ていて花をそなえてある——」守は軽く両手を広げた。「というようなことは一度もなかったよ」

あねごは恥じ入って肩をすぼめた。「でも、男ってそんなものだって、うちのおふくろさんが言ってたことがあるんだよね」

「よく覚えておくよ」

気まずくなった。「ただ——」と、守は続けた。このままではあねごが可哀《かわい》そうなような気がしたのだ。

「親父《おやじ》、案外近くにいるんじゃないかって気がすることはあるんだ。知らないうちにどこかですれちがってたりしてるんじゃないかって、ね」

「すれちがったらわからない？　顔も覚えてないかな？」

「もうわからないよ。親父だって、僕の顔は忘れてるだろうし」

「別れたとき、日下君いくつだったの？」

守は右手の指を四本立てた。

「それじゃ、無理かもしれないね。写真も残ってないの？」

「残しておきたいと思う状況じゃなかったからね。十二年前の東北新報を探してみれば、顔写真ぐらいは載ってるだろうけど。ピンボケのね」

「お母さんの形見は？」

「あるよ。写真と、結婚指輪が」

あねごは不思議そうに、だが少し感動したように小さくうなずいていた。

「お母さん、ずっとエンゲージ・リングをはめてたんだね……」

日下敏夫が家を出ていった日は、朝から雨が降っていた。北国の三月の雨は冷たい。前夜から降り続き、明け方にはかなりひどくなって、幼かった守はよく眠れなかった。敏夫は朝早く、五時をようやく過ぎたころに出ていったのだった。枕川駅に停車する最初の特急電車が通るよりも早い時刻だ。

守の寝起きしていた部屋は玄関の脇にあり、父親が外に出ていく気配に気づいていた。障子を少し開けてのぞいてみると、きちんと背広を着て、靴《くつ》を履いているところだった。ソウチョウカイギかなと、そのときは思った。お母さんはまだ寝ているのかな、とも。今考えると、啓子は寝ていたのではなく、寝ているふりをしていたのだろう。あのころの敏夫の生活は不規則で、時には何日も家に戻らないことさえあったのだ。

それが「女」のせいであることに、もちろん啓子は気がついていた。だが守は、両親が言い争うところも、母親が泣いているところも見たことはない。それがよくなかったのかもしれないと、今では思う。

あのころ守が感じていたのは、家のなかで何かが確実に壊れつつあることだった。破壊されていくのではなく、崩壊していく音が聞こえていた。

外に出ていく前に、敏夫はちょっとのあいだ玄関に立ち、家の中をながめていた。戸が開き、雨の音が大きく聞こえた。戸が閉まり、雨音がまたぼやけた。それで敏夫はいってしまった。それきりだ。

失踪《しっそう》後、公金横領が発覚すると、啓子はぼんやりすることが多くなった。台所で何か刻んでいる。洗濯物《せんたくもの》をたたんでいる。その手をとめ、遠くを見るような目で。

守にとっての試練は、まず、友達が誰も一緒に遊んでくれなくなったという形で始まった。父親がいなくなったことの意味と、父親がしたことの意味は、成長する守を追いかけて認識を迫ってきた。

お父さんは僕を捨てていったんだな。そう理解することは、赤ん坊が初めてストーブに触り、火傷《やけど》をして、火は恐ろしいものだと理解することに似ていた。守はできるだけそれから離れようとし、考えまいとして過ごした。

そして啓子は、父親について守に説明したことも、非難したことも、かばったこともなかった。彼女はただ、わたしたちには何も恥じることなどないのよ、それだけは覚えておきなさいと言うだけだった。

「日下君は、枚川を出たいと思ったこと、なかったの？」

「あったよ。でも、実行しなかった」

「どうして？」

「すごくいい友達がいたんだ。今はもういないけどね。その友達と別れたくなかった。それに、母さんを一人きりにするわけにはいかなかったし」

「じゃあ、お母さんはどうして枚川を離れなかったんだろうね。日下君、考えてみたことある?」あねごは訊いた。

しょっちゅう考えていた。そのことばかり考えていた時期もある。意地か、希望か。単にほかに方法がなかっただけなのか。

敏夫の「女」は、市内のスナックに勤めていた。啓子よりも十歳若く、ウエストも十センチは細かった。行動力もあった。彼女は、敏夫より一週間早く、さっさと枚川から出て行っていたのだ。

警察は、辛抱強く彼女の行方を探した。言うまでもなく、日下敏夫が一緒にいる可能性が大きかったからだ。

彼女は仙台市内のマンションにいた。敏夫の姿はなく、かわりに、地元の金融機関の若い営業マンをくわえこんでいた。少なくとも警察は、第二の日下敏夫予備軍を助けるには間に合ったわけだった。

敏夫が彼女に費やした金は、ほとんどそのまま素通りして、彼女のヒモに流れていた。やくざくずれのそのヒモが、敏夫を脅していた可能性さえあった。だが、立証するには証拠がなさすぎた。日下敏夫を捜し出せなかったからだ。

そういう女の素姓と事件を取り囲む状況が、母さんに希望を持たせたのかもしれないと、守は思っている。夫はいつかきっと帰ってくる。連絡してくる。そのとき、私がどこにいるかわからないがために再会することができない、ということにだけはなりたくない。だからここにとどまろう、と。

「日下君のお母さん、お父さんを本当に愛してたんだね」あねごが小さく言った。

「そんなふうには思えないんだけどなぁ」

「じゃ、そういうことにしておきなさいよ。お母さんはそれで良かったんだよ。きっと。だって、守、お前のために母さんは頑張《がんば》ってるんだよ、お父さんみたいになっちゃダメだよなんて、言ったりしなかったんでしょう？」

「一度も」

「強い女だったんだね」

あねごは頰杖《ほおづえ》をつき、テーブルに目を落とした。声音は優しかった。

「その分、日下君はしんどかっただろうと思うけどさ。お母さんはお父さんを信じてたんだよ。子供が可哀そうだからなんて言って、自分を曲げる人じゃなかったんだ。あたし、日下君のお母さんみたいな女《ひと》、好きだな……」

「誰が誰を好きだって？」伸二がまた顔を出した。

あねごと伸二が帰ってしばらくすると、佐山弁護士から連絡があった。

「おばさんは？　どうかしたんですか？」

「ちょっと怪我《けが》をしてね」弁護士の声は怒っていた。「医者に診てもらったら、念のために精密検査が必要だといわれたよ。うちの事務所のものをこちらに呼んだから、心配は要らない」

「何があったんです？」

「君なら想像つくと思うのだけどね」前置きしてから、弁護士は話した。

守は絶句した。より子が耐え忍ばなければならなかったことを考えると、心がかかとまで落ち込んでいくのを感じた。

「先生」

「なんだね」

「こっちでちょっと考えたんですけど、菅野さん、事故にあったとき誰かと一緒ではなかったんでしょうか」

「それなら苦労しないよ」

守は、高野やあねごと話しあった仮説を説明した。

「考えられないことではない。だが、今までのところ、現場から逃げていく人物を見たという報告は入っていないんだよ」

「でも、可能性はあるでしょう？」

「そうだな。だがね、可能性だけでことが運ぶなら、人類はとっくに火星をリゾート地にしているよ」

電話が切れたあと、守は長いこと思案した。

(警察がちょっと調べてみればすぐわかるのに)

大造は警察の留置室で眠り、より子は病院にいる。

顔に靴を投げつけたって？

（ちょっと調べてみれば――）

柱時計が十時を打った。

ちょっと調べてみようじゃないか、と思った。

5

決心をつけるのは、さほど難しい作業ではなかった。幸運にも、全《すべ》ての状況が彼に有利に揃《そろ》っていた。

幸運にも。彼は皮肉な思いでその言葉を噛《か》み締めた。

夜も十時を過ぎてから、彼は電話をかけた。いつも忙しい知人は、この時刻でもまだ職場につめているのだ。

「何度も申し訳ないね」

相手が出ると、彼は切り出した。

「実は、午前中に話した件なんだが……ああ、そうなんだ。その話だよ。まだ先があってね。これからちょっと時間を作ってもらえないだろうか。ああ……すぐ行くよ」

電話を切ると、彼は出かける支度を始めた。最近雇ったばかりの家政婦が近寄ってきて、不安そうな顔をする。

「お出かけでございますか？」

「ああ。少し時間がかかると思うから、先に休んでいてください」

「でも、奥様がお帰りになったら、なんと申し上げればよろしいのでしょう？」

「家内のことなら心配しなくていいよ」

どうせあと一週間もすれば、彼ら夫婦がお互いの行動についていかに無関心であるか、この家政婦も理解するだろう。

車庫に行き、暖気運転している間、その鈍い振動が彼の心も揺り動かすように思えた。

本当にこれでうまくいくだろうか。全て片付くのだろうか。あとで後悔するだけのことに終わるのではないのか。

目を閉じて、彼は少年の顔を思い浮かべた。車を出すときには心は静まっていた。

その建物の前に立ったとき、初めて恐怖がこみあげてきた。

どこまで頑張り通せるだろう？　耐え切れずに、本当の、本当の真実を話してしまいたくなったら、自分をコントロールしきれるだろうか？

その答えは、誰が与えてくれるものでもない、彼自身で見出《みいだ》すしかないものだった。

6

東京に向かって走る特急の座席で、高木和子は夢を見ていた。

頭の芯《しん》に、鈍い痛みがあった。ひどく疲れていた。夢のなかでさえ疲れていた。

ねえ和子、あたしは死んだのよ。すぐそばに洋子が立って、悲しそうな顔で話しかけてくる。可哀《かわい》そうな和子。今度はあなたの番よ。あなたが最後よ。

あたしは死なないわよ。もどかしい夢のなかで、和子は精一杯叫んだ。

洋子がいた。加藤文恵がいた。三田敦子もいた。敦子には首がなかった。それなのに絶えずすすり泣いていた。誰かが私の首をどこかにやっちゃったの……ねえ和子探すのを手伝ってくれない……探して……探して……可哀そうな和子、最後の人がいちばん苦しまなきゃならないのよ……

そこで目が覚めた。頭がガンガンして、心臓は胸の奥で踊り狂っている。

窓の外は真っ暗だった。ガラスに自分の白い顔が映る。

時計を見る。あと一時間弱で東京だ。自分のアパートでゆっくりと横になれる。早くそうしたかった。安全な場所に逃げ込みたかった。

どうしてあたしは怖がっているんだろう？　ゆっくりと深く呼吸しながら、彼女は自問した。あたしは自殺なんかしない。絶対に。怖がる理由なんてない。

もう一度時計を見る。そして、東京を出るとき駅で買った時刻表を思い出したとき、怖がらなければならない明白な理由を、一つ見つけた。

洋子の実家を離れた時刻から考えたら、彼女は最終の一つ前の特急に乗れたはずだった。時間をつぶす理由も、そんなことのできる場所もなかった。

それなのに、どうして今、最終の特急に乗っているのだろう。いいいいいい、あたしは何をしていたの？　和子は両手を握りしめた。

第三章　不安な女神たち

1

午前一時。守は事故現場の交差点に立っていた。

夜空は晴れ、星が見える。冷たい夜気に満たされ、町は水を取りかえたばかりの金魚鉢《きんぎょばち》のようにすがすがしく見えた。

みんな眠っている。

守はしばらくの間、またたく信号を見あげていた。赤、黄色、青。孤独な電気のパフォーマンス。昼はひしめく車の群れをさばく信号機は、夜になると、一度にあまりにたくさんの人たちが眠りにつくこの町で、今度は夢の交通整理をしているのかもしれない。

深呼吸して、守は胸の奥まで夜を吸い込んだ。

家を出るとき、ダーク・グレイのウエアに着替えてきた。肩から脇《わき》にかけてと、両足のサイドにブラックのラインが走っている。靴《くつ》は履き古して底の薄くなったジョギング・シューズ。日ごろランニングするとき履いているものは、くるぶしを衝撃から保護する底の厚いタイプのものなので、かえって足音をたててしまうかもしれないと思ったからだった。両手には、指先だけ切り落とした軍手をはめた。首には白いタオル。この格好でなら、誰かに見とがめられても言い訳がしやすい。ジョギングできるスペースの少ない町中では、車の通らない深夜になって走るジョガーが増えているのだ。

そして、ズボンの右側のポケットには、今夜の目的に欠かすことのできない道具一式とペンライトが入っていた。

進行方向の信号が青に変わった。より子が説明していたとおり、煙草《たばこ》の自動販売機と公衆電話があって、シャッターのおりた店先の不寝番をしている。その脇に住居表示が出ていた。出がけに家にある区分地図で調べてきたので、進むべき方向はわかっていた。交差点に背を向け、軽くランニングを始めた。

菅野洋子が暮していた小さなマンションは、交差点から五十メートルほど西側にある、細い横道に面して建っていた。赤い化粧タイルばりの四階建だが、街灯の光の届かないところでは、壁は凝固した血のように黒く沈んだ色に見えた。

舗装された狭い車回しの先に、常夜灯のついたコンクリートの外階段が見えている。これはいわゆる「開放型」のマンションなのだ。

その場で軽く足踏みしながら、あたりを見回す。人影はなく、どこか遠くのほうにカラオケ・スナックでもあるのか、音程の外れがちな歌声がかすかに聞こえるだけだった。

守はランニングしながら車回しを横切り、階段に近づいた。とたんに、建物の後ろから黒《くろ》猫《ねこ》が一匹飛び出してくると、金色の目をパッと光らせて走り去った。向こうも驚いたのだろうが、守も一瞬心臓がジャンプした。目撃者一名。

階段のあがり口に、アルミニウム製のつくりつけの郵便箱があった。四段に仕切ってあり、それぞれにダイヤル回転式の南京錠《ナンキンじょう》がぶらさがっている。

「菅野」の名は、一番上の段にあった。ていねいな字で部屋番号「四〇四」も書き添えてある。

階段をのぼる前に、靴を脱いで靴下裸足《はだし》になった。深夜の靴音は、案外遠くまで聞こえるものなのだ。脱いだ靴は植え込みのなかに押し込んで隠した。

四階をひどく遠く感じた。筋力トレーニングのために砂袋を背負って学校の階段をのぼるときでさえ、こんなに遠く感じたことはなかった。足の裏が冷えた。常夜灯が白い階段に反射してまぶしく、自分の姿がむき出しにされているように思えた。

三階の踊り場までついたとき、人の話し声を聞いた。方向がわからなかったが、反射的にさっとかがみこみ、耳を澄ます。

外の道路を誰かが通りすぎていくのだ。自分の心臓の音を聞きながら、遠ざかっていくのをじっと待った。それからまたのぼり始めた。

四階につき、手すりに近づいて下を見おろすと、眠っている町並みと無数の灯《ひ》が広がっていた。二階家の屋根を二つ隔てた向こうにも同じぐらいの高さのマンションがあり、カーテンの閉じた窓が並んでいる。明りのともっている窓はなかったが、守は素早く姿勢を低くした。

通路に面して白いドアが五つ並んでいる。集中給湯器も五つ。一番手前のドアの上の表札に、「四〇一」とある。目的のドアは向こうから二番目だ。守は手すりに身体《からだ》を寄せるようにして先に進んだ。

四〇四号室の表札には、ただ部屋番号が書いてあるだけだった。管理人もいないところだから、極力、女性の一人住いとわからないようにしてあったのだろう。

手すりに背をもたせて、守は大きく息をついた。ともかく、ここまではやって来た。ちょっと調べてみよう――そのためにまず、菅野洋子という女性の暮していた部屋をあたってみよう。それが守の考えだった。それをやってのけるだけの技術はあるつもりだったから。

じいちゃん――

大切な「友達」の顔を思い浮かべて、守は思った。教わったことがこんな形で役立つときが来るなんて、考えてみたこともなかったよ……

父親の失踪《しっそう》とそれに続いた不名誉な事件の発覚は、幼かった守の「子供としての」生活にも、辛《つら》く大きな変化を強《し》いるものだった。

事件の直後とは言え、小学校にあがるまではまだましだった。守自身と同じように、守と同世代の子供たちも「オウリョウ」や「シッソウ」の意味を知らなかったからだ。守は、遊びに行った先の友達の親が、急に冷たいふるまいをするようになったことを不思議に思った。友達は、お母さんが日下君と遊んじゃいけないというのはどうしてだろうと不思議がった。だが、その段階ではまだ、本当に辛い思いをかみしめるのは啓子だけでとどまっていた。守のほうは、遊びに行って、今日は○○ちゃんはいないのよと言われれば、素直にそれを信じて家で一人遊びしていればよかった。まだそれが通用した。

守と、枚川に残されている敏夫の事件の記憶は、シーソーの両端に乗せられていたのだ。守が小さいうちは、事件のほうがずっと重くて下にさがっていた。守が育ち、大きくなっていくにつれ、理解する力が増えてくるにつれ、事件はだんだん浮き上がって、ついには守の目の高さにまでとどくようになったのだ。それからが本当の試練だった。

守には、迎えいれてくれる地元の野球チームもなかった。夏祭に誘ってはっぴを着せ、連れ歩いてくれる世話役もいなかった。

それは大人の側から始まった差別ではあった。が、差別には強い伝染力があり、子供には対抗する力がない。そして子供というのは、時には進んでそれに感染し、伝播《でんぱ》させることがある。なぜなら面白いからだ。

小学校にあがってしばらくすると、守には遊び相手がいなくなった。放課後サッカーに誘ってくれる声が聞こえなくなった。宿題を教えっこすることも、授業中に紙つぶてを投げあって遊ぶ相手もいなくなった。そうなってからの一人遊びは、「する」ものではなく、「させられている」ものになっていった。

当然といえば当然だったのかもしれない。枚川に暮す人たちにとっては、日下敏夫はほかでもない、市民の税金を女につぎこんで逃げてしまった男なのだから。日下母子《おやこ》が仕打ちに耐えられないのなら、出ていけばいい。

啓子が初めて、守に事件のことを話してくれたのも、このころだった。詳しく、何一つ隠しだてせず。ただ彼女は、話の終わりに付け加えることを忘れなかった。守、あんたは何一つ恥ずかしいことはしていない。それだけはよく覚えておくんですよ。幼い息子と同じように冷たい視線に囲まれて暮しながら、彼女は自分自身にもそれを言い聞かせていたのだ。

啓子はそのころ、市内のある塗物工場で働いていた。なんとか仕事を見つけることができたのは、枚川のある旧家のなかに「日下さんと親しかった」という人物がいて、間接的にではあるが口を利《き》いてくれたからだった。それがなければ啓子とて、どうしても枚川に残りたいという意思を貫き通すためには、守と心中して骨になるよりほかに手段がなかっただろう。

何一つ恥ずかしいことはしていない。だが、守はいつも一人だった。

そのころ、「じいちゃん」と出会った。

夏休みだった。守は一人、自転車を裏庭に傾けたまま、アパートの石段に腰かけて、八月の日ざしに照らされていた。これといって行く場所もなく、一人でする留守番にも飽いて、ぼんやりしていた。

「坊ず、暑いなぁ」

誰かに声をかけられて、顔をあげた。

ブロック塀《べい》の落とす影に入って、ずんぐりむっくりした老人が一人立っていた。左手にくたびれた小さなかばんをさげ、ねずみ色の開襟《かいきん》シャツと、半分はげあがった頭に、真夏の汗をいっぱいにかいていた。

その汗をぬぐいながら、また言った。

「そんなところに座ってると日射病になっちまうぞ。どうだ、じいちゃんとかき氷を食いにいかんか？」

かなり長いことためらってから、守は立ち上がった。半ズボンのポケットのなかで、お昼にパンを買うようにと渡された小銭が小さな音をたてた。

それが始まりだったのだ。

「じいちゃん」の名は高橋吾一《ごいち》。だが守は、出会いから別れるまで、ずっと「じいちゃん」で通してきた。正確な年齢を教えてくれたことはなかったが、あのころでもう六十を過ぎていたのだろう。

仕事は金庫屋——引退した金庫屋だった。枚川生まれだが、終戦後すぐ大阪の錠前職の親方に弟子入りし、ずっとそこで働いていた。引退してまた枚川に引っ込んだのは、体力に限界を感じたからだ——じいちゃんは、自分のことを、その程度にしか語ったことがない。

一杯のかき氷が縁で、その日から守はじいちゃんの家に出入りするようになった。そこには狭い仕事場も設けてあって、変わった形のぴかぴか光る道具や、守がそっくり中に入ってしまうほど大きな金庫や、どこからどうやって開けるかもわからない、でも素晴らしくきれいな細工のついた手文庫のようなものが、たくさんあった。

こいつは趣味だ。目を見はり、遠慮しながらもあちこち見回している守に、じいちゃんは笑いかけた。こいつらに囲まれていないと寂しくっていけない。こいつらも、周りに人間がいないと寂しがるんだよ。

「俺《おれ》が危ないからやめろと言うこと以外なら、触っても、ながめても、なんでもやっていいよ」

じいちゃんはそう言って、遊びにくる守を自由にさせてくれた。守は金庫の冷たい肌《はだ》に触れた。錠前の迷路のような仕掛けに目をくっつけてのぞきこんだ。じいちゃんの集めた古い写真集を開いた。そこには、ただの鍵《かぎ》と言い捨ててしまえないほど手のこんだ透かし彫りのキーや、その中に収めるものよりもっと価値のありそうな金庫の写真もあった。

きれいだね、と言うと、じいちゃんはうなずいた。きれいだろう?

たいていの場合、守がそばにいても、じいちゃんは自分の仕事に没頭していた。仕事場の探検が一通り済むと、守は今度はじいちゃんをながめた。じいちゃんの、びっくりするほどしなやかな指先の動きや、金庫や錠前に対しているとき口元に浮かんでいる、幸せそうな微笑を見つめた。

出会ってから半月ほどたったある日、そうやってながめていると、じいちゃんは不意に言った。どうだ、守もやってみるか？

そのときじいちゃんは、目の細かいやすりを使って、みかん箱ほどの大きさの古い金庫の錆落《さび》としをしているところだった。

「僕にできるかな？」

「できるともさ」じいちゃんは笑ってやすりを渡してくれた。「ただ、うんと優しくしてやんなよ」

言われたとおりに、まる一週間かけて、守は優しく錆落としをした。その金庫は、錆という年齢の下につややかな銀色の肌を隠していた。扉《とびら》の四隅《よすみ》には、ごく小さい、だが見事な牡丹《ぼたん》の花の彫刻があしらってあった。すっかり仕事が終わると、じいちゃんは言った。

「そら、えらいべっぴんさんになったろう？」

ただながめる立場から、少し手伝う立場に。そこから、じいちゃんのしている仕事――今度は錆落としではなく――に興味をもつまでには、ほんの半歩踏みこめばよかった。

あるとき、アパートの鍵を落としてしまい、家に入れなくなったことがあった。啓子が仕事から帰るまでには、まだたっぷり二時間はあった。頭の上、三階の部屋の窓には、とっくにとりこんでおかなければならなかったはずの洗濯物《せんたくもの》が、冷え切ってひらひらしているのが見える。おまけに雨になりそうだ。守はじいちゃんを呼びに走って行った。

ものの五分で、じいちゃんは鍵をあけてくれた。魔法のように。そして、むずかしい顔で言った。

「守とおふくろさんの二人暮しだ。もうちっと頑丈《がんじょう》な錠前をつけておかねえといけないな。これじゃ、まるでおもちゃだよ」

翌日、じいちゃんはアパートのドアの錠前を取り替えにやって来た。じいちゃんが仕事を終えるころ、守は言った。

「それ、僕にもできるかな」

じいちゃんはじいっと守を見た。

「やってみたいか？」

「うん」

「そうか」じいちゃんは楽しそうに言った。「じゃ、やってみな。やりたいと思ったら、できないことなんかねえよ」

こうして、守は仕事を習い始めた。最初は少しずつ。まず錠前の構造、種類を覚えること。製造元はもちろん、製造された国によっても金庫や錠前の顔が違ってくるのだ。

実技に入ると、覚えなければならないこと、覚えたいことが洪水《こうずい》のように押し寄せてきた。番号で合わせるきゃしゃな南京錠や自転車の鍵、そして自動車のドア・ロックの扱い方。次に、いちばん普及しているピン・タンブラーのシリンダー錠のテクニック。二本の針金状の道具を使うピッキング。この段階の最後では、自分で工夫したピッキング・ガンを作った。

鍵穴に刻みのない鍵をさし込んでおいて、それから合鍵をつくっていくインプレッション。合鍵も何百本も作った。ぴたりとは合わないが似たような合鍵をさしこんで、だましだまし解錠していく技術は、頑固な人を説得していくことに似ている。そして最後に、ダイヤル錠の番号を探り当てて開けるマニピュレーションの段階。

知りあってから亡《な》くなるまでの十年間、じいちゃんは教えられるかぎりの知識と技術を守に渡してくれた。

ずいぶんとおかしなことを教え、覚えたものだ。守自身、振り返ってそう思うことがある。だが楽しかった。ほかに夢中になるものを与えられず、偶然巻き込まれるようにして始めたことだったにしても、十年続いたのは楽しかったからなのだ。

それなのに、じいちゃんは去年の十月の中ごろ、枚川で紅葉の最後の一葉が枯れ落ちるのといっしょに、心不全であっけなく逝《い》ってしまった。

この世の終わりだ。守は本気でそう思ったものだ。

今持っている道具一式は、その数日前にじいちゃんがくれたものだった。あとになって考えると、虫が知らせたのかもしれない。つくづくと守をながめながら、そのときこう訊《き》いた。

「なあ、守。じいちゃんがどうしてお前に錠前破りを教えてきたのか、わかるか？」

新品の道具に魅せられていた守は、さして深く考えずに答えた。

「僕が教えてくれって頼んだからだろ？」

じいちゃんは大笑いをした。「素直なもんだな。うん、でもそうだ」

「僕に教えるの、大仕事だった？」

「そうでもなかったよ。前にも言ったろう？　やりたいと思ったならできないことなんかねえんだ」

しばらく口をつぐんでから、じいちゃんは続けた。

「お前、じいちゃんには一度も、親父《おやじ》さんの話をしたことがなかったな」

「なにも言わなくっても知ってるじゃないか」守は困惑した。

「今でも、親父さんのことでとやかく言う連中はいるかい？」

「ときどきね……でも、昔ほどじゃないよ」

「そうか。時間がたてば、世間の連中だって昔のことは忘れるもんだ」

「僕だって親父のことなんか忘れてるよ」

「守、錠前破りを習うのは楽しかったか？」

「うん」

「どうしてだ？」

ちょっと考えて言葉を探してから、守は答えた。

「ほかのみんなにはできないことだからね」

じいちゃんはうなずき、守の手を見つめた。

「それを使って、どこかから何かとってこようとか、誰かを困らせてやろうとか、そんなことを考えたことはあるかい？」

「全然ないよ！」守は目を見はった。「じいちゃん、僕がそんなことをするとでも思ってたのかい？」

「いいや。一度も」

きっぱりと首を横に振ると、一語一語、ゆっくりと噛《か》みしめるように、じいちゃんは言った。

「じいちゃんがお前に教えたことは、もう古い技術だ。どんどん時代遅れになっていくことだ。だってそうだろう？　じいちゃんはもう、古い人間なんだからな。これからは、鍵だって錠前だって、どんどん新しくなっていく。今のような形の錠前というもの自体、なくなっていくかもしれん」と、少し寂しそうな顔をした。

「だけど、だからといって、お前の持っている技術が全然役に立たなくなるわけじゃない。普通の生活のなかでは、お前はほかの人とはちょっと違うだろう。誰かが隠しておきたいと思うもの、大事にしまっておきたいものを、お前は見ることができる。入らないでほしいと思っている場所にも入ることができる。但《ただ》しそれはあくまでも、お前がその気になればの話だ」

じいちゃんは守の目を見た。

「今までだって、お前はやろうと思えばそれができた。でも、やろうとはしなかった。思いもしなかった。じいちゃんはそれを信じているし、だからこそお前に教えてきたんだ。守、鍵というものはな、ほかでもない、人の心を守るものなんだよ」

お前の親父さんは――じいちゃんは悲しげに言った。

「錠前破りの技術のある人ではなかった。合鍵一本一人で作れる人ではなかった。それなのに、してはいけないことをして、他人の金に手をつけた。それは、大勢の人たちから預かっている心の錠前を――それを〈信用〉と呼ぶ人もいるがね――勝手に開けることだったんだ。おまえがこれから大人になっていく間には、何度か、悲しくて嫌《いや》な気持で親父さんのしたことを思い出さなければならないときがあるだろう。恨むこともあるだろう。でもなあ、守。じいちゃんが恐ろしいと思うのはそれじゃない。

おまえの親父さんは悪い人ではなかった。ただ、弱かったんだ。悲しいくらいに弱かった。その弱さは誰のなかにもある。お前のなかにもある。そしてお前が、自分のなかにあるその弱さに気がついたとき、ああ、親父と同じだと思うだろう。ひょっとしたら、親が親なんだから仕方ないと思うこともあるかもしれない。世間の連中が無責任に『血は争えない』なんて言うようにな。じいちゃんが怖いのはそれだ」

守は黙って、語り続けるじいちゃんの顔を見つめていた。

「じいちゃんが思うに、人間てやつには二種類あってな。一つは、できることでも、そうしたくないと思ったらしない人間。もう一つは、できないことでも、したいと思ったらなんとしてでもやりとげてしまう人間。どっちがよくて、どっちが悪いとは決められない。悪いのは、自分の意思でやったりやらなかったりしたことに、言い訳を見つけることだ」

守、親父さんをお前の言い訳にしちゃいけない。どんなことにも言い訳を見つけちゃいけない。そうやって生きていけば、いつかきっと、親父さんの弱さと、弱い親父さんの悲しかったところがわかるときがやってくる――そう言って、最初に道具の持ち方を教えたときにしたのと同じように、じいちゃんは守の手を握った。乾いて、滑らかで、おどろくほど力強い手だった。

さあ、どっちだ――菅野洋子の部屋のドアの前で、守はまず、考えた。

ここではまだ、作業に明りは要らなかった。廊下の蛍光灯《けいこうとう》だけで充分だ。どっちにしろ錠の内部を見ることはできないのだから。

貧弱な錠前だった。両隣のドアと見比べる。みんな同じ造りで、面付式のシリンダー錠だが、公団や都営のアパートで使われているタイプよりさらに一格落ちる。モノロックでないだけまだましかもしれないが（あれだと、古くなって緩んでくると、ドアの隙間《すきま》に固くて平たいものを差し込んで強く押してやるだけでもはずれてしまうことがあるのだ）、一人暮しの若い女性が安心して全権委任できるほど頼りがいのある錠前ではない。錠前を見れば建物の施工主の志がわかる。このマンション、壁のリベット打ちも、三本のところを二本にしてあるに違いないと思った。

ピン・タンブラーのシリンダー錠というのは、無数のピンを複雑に組み合わせることによってできている。ある特定の鍵だけで円筒状の錠前を回し差し金を動かすことができるのは、その鍵につけられている刻み目と、ピンの構成する凹凸《おうとつ》とがぴったりと一致するからだ。

重いしかさばるので、疑似鍵法に使う合鍵の束は持ってきていなかった。今こうして現物を見ていると、あれで充分間に合ったのにと惜しい気がした。

よし。合鍵をこさえてやろう。インプレッションでいくことに決めた。ひょっとしたら、今回忍び込んで探し当てたものを返しに来る必要も出てくるかもしれない。そのたびにピッキングで開けるのも手間がかかる。

通路に片膝《かたひざ》をつき、コンパクトにまとめてある道具箱（ちょっと厚手で丈の短い筆箱ぐらいの大きさだ）から、溝《みぞ》が一本刻んであるだけの真新しい鍵を取り出す。じいちゃんに教わったときはこれにススをつけて鍵穴に差し込んだものだが、守はベーキング・パウダーを使うことにしていた。見やすいし、どこでも手に入るからだ。今持ってきているのは、真紀がケーキを焼くときに使っているものを、ちょっと失敬してきたのだ。

慎重に、白い粉をまぶした鍵を差し込む。こんなとき、いちばん邪魔になるのは自分の鼓動だった。どきどきしていると、それが身体《からだ》中に響き、指先まで震える。

鍵を取り出す。白い粉の上にうっすらと線がついてくる。誰にでも見える線ではない。オーディオ・マニアの耳にだけ聞き分けられる音の歪《ゆが》みと同じようなものだ。

この薄い線が、この錠前の横顔なのだ。薄いヤスリを取り出すと、守はそれに沿って刻みを入れ、錠前の顔全体を作りあげていく。ときどき試しに合わせてみながら、無理せず、慌《あわ》てず、エレガントに進めるのが肝心だ。錠前は身持ちの固いレディなのだから。

四度目に試してみたとき、鍵に刻み込んだ五つのギザギザが、シリンダーの内部と嚙みあう手ごたえがした。ゆっくりと回す。錠前の円筒が一回転して、差し金のはずれる気持のいい音がした。所要時間、約十二分だった。

急ごしらえの合鍵をポケットに入れ、鍵穴からふっと息を吹き込んで——誰も気づく人はいないだろうが、念のため——ベーキング・パウダーの痕跡《こんせき》を飛ばすと、守は立ち上がってドアを開いた。

2

ドアを締め切ると、守は夜とはまた違う闇《やみ》のなかに立っていた。この新しい闇のなかには、かすかに甘い香りがした。主人《あるじ》なき部屋に、亡《な》き女《ひと》のコロンの名残り。

じっと足を動かさないまま、今度はペンライトを取り出す。秋葉原で見つけてきた強力な指向性のあるもので、スイッチをオンにし、三段切り替えの光量を最大にすると、自分の立っている場所が見えた。そこは、玄関というよりは、ささやかな靴脱《くつぬ》ぎのスペースだった。右手に薄い下駄箱《げたばこ》があり、その上に空っぽの花瓶《かびん》。後ろの壁に、小さな額に入ったマリー・ローランサンの複製画がかかっている。

ほの白い少女の顔に見おろされて、守はかなりどきんとした。真紀もこの女流画家が好きで、画集もひと揃《そろ》い持っている。ロマンティックな色調だが、暗がりで見る絵ではない。これきり嫌《きら》いになりそうだなと、守は思った。

足元を照らしてみて、うかつに動かなくて正解だったと思った。金属製の細い傘立《かさた》てが、右足のすぐそばにあった。知らずに踏み出していたら、両隣の住人の白河夜船を邪魔する音をたてていたことだろう。

　そうっと迂回《うかい》して、部屋にあがる。

　そこは、申しわけ程度の広さのダイニング・キッチンだった。台所の水切りにコーヒー・カップと皿が二組伏せてある。触れてみると、すっかり乾いていた。

　白いテーブルと、椅子《いす》が二脚。赤いシェイドのランプが、うっかりすると頭をぶつけそうなほど低くさがっている。単身者向きの小型冷蔵庫の上に、オーブン・トースター。どちらも白で、その隣の食器棚《だな》も白。さらに隣にドアがあり、ライトで照らすと「バスルーム」というステッカーが貼《は》ってあった。

　忍び足で進み、そのドアを開ける。内部をぐるりとペンライトで照らしだし、窓のないことを確かめてから、明りのスイッチを手探りした。蛍光灯がまたたき、不承不承、という感じでやっとついた。

　菅野洋子さんはきれい好きだったんだな、色はピンクや白が好みだったらしい。オフ・ホワイトのユニット・バスとトイレのなかは、タオルもトイレタリーもスリッパもパステル・ピンクで統一されていた。使いかけの石鹸《せっけん》までピンク色だ。

　ふと見ると、バスタブの縁に長い髪の毛が一本落ちていた。洋子さんのだろう、ロングへアだったんだなと思って、守は突然気づいた。

　菅野洋子の顔さえ知らないのだ。髪型も、背丈も。葬儀にも出ていないし、新聞には顔写真さえ載らなかった。大造でさえ、彼女の顔を覚えているかどうか。事故は一瞬のことだったのだから。

勇気が一度にくじけてしまうような発見だった。何が「ちょっと調べる」だ。

あとずさりしてバスルームを出る。明りはつけたまま、ドアは半開きにしておいた。これなら明りは外に漏れないし、部屋全体がずっとよくわかるようになる。

キッチンの向こうにもうひと部屋あって、それで全《すべ》てだった。板張りの床で、広さは十畳ほど。パイプベッドとベンチチェスト。窓際《まどぎわ》には、木製のいかにも学生らしい机と椅子がある。床の中央にはセンター敷きがしかれ、その色合いに釣《つ》りあったビニール製の組み立て式クロゼットがある。そのファスナーが、半分ほど開いたままになっている。

急を聞いて駆けつけてきた母親が、娘の衣類のなかから、棺におさめるものを選んでいたのだろうか。そばに寄ると、いい香りがした。

何から取りかかるか、一応は考えてきたつもりだった。まずは日記のようなものを探そうと思っていたのだが、方針を変え、とりあえずアルバムがないか見てみようと思った。自分が誰にアプローチしようとしているのか、その顔ぐらい知っておかなくては失礼だ。

アルバムは、丈の高い本棚のいちばん下の段に一冊だけ立てられていた。ページをめくると、さまざまな写真が現われた。たいていは女性ばかりの写真で、旅行先なのか背景に滝が写っていたり、軽い山歩きの格好をしているグループがカメラに向かってピースサインを出しているものもある。そのなかに頻繁《ひんぱん》に出てくる、色白で、背はすらりと高く、まっすぐな髪を背中のなかほどにまで垂らしている女性が、菅野洋子だろうと見当をつけた。

おもざしのよく似た若い女性と二人、着物姿で写っているものもあった。たぶん妹だろう。今年の正月休みに帰省したときに撮ってもらったものなのだろう。

アルバムを元に戻そうとしたとき、表紙の裏のポケットから、小さなカードのようなものが一枚落ちた。拾い上げると、古い学生証だった。予備校のものだ。その顔写真は、守の推測が間違っていないことを裏づけていた。

美人だと思った。町を歩いていて気軽に道を尋ねられそうなタイプではないが、オフィス機器のショールームにでもいたら、ぴったりだったろう。

はじめまして。そして、ごめんなさい。あなたの部屋に勝手に立ち入って。守は心のなかでつぶやいた。

本棚にはほとんどすきまがなかった。文庫本のミステリや恋愛小説もあるが、目につくのは語学関連の専門書だ。並んでいる辞書から推して、英語とフランス語を学んでいたらしい。「英検一級への道」とか、「通訳になるには　必要な資格とその対策」「ホームステイのすすめ」という題名も見える。

日記帳は見あたらなかった。そういう習慣がなかったのかもしれない。アドレス帳、システム手帳の類《たぐい》もない。そういうものは、事故にあったとき持っていたのだろう。

手紙はどうかな。

ベッドの頭のところにコルクボードがあり、レター・ラックがその脇《わき》にぶら下げられていた。量は少ない。近ごろはみんな電話ですんでしまうのだ。守自身、ここ何年も手紙など書いたことがない。

美容院からのキャンペーンのお知らせのハガキ。外国かららしい、友人からの絵葉書。

(元気にしてますか？　こっちはとても楽しいわ……)。英会話学校のパンフレット。

一通だけ封書があった。発信人は「菅野由紀子」。花模様の散った便箋《びんせん》に、小さな丸い字で書いてある。短い手紙だった。

みんな元気であること、就職が決まったこと、九月の連休に帰ってこれれば、綾子《あやこ》さんの赤ちゃんの顔が見られます……そして最後に、このまえの電話では声に元気がなかったね、おねえちゃん疲れているの？　心配しています、とあった。

やっぱり妹さんだ。手紙をたたんでしまいながら、守は胃のあたりが重くなってくるのを感じた。

ちょっと調べてみればすぐわかるのに、だとさ。

やっぱり、あんな電話を真に受けるべきではなかったのだ。こんなことをして、なんになる？　彼女が告白書を残しているとでも思っていたのか？　いったい、暮している部屋を調べられたらその生活がすっかり知られてしまう人間など、いるものだろうか。

たとえば、僕の部屋に誰かが入り込んでピッキングの道具を発見したらどう思うだろうか。守は考えた。こいつは職業的な泥棒《どろぼう》だと思われるかもしれない。だが、それは間違いなのだ。

ため息をついて床に腰をおろし、部屋のなかを見まわした。

質素だな。それが第一の感想だった。同じ年ごろの真紀の部屋と比べてみれば、よくわかる。

この部屋にあるテレビもラジオも、ひと時代前の機種だ。手に入れたときから中古だったのかもしれない。ビデオもないし、電灯の傘も不格好な昔風の形だ。カーテンもぺらぺらの安物。

このマンション自体からして、だいぶガタがきている。壁には少なくとも二つ、水漏れのしみが浮いている。台所の蛇口《じゃぐち》とバスルームのアタッチメントも、古めかしい混合水栓《すいせん》式だった。床板は傷だらけだ。

家賃、いくらぐらいだったんだろう。仕送りをしてもらい、きっとアルバイトをしていたのだろうけれど、生活は楽ではなかったろうな。女子大生の皆がみんな、とっかえひっかえ流行の洋服を着て遊び歩いているわけではないのだ。

そう、金だ。

そんなことに頭がいった自分に嫌気《いやけ》がさしながら、守は強《し》いて考えをまとめた。経済状態はどうだったんだろう。

とにかく、やるだけのことをしなければ帰れない。なんのために忍び込んだのか、意味がなくなってしまう。無人の部屋に、申し訳なさで肩をすぼめながら、引き出しのなかを探ってみた。

きちんと整理された二段目の引き出しの奥に、領収書の綴《つづ》りと簡単な家計簿と一緒にして、貯金通帳が二冊しまってあった。一つには「済」のスタンプが捺《お》されている。

新しいほうを開いてみる。

毎月、残高が一度は三ケタになってしまうような、つましい金の出入りだった。月末に「フリコミ」で八万円ずつ入っているのは、実家からの仕送りだろう。それとだいたい同じ日付で、「キュウヨ」がある。先月分が金十万三千五百四十一円なり。アルバイトらしい。

通帳をさかのぼる。九月、八月、七月そして、四月まできたところで様子がガラリと変わった。

額が増えたのだ。

二十五万、四十万——六十万の入金もある。「フリコミ」でも「キュウヨ」でもないところをみると、現金で受け取ってから入金したものなのだろう。細かな支出には目立った変化がないが、残高が五十万ぐらいにまとまると、一度に引き出されている。

これはなんだろう？　と思いながらさらにページをめくっていくと、定期預金の欄にぶつかった。

目を疑った。

五十万円前後の定期預金が七本。そのうちの一本は今年の四月に解約されているが、それでも三百万円以上が残っている。

守はあらためて部屋を見まわした。この生活をしながら三百万円ためていた？

「済」の方の通帳もひろげてみた。ここでも最後のほうは額が大きい。さかのぼると、このケタ違いの数字が並び始めるのは、去年の二月からだった。

去年の二月から今年の四月までの十五カ月間、菅野洋子は、きわめて、きわめて経済状態が良かった。そして、せっせと貯金していた。

なんのために？　そして、なにをして？

家計簿を開く。より子がつけているのと同じような、毎月の細々とした支出の記録だ。そのなかに、今年の四月十二日付けで、「引越し費用」と「敷金・礼金」の記入があった。解約した定期預金は、このために使われたのだ。菅野洋子は、ここに引っ越してきてまだ半年ほどだったのだ。

十五カ月間、なにか非常に高収入を得られる状態にあって、それが終了すると同時に住いを変えた。

レコード針が引っかかって同じメロディが繰り返されるように、守はその考えを反芻《はんすう》した。

（あいつは死んで当然のことをしていた）

いったい何をしていたんだ？

通帳をもとに戻し、腕組みをして考え込んだ。ほかに調べるべきところは考えられないだろうか。どこを見ればいいだろう。

そして、バスルームからの明りが届かない暗闇に、ポツリと赤い光がともっているのに気づいた。

留守番機能のついた電話機だった。赤いライトは、電源がオンになっているサインなのだ。

しばらくためらってから、守は電話に近づいた。本体のカバーをあげると、マイクロカセットテープが入っている。

何か残っているかもしれない。

ペンライトで照らし、ボタンを押してテープを巻き戻すと、頭から再生した。

「森本です。急に旅行にいくことになっちゃったので、明日のゼミに出られません。帰ってきたらノートを見せてね。おみやげ買ってきます」

ピー。次の声。

「もしもし、由紀子です。またかけ直すけど、このごろ留守ばっかりね」

ピー。また別の声。今度は男性だった。

「橋田進学塾《じゅく》の阪本《さかもと》と申します。先日はアルバイト講師の募集においでいただいてありがとうございました。えー、一応、採用ということになりましたので、来週からおいで願えれば、と思います。お帰りになりましたらお電話ください」

ピー。また、男性の声。ひどく明るい調子で――

「電話番号を変えたの？」

あの男の声だった。

間違いない。菅野洋子を殺してくれていいいいありがとう。あの声だ。守は驚いて耳を澄ませた。

「たいへんだったでしょう。だけど、住所だって電話番号だって、その気で調べればわかっちゃうんだよ。ごくろうさま。それと、つい最近、また古本屋で『情報チャンネル』を一冊見つけたよ。可哀《かわい》そうだけど、逃げ回ったって無駄だよ。じゃあ、またね」

ピー。録音はそこで終わっていた。

あいつだ。

表に出て、ゆっくりと交差点まで引き返しながら、守の頭のなかにあの電話の声が繰り返しよみがえってきた。確かにあいつだ。うちに電話をかけてきたのと同じ男が、菅野さんにも電話していた。

いつのことだろう？　彼女がなくなる前の、どの時点だろう？　彼女が死んでしまったから、今度はうちにかけてきたんだろうか。

逃げ回ったって無駄だよ。

引っ越し。どうやら電話番号を変えたらしいこと。逃げ回ったって――

「情報チャンネル」ってなんだ？　それがあの高収入に関係あるのだろうか。

片足を釘《くぎ》で床に打ちつけられたように、考えは同じところでぐるぐる回るだけだった。

とりあえず、今夜はここまでだ。とにかく手掛りが出てきた。あの電話の男の言っていることには、何か意味が隠されているのだ。

階段の下でせわしなく結んだので、途中でシューズの紐《ひも》が解《ほど》けてしまった。かがんでしめなおし、顔を上げると、シルバー・グレイの車が一台、ゆっくりと交差点にさしかかり、児童公園の前で停止するのが見えた。

ドアが開き、誰かが降りてきた。これと言う理由もなかったが、姿を見られたくない気持になって、守は道路の端に身を寄せた。

男だ。背広姿の肩が広い。背を向けているので顔が見えないが、あまり若くはない。顔のあたりから、紫の煙がふうっとたちのぼった。煙草《たばこ》を吸っているのだ。こんな時刻になにをしているんだろう。

ちょうど守がしたのと同じように信号をあおぎ、静かな交差点にたたずんでいる。

その背の高いシルエットが振り向いた。守はあわてて顔を引っ込めた。

がっちりと顎《あご》の張った顔のうえに、整った髪とサングラスがのっている。こめかみに白く光るものがあるのは、白髪《しらが》だろうか。

五分ほどで男は車に戻り、走り去った。守も走って家に向かった。交差点を通り過ぎるとき、かすかに残った煙草の香りを感じた。

3

「情報チャンネル？」

日曜日の仕事は、三週間の期限を過ぎて出版社に返本するものの仕分けから始まった。売り場の混雑も激しく、喧騒《けんそう》に満ちている。守は佐藤と二人、中腰になってのしんどい作業にかかりきりになっていた。

「さあ……聞いたことねえなぁ。それ、ホントに雑誌の名前かよ?」佐藤は疑わしげに眉《まゆ》を寄せている。

「うん。一冊と勘定するんだから本に間違いはないと思うんです。佐藤さんに聞けばわかるんじゃないかと思って」

留守番電話のあの男の声は、確かに「また『情報チャンネル』を一冊」と言っていた。

「単行本てことは考えらんねえもんな。いかがわしいタイトルじゃんか」と言いながら、佐藤はなんとなくうれしそうな目つきをしている。

「あんまり売れそうなタイトルじゃないよね」

「すぐ廃刊、という匂《にお》いだな。一年ぐらい刊行されていれば、オレもたいていは覚えてるはずなんだ。現物、手元にねえの?」

「ないんです。わかっているのはタイトルと、まあここ一年以内に発行されてるだろうということだけ」

「そうすっと、発行案内かなんかをあたって……でも載ってるかなぁ、なんせ『情報チャンネル』ときたもんだからなぁ。ウラ本かもしれないぜ。どぎつい副題がくっついてたりしてよ」

「ウラ本?」

守ははっとした。その可能性に、どうして気づかなかったのだろう。菅野洋子は美人だった。モデルにだってなれそうな。

そしてあの貯金通帳の数字だ。普通のアルバイト程度では絶対に稼《かせ》ぎ出すことのできない額。

返本する雑誌の表紙をカッターでズバッと切り取りながら、佐藤は「ああ、かわいそう」と嘆いた。

「忍びないよな。どうせ断裁屋行きだとしても、こんなカワイコちゃんの載ってる表紙を切るなんて」

切り取られた表紙の残り半分で、カバー・ガールがにっこり笑っている。

「でもよぉ、考えてもみろよ。これだけの量の雑誌が出てるんだぜ。よく『藁《わら》の山のなかで針を探す』って言うけど、おまえの言ってる程度の手掛りでその雑誌を探そうってのは、針の山のなかで特定の一本の針を探すようなもんだよ」

「言えてますね」気落ちしながら、守は答えた。

「よう、青少年。しっかり労働しとるか？」

通用階段の方からぶらぶらと近づいてきたのは、書籍コーナーの私服警備員、牧野だった。今日はピシッとスーツを着ている。

「どうしたんですか。えらくキメてるじゃない」

「ミーティングがあったんだよ。お偉方はうるさいからな」

書籍コーナーの店員たちにとって、五十年配の（五十三歳だという説と、いや本当はもう六十近いのだという説とがある）この警備員は、卑弥呼《ひみこ》と同じくらい不可思議な存在だった。

わかっているのは彼が確かに存在していることと、チーフの高野も彼を立てているほど「エライ」こと、そして実際に有能であることだけで、生まれも育ちも家庭も前歴も、誰も知らない。箱師専門の腕のたつ刑事だったが収賄《しゅうわい》事件がからんで辞職したのだとか、もとは高校の教師だったとか、推測だけが乱れ飛んでいる。

守がいつも感嘆するのは、彼の服装だった。いいものを着ているとかセンスがいいということではなく、どんなものを身につけても、それを常に着慣れている人間の雰囲気《ふんいき》になってしまうからだった。英国製のスーツを着れば、両開きのクロゼットいっぱいにそれを持っている重役クラスのおもむきをみせる。ぺらぺらのジャケットを着てすりきれたズボンの尻《しり》ポケットに競馬新聞を突っ込めば、赤えんぴつをなめなめ競馬場に通うギャンブル狂の匂いを漂わせる。幸か不幸かまだ見たことはないが、女装すればそれもまたぴったりとはまるに違いない。

「青少年、今日は気を引きしめていけよ。お客のガキどもも学期末試験が近づいてきてソワソワしてるからな。気分転換にいっちょう万引きでもしてみるか、なんて悪い虫がもぞもぞするころだ。受験生もあぶねえぞ」

「忘れてた。僕も試験が近いんだ」守は言った。

「おうおう、気の毒だな。オレはもう学生じゃなくてよかったよ」

佐藤は胸をなでおろすようなしぐさをしてみせたが、牧野にぴしゃりと言われた。

「八年も大学生やったあとで言うセリフじゃねえな。いつになったらまっとうな社会人になるつもりだよ？」

「なってるじゃないですか、もう」

「一生本屋のバイトの渡り鳥じゃ、将来おかみの世話になって年金暮しする資格はねえぞ」

警備員はふんと鼻を鳴らした。「だいたい、本なんてもんは読みすぎるとロクなことがねえんだ。女は嫁き《い》遅れるし、男はタマなしになる」

「ひどいなぁ。それは極論というもんですよ」守は抗議したが、隣で佐藤が「あ！」と声を出した。

「それで思い出したぜ。おい守、お前の『情報チャンネル』、わかるかもしれない」

「ホントですか？」

「うちの安西《あんざい》女史だよ。以前つきあってた彼氏と切れてなきゃ、彼女ならわかる」

「切れてるなぁ、ありゃ」と、牧野。

女子店員の安西政子《まさこ》は、書籍コーナーでは佐藤より長いキャリアを持っている。ゆえに「女史」と呼ばれているのだが、「嫁き遅れ」という言葉で自分を連想されたと知ったら、ただではおくまい。

女史はレジにつめていたが、佐藤が声をかけると出てきてくれた。

「佐藤君の頼みじゃききたくないけど、日下君にお願いされたんじゃ捨ててはおけないわね」

「わかりますか？」

「たぶんね。でもちょっと時間をちょうだい。連絡しても、すぐつかまるかどうかわからない人なのよ」

女史のボーイフレンドの一人に、フリーライターの仕事のかたわら、雑誌の収集を趣味にしている人がいるのだという。

「将来は雑誌専門の図書館を開きたいらしいの。彼がつくっているデータ・ベースなら、こと雑誌に関しては、新聞社より詳しいはずよ」

何が出てくるんだろう。仕事の手を休めないまま、守の心はそのことばかりに傾いていた。「情報チャンネル」という雑誌のどこに、菅野洋子を苦しめるものがひそんでいたのだろう。

もし、佐藤さんの言うようにウラ本だったなら……守は考えた。菅野さんはそれをねたに強請《ゆす》られていたということもありえるんじゃないか。

なんといっても、彼女は女子大生だったのだ。甘い言葉と報酬に釣《つ》られ、気軽に（テレビ番組や雑誌で、現代の女の子はみんなそうなんだと強調されているとおりに）飛び込んだ世界に足をすくわれたのかもしれない。

強請《ゆすり》の相手と、事故のあった交差点の近くで会っていたのかもしれない。そこで話がこじれて、彼女は逃げ出した。

あるいは——それまで考えなかったことが浮かんできた。

自殺だったのかもしれない。耐え切れなくなって、走ってくる車の前に飛び出した。そして瀕死《ひんし》の身で叫ぶ。ひどい、ひどい、あんまりだ。

連絡を待っている間に、牧野警備員が活躍する場面を見ることができた。万引きを二件とりおさえたのだ。

一件は、女子高生の二人連れだった。人気ロックバンドの写真集をだぶだぶのトレーナーの下に隠し、エスカレーターのステップに一歩足を乗せたところで牧野に肩を叩《たた》かれたのだ。ちょうどあの大型ビデオ・ディスプレイの前で、カナダあたりの涼やかな湖の映像をバックに、女子高生二人は棒立ちになってしまった。

「バカねえ。あの子たち、まず退学処分まちがいなしよ」

レジにいた女史が、事務室へ連れていかれる女子高生を見やりながら言った。

二人とも、それほどこたえているようにも、怯《おび》えているようにも見えない。唇《くちびる》には薄笑いさえ浮かんでいる。

「そうかなぁ。そんなに厳しいんですか？　あの様子を見ていると、ちょっとしたいたずら程度にしか考えてないって気がするけど」

「本人たちはね。でも、それも今のうちよ。ここではそんなに厳しい扱いをしないし、近ごろでは警察に連絡しても説諭ぐらいですぐ帰しちゃうけど、学校はそうはいかないもの。あの子たち、恵愛女子の一年生だそうだから」

恵愛女子は私立の一流高校である。

「牧野さんから聞いたことがあるんだけど、ああいうしつけの厳しい学校だと、喫煙や万引き、禁止されているコンサートに黙って出かけたことがわかった場合は、即保護者を呼び出して、廊下に立って待たせたまま、処分を決める職員会議をするんですって。何時間かかろうと、その間、本人たちは立ちん坊よ。それだけでも懲罰だわ」

「で、その結果は退学？」

「らしいわよ」

「ほんの出来心でも？」守は少し、彼女たちが可哀《かわい》そうになった。

「出来心ねえ……」女史はずり落ちてきた眼鏡の縁に手をやって直すと、首をかしげた。「私の感覚がずれてきているのであって、日下君たちの世代ではまた感じ方が違うのかもしれないけど、『出来心』っていう言葉は、もう死語だと思うわ。現代、万引きする子供たちは、よほど特殊な場合でないかぎり、確信犯よ。だいいち、ちょっと魔がさしましたスミマセンで、年間四百五十万円もの大穴をあけられちゃたまんないわ」

「そんなに被害が出たんですか？」

万引きの多いことは知っていた守も、具体的な額までは知らされていなかった。

安西女史はうなずいた。「まず、うちのひと月の総売上げの平均が約二千万円……書籍売り場の総面積は百坪近くあるから、これもちょっと芳《かんば》しくないんだけど」

守は思わず口をはさんだ。「二千万でもよろしくないんですか？」

「そうよ。でもまあ、それでも、高野さんがチーフになってから、ずいぶんアップしたんだけどね。で、二千万は丸々入るわけじゃなくて、人件費とか、もろもろ出費があるでしょう？　ひと月の純益は総売上げの二割二歩ぐらいだから……つまり四百四十万円程度だわね。

そこに、万引きの年間の被害額が四百五十万円ということは、あたしたち、万引きのために、一年のうちひと月分以上をただ働きさせられていることになるわけよ」

女史は腹立たしそうにくちびるをとがらせた。

「ひどいでしょう？　もちろん、うちだけじゃないけどね。レコード売り場なんか、もっとやられてるんじゃないかしら。ここは所帯が大きいからなんとかやっていけるけど、小さい店だったら食い倒されちゃうわ」

広く浅く、一件の被害額は小さいが、まとまれば大きい。

「それに、近ごろじゃ、子供同士の間で万引きしてきたものを交換しあうことがあるんですってよ。まるで故買屋じゃない」

女史が憤《いきどお》っているところへ、牧野が戻ってきた。

「どうでした？」

「お願いだから学校には連絡しないでくれって泣かれてね。今親を呼んだところだから、説教して帰すことになるだろうよ」

警備員は不満そうだった。「ありゃあ、初犯じゃねえな。絶対に何度もやってる。今日はモタモタしていたから俺《おれ》にみつかったが、今まで見逃してたことがあったのかもしれない」

女史はおおげさな身振りで嘆いてみせた。「高野さん、女性に甘いのよねえ」

もう一件は、最初の女子高生たちとは対照的な犯人だった。売り場の誰も名前を聞いたことのない小さな劇団の研究生だそうで、レジを通さないまま大きなバッグの中に隠されていたのは、大判の戯曲全集の一冊と、舞台美術を特集した写真誌の特別増刊号だった。計一万二千円である。

これは微妙で、危ない綱渡りだった。牧野がこの犯人の肩を叩いたとき、犯人の身体《からだ》はまだ、売り場を完全に出ていなかったからだ。エレベーターの方に向かいかけていたことは明らかだったのだが、走って逃げようとしていたわけではない。

「名誉毀損《きそん》で訴えてやる」犯人はいきまいた。「ちゃんと払うつもりだったんだ」

現に、犯人の財布には三万円近くの現金が入っていたのだ。守は新刊の棚《たな》の陳列を整理しながらながめていたのだが、少しばかり胸がどきどきした。城東店ではなかったが、「ローレル」が過去に、こういう形で現場を押えた客に告訴されたことがあったのを知っていたからだ。新聞だねにもなったし、落着してから内部でかなり厳しい処分があったという噂《うわさ》も聞いている。

それでも、今回は天がこちらに味方した。犯人のバッグから、レジを通っていないテレビ・ゲームのソフトが二本出てきたのだ。二階の売り場に照会してみると、被害にあっているという。これで形勢が逆転した。そのうえに、牧野の勧めで警察に連絡してみると、窃盗でなんと前科八犯の人物であったというおまけまでついてきた。

「あいつには前から目をつけていたんだ。いつか必ず手を押えてやろうと思ってたんだよ」

めずらしく、牧野は興奮気味だった。ただ、あとになって、ちょっと思案する顔で言った。

「それにしても、あの野郎、今日はいやに手際《てぎわ》が悪かった。いつもと違って妙におどおどしてたな……」

「牧野さんの眼力が効いたんですよ、きっと」

「そういえば、牧野のおっさん、今週は好調なんだぜ。これでもう四件だ。なんか悟りでもひらいて極意を体得したんかな」

あとで佐藤にそう聞かされて、守も驚いた。

安西女史のボーイフレンドから連絡があったのは、昼食後の休憩のときだった。倉庫でコーヒーを飲んでいたところに、女史がメモを片手にやってきた。

「わかったわよ。『情報チャンネル』って雑誌、確かにあるって」

「本当ですか？」勢いこんで立ち上がったので、コーヒーがこぼれた。女史はぴょんと脇《わき》に跳びはねた。

「あらやだ、気をつけてよ。そんなに大事なことなの？」

「ものすごく」

「変ねえ。だって、素姓のよろしくない雑誌よ。去年の暮に創刊して、たった四号でつぶれちゃったそうだから。一応、取次を通ってはいるけど、聞いたこともない出版社だわ」

「どんな雑誌ですか？　なんて出版社？」

「彼の手元にも記録だけで現物がないそうだからなんとも言えないけど、『日本版プレイボーイ』を吉原だとすると、『情報チャンネル』は夜鷹《よたか》みたいなもんだって」

はい、これ。女史はメモを手渡してくれた。

「出版社の名前と住所、それに、もうどうせそこじゃ連絡がとれないだろうから、その下に会社の代表者の連絡先を書いてあるから」

守は、世界一周旅行のチケットをもらったかのように、メモをおしいただいた。

「ところで」女史は気難しく言った。「わかった以上はそこに訪ねていきたいわけなんでしょう？　今日は忙しいのよね。わかってる？」

それでなくても客の多い休日のうえに、アルバイトの女の子が一人、ひどい頭痛を訴えて、午前中で帰ってしまっている。手が足りないのは明白だった。

「すみません。でも……」

ずっと背中にまわしていた左手を、女史はほら、と差し出した。

「早退届けよ。高野さんの許可はとってあるから。守の好きなようにさせてやってくれって、頼まれちゃった」

女史と、女史のボーイフレンドと、高野に感謝しながら守は更衣室に走った。

4

電話に出たのは、明るい女性の声だった。

「はい、『ラブラバ』でございます」

守はもう一度メモを確認した。女史のきっちりとした字で、「代表者　発行責任者　水野良之《よしゆき》」と書かれている。

「あの、そちらは水野さんのお宅ではないですか」

「はい、水野でございますけど？」

可愛《かわい》らしいと言ってもよさそうなトーンの高い声が、ちょっとびっくりしたように答える。

「水野良之さんはいらっしゃいますか？」

「うちの主人ですけど」

守は大きく息をついた。

「以前、水野さんが発行していた『情報チャンネル』という雑誌の件でお話があるんです」

ちょっと間があいて、相手の声が笑いを含んだ。

「あらまあ……何かしら」

「電話だとちょっと……うかがったらいけませんか。僕、日下守といいます。学生で、怪しいものじゃありません。あの――」

「いいわよ。いらっしゃいな。場所はわかる？ うちは『ラブラバ』って喫茶店なの。ちょっとメモして。道順を教えるから」

「ラブラバ」は、道順など教えられなくてもわかる駅前の一等地にあった。南欧風の窓と日《ひ》除《よ》けの張り出した白壁の店で、天井では大きなファンがゆっくりと回っている。

日曜日のことで店内はこんでいた。一見して若者ばかりだ。軽快なBGMが流れているが、レーザー・ディスクつきのジューク・ボックスも据《す》え付けられていた。

「あらまあ、ずいぶん可愛い男の子が来たこと」

三十代半ばというところの、すらりとした女性だった。だぶだぶの生成《きな》りのセーターにぴったりしたジーンズ。革紐《かわひも》のサンダル。化粧はしていないが、かすかにコロンのかおりがする。肩までかかる髪の右側に一筋、鮮やかな栗色《くりいろ》のメッシュがいれてある。

「わたし、水野明美《あけみ》。あなたの言ってた水野良之の家内です。日下君でしたっけ？『情報チャンネル』のことと言ってたけど、あの雑誌のことなら、わたしでも少しはお役に立てると思うわよ。資金を出したのも、つぶれたあとの処理をしたのもわたしなんだから」

「水野さんは……？」

明美は面白そうに笑った。「さあね、どこにいるのかな。あの人、鉄砲玉だから」

二人はカウンターに向き合って座った。明美は自分の手でコーヒーをいれてくれた。

「坊やみたいな可愛い子が、なんであんなイヤラシイ雑誌に用があるの？　そりゃまあ、男の子はイヤラシイ経験をして大人になるわけでしょうけど、そのための雑誌やビデオだったら、そこらじゅうにいくらでもあるじゃない？」

「『情報チャンネル』はいやらしい雑誌だったんですか」

「分類上はね。でも、ちゃんと売れるにはいやらしさが足りなかったんだな。意あって力足らず。良之っていつもそうなのよ」

「雑誌の現物は、今お手元に残っていますか？」

明美は初めて真面目《まじめ》な態度になった。

「ずいぶん真剣なのね。なにか事情があるの？　疑うわけじゃないけれど、それを話してもらえないと困りそうな気がしてきたわ」

守は説明した。道々考えてきた言い訳だった。友達に聞いてびっくりしたんですけど、古本屋で見かけた「情報チャンネル」に、家出したまま長いこと行方がわからなくなっている僕の姉さんの写真が載っていたような気がするというんです。

「そのお友達、そのときその場で現物を買ってきて見せてはくれなかったの？」

「ええ。まさかと思ったって。気が利《き》かないですよね」

コーヒー・カップを手に、明美は考えこんだ。パール・ピンクのマニキュアがよく映っている。

「こちらにももう残っていませんか？　何か手がかりになると思うんです」

明美は首をかしげて守を見た。「二、三カ月前だったかしら、やっぱり坊やみたいに、『情報チャンネル』を探して来た人がいたの。その人はもういいおじいちゃんで、わけありの感じで……つっこんで尋ねてみなかったけれど、やっぱり坊やみたいに大真面目でね。そのときにはまだ、売れ残った分は断裁業者にも出さないでうちの物置きに置いてあったんだけど、全部買いとっていってくれたの」

あれはたぶん……と、明美はそばにあるシクラメンの鉢植《はちう》えに目をやった。

「娘さんかお孫さんか、ともかくあの人の身内の女性が、モデルとして『情報チャンネル』

に出ていたんだと思うわ。だから買い占めに来たのよ。わたし、そのことで良之とケンカしたの。いくら報酬を払った、商売だと言っても、罪なことだもの。ねえ？」

「じゃ、現物はもうないんですか？」体温が一気に五度ぐらい下がったような気分で、守は訊《き》いた。

「あるわ。一冊ずつだけど。良之が記念にとっておくと言ってきかなかったから。だけど、本当にいいの？　お姉さんの行方ならほかにも探す方法があるんじゃない？　お友達の言っていることが間違いないとすれば、坊や、生半可なショックじゃないと思うわよ」

「いいんです。見せてください」

明美は立ち上がると、カウンターの奥の狭い事務室のような場所に通してくれた。事務机の上には帳簿の列。日程を書きこんだカレンダー。

水野明美は商売人なのだ。夫の良之は、彼女の羽の下で保護されながら、夢のようなことを言っては新種の商売に手を出すというタイプの幸せな男性なのだろう。

「これで全部よ。四号出したところでバンザイになっちゃったから」

雑誌を机に乗せると、明美は守を一人にしてくれた。

「情報チャンネル」は、深夜のコンビニエンス・ストアでレジに背を向けて読むようなたぐいの雑誌だった。守は一ページずつ真剣に目をとおしたが、この場を見ている人がいたら、実に滑稽《こっけい》ながめだろうなとちらりと思った。

そして、見つけた。

店に戻ると、明美はカウンターごしに客の一人と談笑しているところだった。誰かが、ジューク・ボックスでロックをかけていた。聞き覚えのある歌詞だった。

(そうさ、人は誰でも持っている。永遠に隠しておこうとする顔を。誰もいないところで取り出してはつけてみる顔を……)

「あったのね？」

明美は振り向いた。守はうなずいた。

「この記事を書いた人、わかりますか？」

「情報チャンネル」第二号だった。広げて差し出す。

見開きのページいっぱいに、若い女性四人の上半身の写真が載っていた。それぞれに美人で、粗い粒子の写真でも、肌《はだ》も髪も輝いていた。うちとけて話し合っている。笑っている。

その右から二人目の女性が、アルバムの写真で見た菅野洋子の顔だった。

写真の下に、大きな見出しがついていた。

「あの手この手の色仕掛け
身体を張って稼《かせ》ぎまくる
恋人商法ギャルの本音座談会」

見出しの下にさらに、座談会に出席した女性の発言の引用の形にして、かぎかっこつきの言葉がしるされていた。

「あたしたち、『愛』を売る現代の売春婦」

5

教えられた住所は、「ラブラバ」からさらに電車で半時間ほどかかる都下の小さな町だった。駅の一つしかない改札を抜けると、浅野家のある町とは全くおもむきの違う、緑に満ちた真新しい町並みが広がっていた。

近くには交番が見あたらず、守は駅前の不動産屋で道を尋ねてみた。新聞を読んでいたチョッキを着た中年の男性が、机の周りに積んであったチラシの裏に、親切に地図まで書いて教えてくれた。

「ゆっくり歩いて十分ぐらいだよ」

オフ・グリーンのペンキで塗られたコンクリートづくりの二階家だった。陸屋根《ろく》の縁や窓《まど》枠《わく》の周りなど、傷《いた》みが進んでいる。門扉《もんぴ》は壊れて外したまま、壁に立てかけてある。窓にカーテンはなく、端が折れ曲がったブラインドが降りている。見たところ、窓ガラスはここ一年以上磨《みが》いていないようだった。

低い階段を三段あがり、ドアの前に立った。プラスチック製の表札には、「橋本信彦《のぶひこ》 雅《まき》美《み》」と書かれている。水野明美が教えてくれた名前に間違いなかった。

埃《ほこり》をかぶったインターホンを押そうとすると、声がした。

「そいつは壊れてるよ」

驚いて見回すと、ドアの脇の小窓から、無精髭《ぶしょうひげ》に包まれた顔がのぞいていた。

「電気屋が修理に来ないんだ。ふざけた話だろう？」とろんとした声で、まぶしそうに目を細めている。もう夕暮れだというのに、今起きてきたたという風情《ふぜい》だった。

「鍵《かぎ》はかかってないから、入ってくれ。ハンコが要るんだろ」無造作に言って、顔は引っ込んだ。

守はドアを開け、狭い玄関に立った。

作り付けのまがいマホガニーの下駄箱《げたばこ》に、ひどい傷がついている。誰かが機嫌《きげん》の悪いときに、何か重いものを力任せにぶつけたらしかった。たとえば——酒瓶《ボトル》を。廊下にもごろごろしている。七、八人で乱痴気騒ぎをしたあとのようだった。

「荷物はどれだ？」男が戻ってきた。

「橋本信彦さんですね」守は気を落ち着けて切り出した。

「そうだよ。ほら、ハンコ」

「宅配便の配達じゃないんです。この記事のことで教えていただきたいことがあってうかがいました」

「情報チャンネル」を見せる。橋本のまぶたがピクリとした。

「突然ですみません。でも、どうしても知りたいことがあるんです」

「俺《おれ》のことは誰に聞いたんだ？」

水野明美の名前を出すと、馬鹿《ばか》にしたようにひとつ、うなずいた。守を見る。

「ソープランドの穴場情報なんかまだ早いだろうが、え？」

場所と時間によっては、間違いなく喧嘩《けんか》を売っていると受け取られるような笑い方をする。

「この座談会の記事なんです。あなたが書いたと聞いてきました」

橋本はまぶたを閉じた。こめかみに手をやる。

「宿酔《ふつかよい》なんだよ。坊ずにもすぐわかるようになるだろうけどな。辛《つら》いもんだぜ。とてもじゃないけど、誰かと仕事の話をするなんて気にはなれないからな」

守は食い下がった。「お願いです。とにかく話だけでも聞いてください。僕が好奇心なんかで来たんじゃないってことがわかってもらえるはずですから」

細い目が守を見おろし、雑誌に移り、また守に戻った。

「まあ、いいや。はいんな」

狭い廊下の右手はキッチンだった。正確にはキッチンの遺跡。うずたかく積まれた汚れた食器と腐りかけた生ゴミの残骸《ざんがい》に埋もれてしまっている。掘り出すには手間がかかりそうだった。ここにも空いた酒瓶《ボトル》がたむろしていて、その上をハエが巡回飛行している。

近寄ったときの匂《にお》いからして、橋本は一人で酒盛りをしたらしかった。ただ、アルコールならなんでもいいというわけでもないらしい。酒瓶《ボトル》は全部同じ銘柄《めいがら》だった。

「そのへんに適当に座ってくれ」

守が通されたのは、この家を建てるときの設計図では「居間」とされていたはずの部屋だった。今ではそこは仕事場になっていた。

部屋をほぼ半分に仕切って、境界線より端よりに大型のウォール・デスクがあった。その上にも酒瓶《ボトル》が二本。グレイのカバーがかかったワープロ。隣に別の独立したデスクがあり、そこにデスクトップ・タイプのパソコンが置かれている。天井まで届くキャビネット。二段スライド式の書架。ぎっちり詰められたり、書店の平台のように積み重ねられている大量の本。目に入る範囲内で、守になじみのあった題名は、ゲイ・タリーズの「汝《なんじ》の父を敬え」だけだった。一年ほど前、題名にひかれ、敬うべき父のいない人間はどうすればいいんだろうと、皮肉な気持で手にしたことがあった。

みんな一様に埃をかぶり、うらぶれている。ここで埃にまみれていないのは、まだ中身の入っている酒瓶《ボトル》だけだった。

守はデスクの反対側にあるソファに腰かけた。表張りがあちこち破れ、なかの綿がはみ出している。正体不明のしみが離れ島のように散らばっている。どんなにせっぱ詰まっても、ここではトイレを借りないほうがよさそうだと、守は思った。きちょうめんできれい好きなより子や真紀なら、無報酬でも志願して掃除に来そうな場所だ。

「で、用件てのは？」

橋本は守の向い側に座り、煙草《たばこ》に火をつけた。歳《とし》はまだ三十代半ばだろう。もう定年退職してしまったような目的のない顔をしている。乱れた髪もまったく気にしていないようだった。

今度は作り話でなく、最初から順序だてて事情を説明した。ここへ来るきっかけとなった正体不明の若い男からの電話の件も、菅野洋子の死に際《ぎわ》の言葉も、全《すべ》てを。

守が話し終えるまで、橋本はひっきりなしに煙草を吸っていた。一本一本、指先が焦《こ》げそうなほど短くしてから、灰皿がわりの空缶《あきかん》のなかに落としていく。

「そういうことか」一人ごとのように言った。「菅野洋子が死んだか」

「新聞にも載ったんです」

そう意識したわけではなかったのだが、守の口調には（物書きのくせに新聞も読まないんですか）という非難が混じっていたらしかった。橋本はにやりと笑った。

「実を言うと、ここんとこずっと、新聞はとってないんだ。ろくな事件はないし、近ごろの新聞記者はみんな文章が下手くそで、腹が立つだけだからな」

「菅野洋子さんを知っているんですね？　この写真は確かに彼女なんですね？」

記事のなかで、四人の女性の名前は伏せられ、A子、B子というふうに呼ばれている。

橋本はしばらく、窓のほうに顔を向け、守の存在など忘れてしまったかのように放心していた。

「ああ、そうだよ」

やがて向き直り、低く答えた。

「坊ずの言うとおり、菅野洋子はあの座談会に出ていた。俺の取材を受けた。間違いないぜ。

あのとき集まった四人のなかで稼ぎじゃいちばん下だったが、かなり目立つ美人だったから、よく覚えてるよ」

安堵《あんど》のあまり、守はふっと目が回るような気がした。

「この人たちは橋本さんの知り合いですか？」

「いや、違う。取材を始めたとき、俺があちこちの業者にあたって集めたんだ。もちろん、相当高額の取材費を払ったんだぜ。二時間の座談会、彼女たち一人頭十万円ずつ。食事と送り迎えつき」

「十万？　二時間で？」

「顔写真が出るからさ」守の驚いた顔を、橋本は笑った。「もっとも、彼女たちにも、最初はそう話してなかったんだ。記事は匿名《とくめい》。写真は撮るけれどそのままでは載せないってな。能天気なもんさ。彼女たち、楽して大金を稼ぐことを覚えていたから、こっちだって、飲み食いしてしゃべり散らすだけのことにそんな大金を払うはずがないなんて、考えてもみなかったんだな。皮肉な話じゃないか」

橋本は面白そうに笑い続けた。

「だから、あとになってねじこんできたのがいたよ。菅野洋子も電話をかけてきた」

「何て言ってきたんです？」

「約束が違うってよ。わたしの一生をだいなしにするつもりなの？　ときた。だから言ってやったんだ。大丈夫、あんたたちの清く正しいお友達なら、あんなふしだらな雑誌の半径一メートル以内にも近づかないから、絶対にバレやしないよ、って。すると彼女、泣き出しちまった。あの娘、あんな商売をするにはちょっとばかり気が弱すぎるきらいはあったな」

怯《おび》えてたんだ。あらためて、守は思った。引っ越して入居したばかりのマンション。変えた電話番号。「逃げ回ったって無駄だよ」という、留守番電話のメッセージ。

「この四人の女性たちも、じゃあそのとき初めて知りあったんでしょうか」

「だろうな。その後に友情を温めあうようになったかどうかまでは、俺は知らないよ。もっとも、もし俺だったら、後ろ暗いことをしているときの仲間なんて、つくりたくもないと思うぜ」

橋本は大儀そうに立ち上がった。デスクの酒瓶《ボトル》をつかむと、ごそごそと辺りを探り、油で曇ったグラスを一つ、将棋倒しになっている経済専門誌の下からつかみ出した。

「未成年じゃ、勧められないな」

「おかまいなく」もし成年に達していても、ここの酒を飲むのはごめんだ。

橋本は、半分入った瓶《びん》からグラスに酒を注《つ》ぐのと、元の場所に座るのと、二つの動作を同時にやってのけた。当然、琥珀色《こはくいろ》の液体がこぼれ出た。

芳香がはじけた。

「ちょっとしたもんだろう？　ウイスキーの王様の一人だよ」

その王様一人を囲うために、この人はそのほかの大部分のものを犠牲にしているらしい。

そして、グラスに鼻をうずめている彼の姿から推すと、そんなことはどうでもいいと思っているらしい。守は気が重くなってきた。

「坊ず、彼女たちがやってた『恋人商法』ってのがどんなものなのかは、わかってるのか？」

守はうなずいた。ここへ来る道々、電車のなかで座談会の内容を読んできたから、だいたいのところは理解しているつもりだった。

「どう思う？　見出しの下のかぎかっこつきのセリフは、彼女たちの言葉じゃなくて、俺がかいたもんなんだ。でも、今考えると違ってるな。売春婦に例えたんじゃ、向こうが気の毒だ。売春をする女は、金を払った客にはちゃんとやらせるからな」

ハエが一匹、鈍い音をたてて二人の間を横切った。橋本はうるさそうにそれを手で追っぱらうと、グラスを持った手で守を指した。

「こんな喩《たと》えはどうだ？　坊ずが、三交替勤務で働いているコンピュータ会社のオペレータだとする。そうでなきゃ運輸会社の運転手。男子校の教師でもいい。ともかく、仕事が不規則で忙しく、周囲には絶望的に女が少ない。そこへある日突然、知らない若い女の声で電話がかかってくる」

橋本は見えない受話器を耳に当てるしぐさをして、いきなり「リーン！」と言った。

「日下守さんですか？　わたし、あなたのお友達から紹介されたんですけど、一度おめにかかれないかしら？　女のほうからこんなことを言うのはずうずうしいって思われるかもしれないけど、とってもいい方だって聞いたものだから。今、特につきあっている女性がいらっしゃらなかったら、お友達になってもらえないかしら？」

無理にひっくり返した裏声で、空《くう》にむかって目をパチパチさせながら、橋本は楽しそうにしゃべった。こんな状況でなければ笑いだしてしまいそうなお芝居だった。

「坊ずだって最初は警戒する。友達の誰からの紹介か尋ねる。女の声は笑って、内緒にしといてくれって頼まれてるの、と言う。そして何度も、何度も電話してくる。坊ずが疲れて、話相手が欲しくて、一人きりで冷たい夕飯を食っているようなときに。ある日とうとう、坊ずは折れる。女と会う約束をする。一度ぐらいいいじゃないか？　どうせ暇だし、相手は女の子だ、ってな」

橋本の顔に目を据《す》えたまま、守はうなずいた。似たような電話なら、一、二度かかってきたことがある。たいていはアンケートに答えてくれという触れ込みで、やたらにおしゃべりで、無意味に明るい声だった。

「思いがけず、やってきた女は素敵な美人だった。初対面とは思えないほどうちとけていて、明るくて、話がうまい。坊ずに会えて本当にうれしそうにしている。坊ずもうれしくなる。彼女とつきあいを始める。最初のうちは映画に行ったり、散歩したり、弁当をもってドライブだ。もちろん、払いは全部坊ずもちだ。相手はレディだからな。そして坊ずは彼女が好きになってくる。無理もない。美人だし、明るいし、そして何よりも、本当に坊ずに惚《ほ》れているように見えるからだ」

橋本はグラスをテーブルに置いた。

「ある日、彼女は招待券を二枚持ってデートにやって来る。こんなものもらったの、行ってみない？　それは毛皮と着物の特別展示会だったり、宝石店の割引優待券だったりする。坊ずは彼女と腕を組んで出かける。会場には同じようなカップルがたくさん来ていて、ショーケースをのぞいたり、販売員と笑いながら話していたりする。彼女はいろんなものを欲しがる。でも高いわ、と嘆く。クレジットをお使いになれば？　と、販売員が勧める。彼女はそうする。そして坊ずに頼む。私だけじゃ枠《わく》が足りないの、名前だけでいいから貸してくれる？　あるいは、坊ずがその気になって彼女にプレゼントしようとするかもしれない。だって彼女は、坊ずにとってそれだけの価値のある女なんだからな」

またあるときはこうだ、と、橋本は手を振り回した。

「彼女が言う。私、金融会社に勤めているんだけど、とってもノルマがきつくて困っているの。特に今はキャンペーン期間中で、成績が目標に到達しないと減俸《げんぽう》になっちゃう。助けると思って名義を貸してくれない？　絶対に迷惑はかけないわ。それともこうか？　私、証券会社に知り合いがいてね、二度とないいい情報をつかんだって言われて、投資を勧められているの。あなたもどうかしら、絶対に損はさせないって。お金がもうかったら二人で海外旅行に行きましょうよ。あるいは、リゾート・クラブの会員権が破格の値段で手に入るという。転売すればすぐに何十万も利益が出るんですって。坊ずは甘い夢を見ながら、貯金をはたいて彼女に渡す。彼女はうんと感謝して、喜んで、坊ずにキスぐらいしてくれるかもしれないな」

橋本はグラスを空け、一息いれた。

「そしてそれっきりだ」

投げ出すように言う。

「ぱったりと電話がかかってこなくなる。電話してもいつも留守だ。たまにつながることがあっても、彼女はそっけない。デートに誘っても断わってくる。ひどいときには、彼女の電話にほかの男が出る。声だけで、坊ずがビビッてパンツのなかにもらしちまうような男の声だ。坊ずは悩む。彼女と知りあう以前よりもっと孤独になる。そしてそのころ、郵便箱に最初の督促状が舞い込むって寸法だ」

あたしたち、「愛」を売る現代の売春婦。

「彼女に買ってやった宝石。毛皮のコート。名義を貸して助けてやったはずの会員権。坊ずの給料が確実に半年分は吹っ飛ぶ数字が並んでいる。そこでやっと気づくんだ。彼女は商売していたんだ、ってな」

手遅れさ。橋本は両手をあげてみせる。

「坊ずは金を払う。あるいは、おそまきながらどこかの消費者センターへ駆け込んで、内容証明の書き方を教えてもらう。それで多少は払わされる金が少なくなるかもしれない。だが、彼女と過ごした時間はどうなんだ？　そのあいだに見た——見させられた夢はどうなるんだ？」

橋本の声が力強くなった。飲んだくれの仮面がはがれて、その下の硬い、厳しい、容易に妥協することを知らない顔が現われてきた。

「坊ずはバカだった。世間知らずで無防備だった。下心を持った報いを受けた。そして彼女は、坊ずと同時にほかにも何人も坊ずのような男たちを操っていた。バカをみたのは坊ず一人じゃない。そのとおりだ。だが、どんなにバカで無知でお人好《ひとよ》しでも、夢を見る権利はある。そして夢は金で買うものじゃない。まして売りつけられるものでもない。わかるか？　坊ずにしなだれかかってきた女は、その最低限のルールさえ無視していたんだ。彼女の頭にあったのは、坊ずがバカでお人好しで、寂しいということだけだった。ある程度までは彼女を満足させられるだけの金は持っているということだけだった」

軽く息を切らしながら、橋本はウイスキーを注ぎ足すと、ぐいとあけた。

「本当なら、あの座談会の記事は『情報チャンネル』なんかに売りたくなかった。タイトルだって、あんな安っぽい扇情的なものじゃなかったんだ。『情報チャンネル』の連中は、雑誌の編集のことなんて、おむつをとる前の赤ん坊と同じぐらいしかわかっちゃいなかった」

だけどな、と、橋本はまた守に向き直った。

「あの座談会で、集まった四人の女どもがしゃべったことには、俺は一言半句も手を加えちゃいない。どんな汚い言葉も、嫌《いや》らしい言い回しも、何一つ付け加える必要なんかなかった。あれはみんな彼女たちの口から出た言葉だ。全部がそうだ。隅《すみ》から隅まで、一かけらの誇張も修正もない。女の子たち。きれいな顔をしていい服を着て、虫一匹殺せない。けっして貧しくない家庭で、真面目《まじめ》な親たちに育てられ、ほどほどにいい学校でちゃんと教育を受け、友達もボーイフレンドもいる。毎年十月が来れば真っ先に胸に赤い羽根をつけて歩く。そんな彼女たちが得意満面でしゃべったことだったんだ。いいか？　得意満面でだぞ。彼女たちは面白がってた。悦にいってた。仕事から帰っても迎える人がいない、日曜日に行くところもない、深夜スーパーで一人分のできあいの飯を買って帰るのが寂しい——そんな男たちから金をまきあげるのが愉《たの》しいと言ってな。彼が彼女を喜ばせようと、頭をしぼって、身銭を切って買ってきた野暮ったいスカーフを、駅のゴミ箱に放《ほう》りこむのがたまらないと笑ってな」

橋本は肩を怒らせ、守に指を突きつけた。酒くさい息がまともにかかった。

「教えてやろう、坊ず。あいつらはクズだった。掛け値なしのクズだった。だからあいつらがどうなろうと、俺《おれ》はひとかけらの同情も哀れみも感じない。払うべきツケがまわってきただけのことだからな」

橋本と別れる前に、守は彼に浅野家の住所と電話番号を書いたメモを渡した。

「うちの弁護士さんか、場合によっては警察で、今の話をしていただくことになると思います。お願いできますか？」

橋本は肩をすくめた。

「仕方ないだろうな。要するに、菅野洋子には、彼女を追い回していた敵もいただろうし、ひょっとすると自己嫌悪《けんお》のあまりの自殺だった可能性もある、ということさえはっきりさせられればいいんだろう?」

「ええ、そうです」

橋本はキャビネットのなかをかきまわし、ふくらんだファイルを一冊取り出すと、守の前に投げ出した。

「見てみろよ。座談会のときの取材記録と写真、原稿もある」

写真は鮮明だった。裏を返すと、それぞれの女性の名前が記入してある。

菅野洋子。加藤文恵。三田敦子。そして、高木和子。

「必要ならそれも提供するぜ」

「本当ですか?」

「ああ。以前にも一度、このなかの一人を相手に訴訟を起こしたいから、当時の詳しい話を聞かせてくれと訪ねてきたやつがいたんだ。そのときも、これを出して見せてやった。その礼がこれさ」

橋本はウイスキーの瓶をかかげてみせた。

「裁判がどうなってるのかはさっぱりわからないが、ときどき電話してきて、これだけはきちょうめんに送ってくれているんだ」

「僕たちも……できるだけのことはさせてもらうつもりです」

橋本はのけぞって笑った。「まあ、その辺はご自由に」

テーブルの上の取材記録や綴《と》じた原稿用紙をながめて、守は水野明美の言葉を思い出した。

「その、記録を見せて欲しいと訪ねてきた人は、もう年配だったでしょう?」

「そうだよ。じいさんだった。なんで知ってるんだ?」

「僕もその人と同じルートをたどってあなたを探し出したからですよ。その人、雑誌の発行者の水野さんのところから、残っていた『情報チャンネル』を全部買いとっていったそうです。誰を相手に訴訟を起こすと言っていたんですか?」

橋本は指先で一枚の写真を軽く叩《たた》いた。

「この女だよ」

高木和子だった。

「情報チャンネル」を手に、守は席を立った。

「とりあえず、取材記録はまだ橋本さんの手元に保管しておいてください。また連絡して、うかがいなおします。取材旅行に出かけるとか、何か都合の悪いことがあったら、電話してください」メモを指して言った。

だらしない姿勢で座ったまま、橋本は部屋のなかをぐるりと手でしめした。

「ガキのくせによいしょをするなよ。今の俺が取材旅行なんかするように見えるか?」

「今はどんなものを書いているんですか?」

ウイスキーの瓶を傾けながら、橋本はにやりと笑った。

「なんだと思う?」

「さあ」

「坊ずと同じさ。女房が出ていっちまったからな」

外へ出ていく守を、下卑た笑い声が追いかけてきた。

6

「ここここに名前を書いて……印鑑は持っている？」

和子の前に座っている二人連れの若い娘は、そろって首を横に振った。一人は、血色が悪く、垂れ下がる脂気《あぶらけ》のない長い髪をしょっちゅう顔の前からはらいのけている。もう一人は肌《はだ》に吹出物がひどい。和子は、自分自身のしみひとつない肌が効果的に見える角度を考えながら、二人に話しかけていた。

「そう。じゃ、指が汚れるので申し訳ないんだけど、拇印《ぼいん》を押してくれる？」

二人は素直に言われたとおりにした。和子は、彼女たちが拇印を押し終えるのを待って、なめらかな手触りのティッシュ・ペーパーを渡す。そして励ますように微笑《ほほえ》んだ。

「どうもありがとう。これで契約は終了よ。こうしてまとめて金額を見ると高いような気がするけれど、これで丸一年使えるのよ。割算してみれば、普通の化粧品一そろいと同じぐらいだってわかるわ。銀行引き落としだと、ひとつきに一万円ぐらい、知らないうちに払っちゃうものよ」

それからこれは特別サービス、と、バッグのなかから薄緑色のチケットを取り出して、二人に一枚ずつ差し出した。

「うちと契約しているエステティック専門店の優待券よ。有効期限はないから、いつでも気の向いたときにどうぞ。美顔と、海草エキスのクリームを使った全身マッサージが受けられるわ。ただ、契約したときに私からもらったってことは言わないでね。本当は無料であげちゃいけないものなの。わたしのキ・モ・チ」

いたずらっぽく、鼻にしわを寄せて笑いかけると、二人の娘はクスクスと笑った。

この二人が、実際にチケットで指定されているエステティックの店に出向いていけば、そんなふうに笑っていられないことは確実だった。優待券で無料になるのは、店内で着せられるローブの借り賃と、待合室で出される薄いフルーツ・ジュースだけなのだ。美顔とマッサージが無料になるとは、和子はひとことも言っていない。

この二人をつかまえたそもそものスタートからしてそうだった。和子は今日、デパートの一階の化粧品売り場のそばに立ち、きらびやかな商品をながめて通り過ぎる若い女性たちに狙《ねら》いをさだめていたのだった。

適当なタイミングをはかって声をかける。すると彼女たちは、和子がその売り場の美容部員であるかのように、勝手に思い込んでくれるのだった。あとは、ものやわらかに話しかけ、相手の腕を取って売り場から離れ、雰囲気《ふんいき》のいい喫茶店まで連れてきてしまえば、そこで勝負はついたも同然だった。

「二人とも、整ったいい顔立ちをしているわ」和子は喫茶店の椅子《いす》に背をもたせ、娘たちの顔を見比べるようにして言った。

「問題は骨格なのよ。これぱかりは、整形手術でもうまく直せないものね。私のお客様にもいるの。顎《あご》のエラが張っていて、顔のバランスがもう――」

瞳《ひとみ》をくるっと天井に向け、手を上げてみせると、娘たちは笑い転げた。

「困るんだなぁ。どうにかしてくれって言われても、どうしようもないじゃない？　仕方ないから、メイクアップでごまかす方法を教えてあげているの。それでも、今では結構見られる美人になってるのよ。それだもの、あなたたちだったらびっくりするくらいきれいになれるわ」

購入申込書、朱肉、パンフレット、そしてクレジット会社との支払い契約書をバッグにしまいこむと、和子は立ち上がった。伝票に手をのばす。

「私は次の仕事があるから、ここで失礼させていただくわ。『パトラックス』って会社、知ってる？」

「いいえ。どんな会社ですか？」娘の一人が好奇心を見せた。

「ハリウッドにある企業でね。女優やモデルと専属契約しているメイクアップ・アーティストをたくさん抱えている会社なの。ブルック・シールズとか、フィービー・ケイツなんかも、そこのアーティストがついてからめきめき垢《あか》抜けたわね。その会社が、いよいよ日本に上陸してくるので、スタッフを探しているってわけ。で、私もね――」

「すごい、スカウトされたの？」

和子はちょっと肩をすくめただけで、その問いには返事をしなかった。

「条件が折り合うかどうかね。それに、メイクアップの方はともかくとしても、フェイス・ケアにはうちの製品のほうが絶対いいって自信があるから、どうするかわからないわ」

「いいなあ、そういう仕事って、やりがいがあるでしょうね」

「まあね。普通のOLをやってるよりはずっと楽しいことは確かだわ」

和子は伝票を取ろうとした。娘の一人が、ちょっとためらって、友達と顔を見合わせてから素早く言った。

「そのままにしておいてください。わたしたち、やっぱりケーキを食べていくことにします」

レジのそばのショーケースには、色とりどりのフランス風ケーキが並んでいる。

「あら、でもそれじゃ悪いわ。私の分だけでも……」

「とんでもない。いろいろサービスしていただいたから」

和子はにっこりした。「そう？　じゃ、ごちそうさま。そうよね、あなたたち、もう甘いものを我慢することなんかないもの。うちの製品を使っていれば、食べ物をセーブしなくたって、お肌はいつも最高の状態だから」

ガラスのドアを押して外に出る。二人の娘は向き合って座り直し、通りを横切る前に和子が振り返って手を振ると、一人は軽く頭を下げ、一人は手を振り返してきた。

「パトラックス」は、今朝電車の窓から見かけた、なんとも知れない会社の看板に書かれていた名前だった。次の約束があるというのも嘘《うそ》だった。

二人の娘が十二カ月とボーナス払い二回の割賦《かっぷ》で買う契約をした化粧品は、中身だけなら、町のスーパーの家庭雑貨売り場で買うことのできる代物《しろもの》だった。それで一人二十四万円。半分が和子の収入になる。

和子が今籍を置いている「イースト興産」は、ヌエのような身体《からだ》で掃除機のような集金力のある会社だった。現在、主に扱っているのは、たった今彼女が売りつけたような化粧品か、「高級」羽毛布団《ぶとん》か、消火器だった。後の二つは男性営業マンの受け持ちである。

ここに転職したのは、以前の仕事に嫌気《いやけ》がさしたからではなかった。根気が続かなくなったからなのだ。女性に接することの少ない、多忙で殺伐とした毎日をおくっている男を「客」にひっぱりあげるまでには、なによりも気力が必要なのだ。たとえ、相手と別れて五分後には、搾《しぼ》り取れる金額とかかる日数のことが頭を占めているにしても、顔をあわせているときには和子も楽しんでいなければならない。今が「楽しい」と思いこんでいなければならない。

それに比べると、女性を騙《だま》すのは簡単だった。彼女たちはみな、裏側が透けて見えるトランプを手にゲームをしているギャンブラーのようだった。どんなにポーカー・フェイスをしていても、その手に何があり、何がないかを告げてやれば、あとは自由に操ることができる。それも短時間で。

今の商売がコントだとすれば、恋人を装って男の財布を開かせるのは、三幕の芝居を演じ通すことに似ていた。幕が降りる前に勝手に退場できる芝居だが、セリフもしぐさもちゃんとできていなければ、どこかで破綻《はたん》が生じてしまう。それが面倒になってきて、仕事を変えた。

だけど、人を騙すことでは同じだ。

ときどき考える。あたしはこれを楽しんでいるのだろうか。

答えはいつも出てこない。間違ったキーを押したときのコンピュータのように、身体の奥のどこかでエラー音が鳴る。そのままいっても先へは進めませんよ、と。

和子はいい腕をしていた。恋人商法に欠かすことのできない演技力があった。それはとりもなおさず、誰よりも先にまず自分自身を欺《あざむ》くことのできる才能だった。

高収入で、したいことができた。一時はあちこちと旅行した。ひとつきのうち二度海外に出たこともある。パスポートはもうヴィザで真っ黒だ。それでも、今思い出してみると、特に心に残る土地も風景も見あたらないのだった。

おかしなことに、空港の風景だけは覚えている。世界中のどこでも、人間が目的地の途中で立ち寄り、通りすぎていくだけの場所なのに。

あるときふと、あたしはただ、儲《もう》けた金を使い切ってしまいたいがためだけに、気がふれたようにあちこち飛び回っているのではないか、と思った。だから、どこかを通った、一度は足を降ろしたということだけしか残らなくても、心が満足してしまうのだ。

そしてまた、次の金を稼《かせ》ぐためにこの都会《まち》に戻ってくる。

最初は金が欲しかった。本当にそれだけだった。何かを始めるために。

本当に始めたい何かがあるなら、そのための金など要らない——当り前の労働で得られる以上の金は要らないということを、和子は考えてみなかった。そして、何かを始めるために渡らなければならない石橋を叩いていると、次第に叩くことそのものに意味が生まれ始め、叩いて、叩いて、ついには橋が壊れてしまうことがあるということも、思いつかなかった。

平凡な仕事など嫌だった。女にあてがわれる仕事の中身など、どこへ行ってもしょせんは似たようなものだ。ケーキの外側が生クリームかバタークリームかの違いだけで、腐る時期も、捨てられるときも同じだ。

「情報チャンネル」の座談会で知りあった三人の女性も、動機は同じようなものだった。金。つまらない仕事からのちょっとした逃避。彼女たちは一様に美しかったが、美しいということだけで暮していくために必要な運には欠けていた。

菅野洋子は、親の仕送りに頼らず留学して海外の大学に入りたいと話していた。加藤文恵は、厳しいノルマと立ち仕事の疲労から逃げたくて、ブティックの店員を辞めた。三田敦子は、女どうしの小競《こぜ》り合いに明け暮れる保険会社の仕事に嫌気がさして、別の道を探していた。みんな、次の段階に進むための資金がたまったらすぐに、こんな詐欺《さぎ》まがいの仕事なんかやめるわと言っていた。

あの座談会のとき、彼女たちはよく笑った。強い酒に酔ったようになってしゃべりまくった。彼女たちが笑ったのは、笑わなければそんな話ができないからだった。

これは全《すべ》て笑い話。一生という長いアルバムのなかにとじられた、思いがけずおかしなポーズをとっている気にいらない写真のようなものなのだ。

あの二人の娘たちは、二十四万円払える。和子は考えた。いや、実際に支払い可能かどうかは別として、和子と話している間、ほんの一時間でも、「払える」という幻想を抱くだけのものは持っている。今の和子にとって、肝心なのはその幻想だった。

一時的な恋人になり、高い請求書を残された彼女の「客」たちも、同じことだった。

あんなふうに心が通いあい、あんな幸せなことが本当にあると、彼らは思っている。そんな幻を、まだ信じている。だから和子に騙されるのだ。彼らの目のなかに一片の疑いの雲でもあれば、そんな素晴らしい出来事などそう簡単に自分のほうに転がってくるはずがないという幻滅があるなら、和子はいつだって演技をやめる。そうやって途中で「降りた」男だって少なくはない。

和子の「客」になった男たちは、腹立たしいほど無邪気だった。抜けた乳歯を屋根のうえに放《ほう》れば、翌朝には枕《まくら》の下にお金が入っていると信じる子供のように。

だから、むしってやってもかまわないのだ。たいして傷つきやしない。

そして、自分自身も気がついていない心のどこかで、和子は、金を出せば願いがかなう、欲しいものは全て手に入ると――きれいになれる、やせられる、毎日が楽しくなる、と――無心に思いこんでいるあの娘たちのような女性を、突然現われて腕にすがってくる女性がなんの下心も抱いていないと信じてしまえるほど、日々の生活と仕事に追われている真面目《まじめ》な男たちを、心底憎んでいるのだった。

彼女には、もうどんな種類の幻想もなくなっているから。

橋はもう落ちてしまったのだから。

そして、彼女にむしられたその男たち、娘たちが、けっして、けっして、じゃあ今度は自分が誰かからむしり返してやろうと考えはしないことを、知っているから。

夕暮れが近づいていた。今日はもうしまいにしよう。あの二人はおいしい客だった。一日のうちにあまり欲張ると、あとでロクなことがない。

駅前で、並んだ電話ボックスを見かけ、足をとめた。

昨日から、何度となく実家に電話しようと思ってはやめていた。特に、菅野洋子の実家を訪ねたあと、どうしても思い出すことのできない空白の時間ができているのを見つけたときは、彼女は震えあがった。そのまま実家に帰ろうかと思いさえした。

そうしなかったのは、兄嫁の顔を思い浮かべたからだった。ここから電車で一時間とかからない、彼女が生まれて育った家は、現在では兄夫婦の家になっているのだ。和子の母が、さほど遠くないところで一人住いをしている娘を訪ねてこず、いつも荷物を送ってくるだけなのも、母と和子を二人きりにして、好きなことをしゃべらせることを嫌《きら》う兄嫁の意向のためだった。

電話をかければ、和子さん、いらっしゃいよと、兄嫁は言うだろう。お姑《かあ》さんだってもう若くはないんだし、このごろはまた足が痛むみたい。あなたの方から顔を見せに来てくれないと会えなくて、お姑さん寂しがっていらっしゃるわ。

泊まりにおいでなさい。帰っておいでなさい。遠慮は要らないわ。兄嫁はそう言って電話を切る。そして、口元から受話器を離しフックに戻すまでのわずかな間に、和子の耳にはっきりと聞こえる深いため息をつくのだ。ああこれでまた、かかりが増えるわ。下の子が風邪で熱を出しているのに、それでなくても忙しいのに、また私の時間が削られるわ。言葉に出してはっきりとそう告げられるよりも雄弁なため息を。

そのため息には、実は深い意味はないのだ。世界中で何万人という兄嫁が、同じ立場で同じため息をもらしているのだ。そこから起こる他愛《たわい》のないいさかいは、夏の夕立ちのように来ては通りすぎるだけのものなのだ。

だが和子は、兄嫁のため息に形を借りて、自分の内にぽっかりと空いた深い穴を見ているのだった。どこにも行き場がない、という穴。その気になれば今からでも、スコップ一本で埋め始めることのできる穴なのに、彼女はその縁《ふち》に立つことさえ恐ろしくてできないのだった。

和子は電話をかけることをあきらめた。

アパートに戻る帰り道、行き交う人の流れのなかで、彼女は思った。彼女の口から出まかせを信じ、憧《あこが》れのまなざしを向けてきたあの二人の娘たちと同じくらい、いや、それよりもっと強く、ほとんど祈りに近いほどの真摯《しんし》な力で、彼女は願った。

「パトラックス」が現実であればいい。ああ本当に、「パトラックス」があったらどんなにいいだろう。

7

守が家に帰り着いたときには、陽《ひ》はもうとっぷりと暮れていた。

頭が重く、こめかみがずきずきした。朗報と言えるだけのものを手にして帰ってきたというのに、ちっともうれしくなかった。

大造にとっていい材料であることは確かなのだ。事故の夜、菅野洋子は逃げていた。自分からかもしれない。自分を追い回している誰かからかもしれない。彼女には夜道を走らなければならない理由があった。それもごまんと。

だが、それはわかっても、菅野洋子が死んでしまったことに変わりはない。時を巻き戻さない限り彼女を助けることはできないし、今日つかんだ事実を明らかにすることで、彼女は二重に殺されることになるのかもしれなかった。

できるなら、そんなことをせずに伯父さんを助けたい。橋本と別れてしばらくすると、守はそればかり考えていた。

「ただいま」

声をかけると、誰かが廊下を走ってきた。真紀だった。帰ってたの、と言おうとすると、彼女はそのまま飛びついてきた。

た。そこへより子もやってき
「ちょ、ちょっと待った——どうしたのさ？」
守のシャツの襟《えり》をつかんで、真紀はただ泣いているだけだった。そこへより子もやってき
た。顔の半分を包帯で隠しているが、残った左目で笑っていた。
「佐山先生から電話があってね。目撃者が名乗り出てきてくれたそうなんだよ」
真紀は守のシャツで顔をぬぐった。
「証人が出てきたの。お父さんの信号は青だった、菅野さんのほうが車のまえに飛び出して
はねられたんだって、そう証言してくれる人がね」
立ちすくんでいる守の腕をゆさぶりながら、真紀は繰り返した。
「わかってるの？　いたのよ、見てたのよ。目撃者が出てきてくれたのよ！」

第四章　つながる鎖

1

反復、反復、反復。

警察で彼がすることといったら、ただそれだけだった。NGを連発する下手な俳優のように、同じシーンばかり繰り返して演じ続ける。誰かがOKを出してくれるまで。

もう一度うかがいます。一人の刑事が言う。これで少なくとも五度か六度目だ。彼は柔順に答える。五度目か六度目の同じ答えを。するとまた別の質問が飛んでくる。また別の刑事の口から、お決まりの「もう一度うかがいます」を先ぶれにして。

万人はけっして平等ではない。貧しいものと富めるもの。能力のあるものとないもの。病むもの、健やかなもの。しかしそれでもなお万人が平等であるただ一つの場所、それこそが法廷である。そんな言葉を、昔学生時代に耳にしたことがあった。

今ここで、彼はその言葉に小さな修正を加えた。警察署も、また。

ここでは彼の常識は通用しなかった。ここに来るまでは役に立ってくれた友人の手も届かなかった。刑事たちは終始ていねいな口調で、礼儀正しい。好きなときに喫煙することもできる。しかし質問は容赦なく、執拗《しつよう》で、少しでも前と違う言葉を使えば、即座にストップがかかる。待ってください、先ほどはこうおっしゃったはずですよ……

ひとかたまりのチーズだ。彼は自分をそう思うことにした。刑事たちは周りを走り回るネズミたち。あちこちと、そのたびに違う角度から食いついてくる小さな歯。不意をついてとんでもないところをかじれば、彼が芯《しん》までチーズではないことがわかると思っているのだ。

事実がこれほど単純なことでなければ、私は頑張《がんば》り通せないかもしれない。彼は考えた。そして、どんな状況下でも常に自分自身をサイドラインから見守っている事業家としての部分では、刑事たちの粘りに率直な賛辞を送っていた。

「事故を目撃したとき、あなたはどこにいたのですか」

「菅野さんのすぐ後ろを歩いていました」

「どのくらい離れていました？」

「さあ……十メートルほどでしょうか。彼女はどんどん走って交差点に向かっていましたので、だんだん距離があいていきました」

「あなたはそこで何を？」

「歩いていただけですよ」

「時刻は何時でしたか？」

「午前零時を過ぎたところでした」

「そんな時刻にどこに向かって歩いていたのですか」

「あの近くに、知人の住んでいるマンションがあるのです。そこを訪ねる途中でした」

「近くというのはどのくらいの距離ですか？」

「同じ町内です。歩いて二十分ほどでしょうか」

「そんなにあるんですか？　どうして歩いていたんです？　先ほどあなたは、菅野さんと同じように大通りでタクシーを降り、そこから歩いたとおっしゃった。なぜです？　なにも直接、お知り合いのマンションまでタクシーで行けば済むことではないですか」

「その知人を訪ねるときは、適当な場所までタクシーで行き、あとは歩くというのが習慣でした」

「めずらしい習慣だ。なぜです」

「私は今の事業で、ある程度の評価を得ています」

「高い評価と言えますよ」

「ありがとう。だが、それだけに、身辺に面倒なことも起こりやすくなっているのです。つまり――」

「代わりに申し上げましょう。今をときめく『新日本商事』の副社長であるあなたが、深夜ひそかに知りあいの女性のマンションを訪ねる場面が他人の目に触れては困る。スキャンダルになるし、そこまではいかなくても、奥さんの耳に入ればあまり愉快ではないことになるから。そうですね？」

「……そうです」

「あなたが先ほどから『知人』と呼んでいるのは、井田ひろみさんという二十五歳の女性ですね。違いますか？」

「そうです」

「彼女はあなたの経済的援助を受けて生活している。そこをあなたは訪問する。深夜に、人目にたたないように。なんのためにです？」

「………」

「井田ひろみさんはあなたの愛人ですね？」

「世間一般にはそう言うようですな」

「では我々も一般的に言うことにしましょう。井田ひろみさんはあなたの愛人だ。事故を目撃したという夜、あなたは彼女のマンションを訪ねるところだった。そうですね？」

「そうです」

「奥さんは彼女の存在を知っておられますか？」

「知っているかもしれませんし、わかりません。ともかく、これから知ることになるのは間違いありませんな」

「あなたが目撃したというタクシーは何色でしたか？」

「ダーク・グリーンのように見えましたが、自信はありません。暗い色であったことはたしかですが」

「タクシーは客を乗せていましたか？」

「空車のように見えました」

「あなたのいた場所から交差点の信号は見えましたか？」

「はっきり見えました。一本道ですから」

「信号を見ていたのですか？」

「はい」

「なぜです？」

「さあ……特に理由など必要でしょうか。進行方向の真正面ですし、私もその交差点を渡るつもりでした。自然に目に入ったのです」

「タクシーのナンバーは覚えていますか？」

「どのタクシーですか」

「あなたの見たとおっしゃる、事故を起こしたタクシーですよ」

「いや、それは覚えていません」

「個人でしたか、法人でしたか」

「わかりません。とっさのことで、そこまで見ていませんでした」

「なるほど。事故のあと、あなたはどうなさいました？」

「すぐ、井田ひろみのマンションに向かいました」

「ほう――また、どうしてですか？　事故があなたの目の前で起きたんですよ。何かしようとは思わなかったんですか？」

「巻き込まれてはまずいと思ったのです。物音で人が集まり始めていましたから、ほかに救助する手はたくさんあると思いましたし」

「巻き込まれる？　しかし、事故はあなたと関係ないでしょう」

「私がそこにいたことが何かの形でわかってはまずいと思ったのですよ」

「つまりあなたは逃げ出した。そうですね？」

「……そうです」

「井田ひろみさんのマンションについたのは何時ごろでしたか？」

「少し回り道になりましたので、零時半を過ぎていました」

「何時ごろまでそこにいました？」

「部屋を出たのは二時半ごろでした」

「するとその夜、あなたの帰宅は相当遅かったことになりますね。奥さんはなにもおっしゃいませんでしたか」

「なにも。私の帰宅が遅いのはよくあることなのです」

「なるほど。しかし、事故現場から逃げ出したのは、本来ならあなたに何の用もないはずの土地に、そんな時刻にいたことがばれるのが恐ろしかったからだと思いますが」

「恐ろしかったというのは少々オーバーですね。まずいことになると思っただけです」

「失礼しました。我々はあなたの立場を考慮して申し上げたのです。あなたの奥様は、あなたが副社長をしておられる『新日本商事』の社長であり、創立者の一人娘でもいらっしゃる。いや、我々は事実を申し上げているだけですよ」

「そうです。そして、実際に会社の経営に携わっているのは私だけだという事実もあります」

「そうですか。さて、井田ひろみさんとは事故の話はしましたか？」

「しませんでした」

「どうしてです？」

「彼女に心配をさせたくなかったのです」

「危ないところだった、下手に巻き込まれたら二人の関係が露見するきっかけになったかもしれなかった。そんなことを話して心配させたくなかった、と」

「そのとおりです」

「なるほど。あなたは交差点の見える場所にいた。被害者はそこまで走って行った。そのとき、タクシーの進行方向の信号は――」

「青でした。間違いありません」

「つまり、被害者の菅野さんの側の信号は赤だったということですね？」

「そうです。彼女はそれを無視して走って飛び出したのです」

「なぜそんなことをしたのだと思いますか？　現場ではどう思いました？」

「夜道です。急いで家に帰りたいのだろうと思いました。若い娘さんでしたからね。あの交差点の、タクシーが走って来た側には、シートをかけた建設中のマンションがありました。非常に見通しが悪かった。私自身、事故の直前まで、走ってくるタクシーが見えませんでした。菅野さんもそうだったのだろうと思いました。よくあることです」

「被害者は何を着ていました？」

「よく覚えていません。黒っぽいスーツのようなものだったと思いますが。髪の長い、きれいな娘さんでした」

「ほほう。後ろから歩いていただけで、顔がわかったのですか」

「私は彼女と話をしたのです」

「話した？　何をです」

「あの交差点に続く道に折れる前、タクシーを降りたところで、前を歩いて行く彼女に気がついていました。私と同じ方向に進んでいく。そこで呼び止めて、時間を訊《き》いたのです。私の時計はちょっと進んでいたものですから」

「なぜ時刻を訊いたのです」

「井田ひろみを訪ねるのに、時刻を知っていたほうがいいと思ったからです。彼女はもう眠っているかもしれませんし」

「井田さんのマンションには、いつも予告なしに訪ねるのですか？」

「そうです」

「時間を訊いたとき、被害者はどうしました？」

「知らない男に声をかけられて、驚いたようでした。しかし、ていねいに尋ねるときちんと答えてくれました」

「何時でした？」

「零時五分過ぎでした。菅野さんがそう教えてくれたのです」

「それから走り出したのですか？」

「いいえ。しばらくはそのまま歩いていました。しかし、いくら私が怪しいものではないといっても、夜道で見ず知らずの他人と近寄って歩くのは嫌《いや》だったのでしょう。だんだん足が早くなり、そのうち走り出したのです」

「不自然と思いませんでしたか？」

「いいえ。若い女性としては、むしろ自然な行動でしょう。私は、悪いことをしたな、と思いました」

「そして事故が起こった」

「そうです。その意味では、彼女が交差点に飛び出したことの責任の一端は、私にあります」

「責任論も、そこまでつきつめるときりがありませんな。我々としては、そのあとあなたが逃げ出したことの方が問題だと思います」

「それはわかっています」

「ところで、我々の調査では、事故のあと現場に駆けつけた人たちのなかには、逃げ出すあなたを見かけた人がいないということがわかっています」

「それはそうでしょう。正確に言うなら、私は事故の直後に逃げ出したわけではないからです。事故が起きたときはその場にいました。ただ、目立たないように物陰にひそんでいたんです」

「ほほう――」

「すぐに逃げ出せば、かえって目立ちます。私は、近所の人たちが交差点に集まってくるまで待っていました。人だかりができてきて騒ぎになると、その中に混じりました。そして、ころあいをみてその場を離れたのです」

「自分の立場を守るため、それほど慎重に行動されたあなたが、どうして今ごろになって名乗り出てこられたのです？」

「ご存知《ぞんじ》のように、私には警察にもマスコミにも知り合いがいます。ごく親しい知り合いが」

「そのようですな」

「彼らから、私はこの事故について聞き出しました。やはり気になったからです。そして、目撃者がなく、運転手の一方的な過失とされて、彼が逮捕されていることを聞きました。私は驚きました。事実はそうではないからです」

「運転手の言葉に嘘《うそ》はないと？」

「そうです。彼の側の信号は青でした。菅野さんの方が赤信号を無視して飛び出したのです。私ははっきり見ていたのですよ。あのとき逃げ出してしまったことを、今では後悔しています。私さえその場ですぐ証言していれば、運転手は勾留《こうりゅう》されずにすんでいたことでしょう」

彼は顔を上げ、きっぱりと言い切った。

「私は愛人をもち、妻と不仲になっている。確かに、家庭に問題のある男です。しかし、無実の人間が苦しんでいるのを見殺しにする人間ではありません。だから名乗り出たのです」

「ご立派な心がけですな」

2

また眠れない夜が明けて、浅野家の三人は食卓で顔を合わせた。

「とりあえずはうちで、佐山先生からの連絡を待っていないと」

コーヒーをいれながら、より子は落ち着いて言った。子供の手前、一生懸命にコントロールをかけて抑制しているという口調だった。

「現場を見ていた人が出てきたといっても、それですぐばんざいってことではないんだからね」

「わたし、今日は会社なんか休む」と、真紀。

「僕も今日は家にいる」と、守。

「あんたたちね――」

二人の子供は声をそろえた。「ご意見無用」

掃除するんだからじゃまだよ、と、二人とも二階に追いあげられた。ついでにこれも、と、より子は真紀にかごいっぱいの洗濯物《せんたくもの》を押しつけた。

「干しておいてよ。きれいにね」

ぶうぶう言いながら物干しにあがっていくと、あふれるようにさしこむ朝日のなかで、真紀は優雅に伸びをした。

「秋晴れね。いいことがありそうな感じ」

いい結果が出てほしい。思いは守も同じだ。だが、真紀とは少し違う意味もこめられていた。

目撃者はどんな人物だろう。警察はどの程度信用してくれるだろう。その証言がどこまで大造の処分にはねかえるのだろう。

願わくば、その人の証言で全《すべ》てが決定してほしい。そうすれば、菅野洋子という女性がしていたことを、彼女の過去を明るみに出さずに済む。そう思ったから、昨日一日で発見したことについて、守はより子にも真紀にも話していなかった。「情報チャンネル」も、本棚《ほんだな》の奥に押し込んだままだ。

とりわけ頭に引っかかるのは、由紀子という彼女の妹のことだった。着物姿で、洋子と並んで微笑《ほほえ》んでいたあの顔。

姉さんが詐欺《さぎ》まがいの仕事で大金を稼《かせ》いでいたということがわかったら、そのために脅かされ、逃げ回っていたことがわかったら、彼女の生活はどうなるだろう。これから就職し、社会に乗り出す彼女は、予期しないその大波をかわしきれるだろうか。それを思うと、気が滅入《めい》った。

できるなら、洋子さんの隠していた事実は、永遠に隠したままにしておいてあげたい。大造の身の上を案ずるのと同じくらいの強さで、守はそれを願っていた。

「守ちゃん、ちょっと」

小さく呼んで、真紀がドアの陰からのぞいている。

「ね、わたしの留守の間に、電話かかってきた？」

「いいや。かかってこなかったよ」

「そう……」真紀はちょっと目を伏せた。

「前川さんから？」

彼女はうなずいた。守は気を利《き》かせることにした。

「だけど、僕も昼間は留守だからね。向こうも心配してるんじゃない？　会社に電話してみたら？」

「そうね」また笑顔が戻った。「あとでかけてみるわ」

階下で電話が鳴り出したのは、そのときだった。二人は一瞬顔を見合わせると、勇んで階段を駆け降りた。はたきを片手により子も走ってきたが、やはり守がいちばん早かった。

「はい、浅野です!」

「日下か?」

能崎先生の声だった。守は思わず舌を出し、より子と真紀に片手で「違う、違う」としめしてみせた。

「そうです。連絡が遅れてすみません、実は今日——」

「すぐ登校しなさい」

「は?」

「いいから至急、登校しなさい。私の席にくること。説明はそれからだ」

ガチャンと切れた。

「学校からかい?」

「うん」

守は、しばらく手のなかの受話器を見つめてからフックに戻した。能なし先生、ひどくあわてていた。

「すぐ登校しろって」

「バカだね。あんた、まだ欠席の電話してなかったの? しょうがないね、支度しなさいよ。いい知らせが入ったらすぐ電話してあげるから大丈夫だよ」

より子にこつんとこづかれて、守は首をすくめた。わたしも会社に連絡するわと、真紀が笑いながら受話器をとった。

だが、笑い事ではなかったのだ。

能崎先生は、英語科の職員室で守の到着を待っていた。守をそばに立たせておいて、のっけから、彼は言った。

「一昨日の土曜の午後、盗難事件が起きた」

それだけで、この先なにを告げられようとしているのか、守にはわかった。

「何が盗《と》られたんですか」

「バスケット部の部室にあった今月分の部費と、正月の特別合宿の費用だよ」

バスケット部。三浦の顔がちらりとよぎった。

「いくらです?」

「合計で約五十万円だ。部員二十二人全員の一週間の宿泊費が含まれていたからな」

守は目を閉じた。よりによって——

「そんな大金を、なんだって部室に置いておいたりしたんでしょうね」

この高校では、男子運動部でも女子マネージャーをおいていない。体育科の主任で、ほかでもないそのバスケット部の顧問の岩本先生の命令一下、五年前から実施されている鉄則だった。

「プロじゃないんだからな。ユニホームの洗濯もつぎあても部活のうちだ。それが嫌なやつは出ていけ」というわけである。

だから、部費集めやその管理も部員たち自身の手で行なっている。どこでも一年生の役割で、バスケット部では佐々木という部員が受け持っていた。

そして佐々木は、三浦の仲間でもある。

「金は部室内のロッカーに入れ、鍵《かぎ》をかけてあった。部室にも鍵をかけてあった。バスケット部員たちが金のなくなっているのに気がついたのは、日曜日の朝練習に出てきたときだった。どちらの鍵もボルト・カッターで切断されていたそうだ」

能崎先生は、かすかに青ざめた顔で続けた。

「日下、盗難があったと思われるのは、バスケット部の土曜日の練習が終了した午後六時半から、翌朝の練習のために部員が集まってきた日曜日の午前七時までのあいだなんだ。その間、おまえはどこにいた？」

「家にいました」

「誰か一緒にいたか？」

「家族は誰もいませんでした。土曜日の夜九時ごろまでなら友達が遊びに来ていましたけど、そのあとはずっと一人です」

じれったくなってきて、守は訊いた。

「どういうことです？　僕が疑われているんですか？」

「土曜日の昼間、教室で」質問には答えず、能崎先生は厳しく言った。「佐々木と、三浦と、綱本の三人で、正月合宿の旅館の手配について話しているとき、おまえがそばにいたというんだ。話を聞いていたと。そのとき、金の話も出ていた。部室に置いておいて大丈夫だろうかと話していたそうだ」

「それも僕が聞いてたっていうんですか。だから犯人ですか」

また三浦だ。あいつばっかりだ。綱本も彼とつるんでいる仲間なのだから。

「おまえのほかに、外部の人間で金のことを知っている者はいないというんだ」

「僕だって金のことなんか知りませんよ。聞いていません。佐々木や三浦が言っていることだけ信じて、僕の言うことは信じてくれないんですか」

仕組まれたのだ。見え見えのことだった。

あの晩、あねごが弟をつれて遊びに来てくれたのは、昼間守が、「今夜は一人で留守番だ」と話したからだった。それを三浦たちも聞いていた。一昨日の土曜の夜なら、守にはアリバイを証明してくれる人間がいないということを。

やられた、と思った。

「バスケット部の内部ではどうなんですか？　みんな金のことを知っていたはずでしょう？」

「部員たちの仕業ではない」

「なぜそう断言できるんです」

能崎先生は黙っている。こめかみが脈打っているのが見える。

「なぜ僕なんです」守は繰り返した。「どうしてですか」

答えは、なくてもわかっていた。教師の顔を見ていれば読み取ることができた。泥棒《どろぼう》の子は泥棒。はっきりそう書いてある。

能崎先生も、もちろん守の父親の事件を知っていた。生徒も先生も、みんな知っているのだ。三浦たちは、事件を探り出したあと、噂《うわさ》が伝染病ならば学校閉鎖になるほどの勢いで広めてしまったのだから。

鈍い刃物で切られるように、絶望感が食いこんできた。またか。何一つ変わっちゃいない。

「岩本先生もそうおっしゃってるんですか。僕が犯人だと」

「先生は、バスケット部全員を練習停止処分にして調べている。たとえ金が出てきても、正月合宿は中止だそうだ。まず、管理の手落ちだということで。三浦たちの言うことも聞いてはいらしたが、岩本先生は先生で調べるそうだ」

それで少しだけ、救われた気がした。生徒たちから「鬼の岩本」と呼ばれているあの先生は、確かに厳しいし頑固《がんこ》で物分かりも悪いが、中途半端《はんぱ》なことを許す人柄《ひとがら》ではなかった。調べるという以上、学校中ひっくり返しても調べ抜くだろう。

「先生はどう思っているんですか」能崎先生の白い顔に、守は訊《き》いた。

「僕がやったと思いますか」

教師は答えなかった。しばらくして、守の顔を見ようともせずに、ぽつりと言った。

「私はただ、真実を話してもらいたいだけだ」

「それなら簡単です。僕は盗ってません。それだけです」

「それだけか」教師はそっけなく言った。「それだけなのか」

守はふと、大造が置かれている状況を思い浮かべた。痛いほど、彼の心境が理解できた。

誰か信じてください。私は本当のことを言っているんです。

腹が立ってきた。すべてが馬鹿《ばか》ばかしくなってきた。なんだって、こんなところでこんなことを言われて我慢してなきゃならないんだ？

あんた、怖いんだね。口をつぐんで目をそらしている教師の顔に、そう言ってやりたかった。自分の担任している生徒が不祥事を起こしたと思うと、それだけでもういてもたってもいられないほど怖くてたまらないんだね。

「しばらく、休みます」ドアのほうへ向かいかけながら、それだけ言った。「僕がいないほうが調べやすいんじゃないかと思いますから」

「謹慎するつもりか？」

「違います。ただ休むだけですよ」どうにもおさまりがつかなくなって、抑えていた言葉が口をついた。

「安心してください。人権侵害だなんて、教育委員会に訴え出たりしませんから」

「馬鹿なことを——」教師の顔がまた青ざめた。

「先生。一つだけ教えてください。部室とロッカーにかかっていた鍵はどんなものだったんですか？」

「南京錠《ナンキンじょう》だ。キーは岩本先生が持っている」

守は思った。たとえ僕が悪質な夢遊病にでもかかって、無意識のうちにどこかへ忍び込む性癖があったとしても、南京錠をボルト・カッターで切るような真似《まね》はしない。たかが南京錠を相手に、どうしてそんなぶざまなことをするものか。

それはとうしろうの仕事だよ、先生。


学校を出るときは、さすがに足が重かった。階段をおりるというより、足から先にどんどん落ちていくような感じだった。

家には戻れないな、と思った。真紀のように開けっ広げな娘を育てるかたわら、どこでどう修行を積んだのか、より子は子供の心を見抜く名人芸を持っている。この顔で帰ったのでは、またひとつ余計な心配をさせるだけだ。

思いついて、あわてて通用口にある赤電話をかけた。今までに佐山弁護士からいいニュースが入っていて、より子が学校に電話してきたらことだ。

「まだなんともわからないんだよ」

最初の呼び出しベルでより子が出て、やや気落ちした声でそう言った。警察にも色々調べることがあるから、もう二日ばかり我慢してくださいって、佐山先生が。

電話を切ると、誰かが後ろから声をかけてきた。

「日下君」

宮下陽一だった。肩で息をしている。

「ああ、見つかってよかった。時田さんと二人でずっと探してたんだ」

「ありがとう。だけど」守は息をのんだ。「どうしたんだよ、その格好」

陽一は傷だらけだった。右腕は肩からつっているし、左足の爪先《つまさき》にも包帯が見える。靴《くつ》が入らないので爪先だけつっかけている。くちびるの端が切れてかさぶたができているし、右のまぶたが腫《は》れ上がっている。

「自転車で転んだんだ」彼はあわてて言った。「僕は本当に鈍いんだよ」

「それにしたってひどいじゃないか。腕は？　折れたの？」

「ううん。ちょっと切っただけだよ」

「切った？　なんで」

「たいしたことないんだ。お医者さんがおおげさなんだよ」陽一は笑顔をつくったが、むしろ痛々しくなるばかりだった。

「展覧会に出す絵を描《か》いてるんだろ？　困らないかい？」

「大丈夫だよ。こんな怪我《けが》、すぐ治るから。それより、日下君こそどうするんだい？」

「どうって……」守は軽く笑ってみせた。「どうしたらいいかな」

「あんなの、全部嘘《うそ》っぱちだ」陽一はくちびるをきっと結んだ。「全然根拠なんかない。三浦たちがでっちあげたんだ」

「僕もそう思う」

「どうして能崎先生は、あんなやつらの言うことばっかり信じて、日下君を信じてくれないんだろう」

「そりゃたぶん、僕が横領犯の子だからさ」そっけなく、守は言った。陽一の優しそうな顔を見ていると、今までの我慢の反動がきてしまったのだ。「君だってそう思わないか？　メンデルの遺伝の法則ってやつじゃないか」

陽一は目をしばたたきながら守を見ていた。泣き出すんじゃないかと、守は危ぶんだ。だが、意外にもしっかりした声で、彼は言った。

「『つるさんはまるまるむし』って、知ってるかい？」

「なんだって？」

「『へのへのもへじ』みたいな落書きだよ。僕が子供のころ、父さんはよくそれを描いてくれた。僕は面白いと思った。でも、もっとほかのものも描いてほしいってねだった。電車とか、花とか。そしたら父さんは、僕を近所の絵画教室につれていった。父さんは絵が本当に下手くそで、〈つるさん〉しか描けなかったんだ」

陽一はにっこりした。「僕、将来画家になったら、〈つるさん〉をサインがわりにしようと思ってる。だけど、〈つるさん〉を描くと、どうしても父さんの顔に似ちゃうんで困るんだな」

3

翌日も、その翌日も、大造は帰ってこなかった。

どうなっているのだろう。浅野家に残っている三人は、それぞれの顔のなかに自分のいらだちや疑問が映っているのを感じながら、辛抱強く待つしかなかった。

守は毎朝さも学校へ行くような顔で家を出て、「ローレル」で働いていた。自主休校を決めたあと、その足で「ローレル」を訪ね、高野に事情を説明し、おいてもらうことにしたのだ。

「学校をやめて働くつもりか？」

「そのつもりはありませんよ」守は答えた。「もっとも、やめさせられちゃったら話はべつだけど」

「気の弱いことを言うもんじゃないよ。必ず真犯人が見つかるから」

そして、大造の事故の目撃者が出てきたという報告を、一緒に喜んでくれた。

「必ずいい結果が出るよ。焦《あせ》らずにな」

書籍コーナーの店員たちは、平日の昼間に出勤してきた守に、一様に驚いた顔をした。

「どうしたの？　学校は？」女史は特にけわしい顔をした。

「あの……」

「学級閉鎖だってさ。な？」佐藤がポンと守の肩を叩《たた》いた。

「ええ？　ヘンねえ。まだインフルエンザの流行には早いわよ」女史は油断しない。

「あれ、知らないの？　最近、おたふく風邪が大流行してるんですよ」

「おたふく風邪？」

「そうですよ。安西さん、子供のころにかかりました？」

「ううん。やってないわ」

「じゃ、気をつけなきゃ。彼氏にも言っといた方がいいですよ。男がかかるとコワイんだから」

「あら、ホント？」

「そう。タネなしになっちゃう。困るでしょ？」

もったいぶって言うと、佐藤は女史の目の届かないところまで守をひっぱっていった。

「ありがとう」

「礼なんかいいって。おまえがいてくれた方がオレは助かるんだ。なんかワケありげだけど、ま、あんまり深刻に考えんなよな。学校なんか行かなくたって死にゃしねえからよ」

師走《しわす》が近づき、歳末商戦向けのカレンダー、手帳の類《たぐい》も入ってきているので、仕事は忙しかった。仕事に追われているときは、大造のことも消えた五十万円のことも考えずに済んだ。

木曜日の昼さがり、倉庫で休憩をとっていると、牧野警備員がやって来た。

「お、青少年、学校さぼって労働か？」

そばにいた佐藤が段ボール箱の上に立ちあがり、腕を振りながら「聞け万国の労働者ぁ」と、ひと節歌った。なかなかいい声だった。

「ごくろう。座ってよろしい」

「ありがとうございます！」

「ところで、おめえ本当に二十六歳か？　親は不幸だな」

守は吹き出した。「牧野さんこそ、調子はどうです？」

「エネルギー充塡《じゅうてん》一二〇パーセントってなもんだ。暇で困ってるよ」

「ヒマ？　こんなにお客さんが多いのに」

牧野も不思議そうな顔をした。「なぁ？　俺《おれ》だけじゃない、ほかの売り場の連中にきいてみても、似たようなもんなんだ」

「やっぱ、景気がいいからじゃないんですか」佐藤がのんきに言った。

「バーカ。景気がいい時ほど万引きは多いんだよ。不景気で増えるのは強盗だ。だいいち、景気が上向きになったのは最近のことじゃねえだろう？」

「客質が良くなったんだ」守は言った。

「どうかねえ。どこかの町内会で意識改造講座をやってるなんて噂は聞かねえ――」

そこへ、高野が顔を出した。緊張した表情だった。「牧野さん！」

警備員は走っていった。守と佐藤が顔を見合わせていると、走って戻ってきた。

「おい、一一〇番しろ。屋上で客が飛び降りるって騒いでる。消防署も呼べ。ただし、サイレンを鳴らしてきやがったらぶっとばすぞってな」

それだけ言って、また消えた。佐藤は電話に飛びついた。守は牧野のあとを追った。通路に走り出ると、階段を二段抜かしでかけあがっていく高野と警備員が見えた。店内放送が、クラシックのメドレーから急テンポのポップスに変わった。緊急事態の発生を全店に告げるものだった。

階段を走って屋上まであがると、ミニ庭園や児童遊園地に通じるテラスの広いドアの前は、もう弥次馬《やじうま》でいっぱいだった。人だかりの手前にいた店員の一人をつかまえて、守は訊いた。

「どの辺ですか？」

「給水タンクのところらしいですよ。女の子だって」

回れ右して、いったん階下《した》のフロアに降り、守は反対側に向かった。屋上の見取り図を思い浮かべる。採用されると、いつお客に尋ねられても即答できるように頭に店内図を叩き込まれるのだ。

「ここより先関係者以外立入禁止」の立て札のある通路を突っ走り、角を一つ折れるとスチール製の耐火ドアがある。そこを開けると、屋上に通じる狭い階段がある。点検整備や掃除のとき、作業員が出入りするのを見かけた記憶があった。

低い階段をのぼると、その先に片開きのドアがある。上半分に針金入のガラスがはめられており、明るい日ざしがもれていた。

ドアをロックしているのは、かばん型の南京錠だった。店内では華やかな内装にごまかされて気づかないが、この建物、かなりロートルなのだ。警報装置や電子ロックはあとからとりつけられたもので、ビル壁をロック・クライミングしてこないかぎり忍び込むことのできない屋上へのこの出入口は、旧態依然のままなのだ。

たらふく食べてから財布を探す食い逃げ犯人のように、守は身体中《からだじゅう》のポケットをさぐった。使えそうなものは何もない。女性がいないからヘアピンもない。

そこでやっと、胸のバッジに気がついた。名札の裏の、長さ三センチの安全ピン。

ピン・タンブラーのシリンダー錠が迷路だとするならば、南京錠は区画整理された分譲地みたいなものだ。ひざまずいて一分、パチンと他愛ない音をたてて錠は外れた。慎重に、慎重に、守はドアを開けて屋上に顔を出した。

思わず顔をしかめるほど日ざしが強かった。目がちかちかする。

どんぴしゃり、だった。

守の前には、ポンプ小屋——といってもコンクリート壁だ——が立ちふさがっていた。その向う側が給水タンクなのだ。

問題の女の子は、こちらに背を向けて、確かに、タンクのてっぺんに座り込んでいた。守の位置からでは、赤いセーターを着た背中と頭しか見えない。見上げるうちにも、女の子はじり、じりと、屋上のフェンスの方へ移動していく。

どうやってよじのぼったんだろう？　タンクの高さ、二メートルはある。守は呆《あき》れた。足掛りがないわけではないから不可能ではないが、女の子には大仕事だったろう。野犬に追われて命からがら、というならわからないでもないが、ここはスーパーマーケットなのだ。

女の子はタンクのはずれまできた。給水タンクはフェンスぎりぎりのところに立っているから、そこから身を躍らせれば、屋上のうえにではなく、六階下の地面までノン・ストップの急行便だ。

女の子はこちらに背を向けたまま、守に気づいた様子はなかった。視線は、彼女を説得しようと集まっている大人たちに釘《くぎ》づけになっているようだ。

給水タンクの足の陰から頭を出して、守は向う側をのぞいてみた。

説得者たちは、守から見れば右手の方向で、タンクから五、六メートル離れてひとかたまりになっていた。先頭に女性の警備員。その隣で両手をよじっている中年の女性は、女の子の母親だろう。

その手前、守とほぼ向き合う位置に高野がいた。牧野警備員は後ろを固めている。弥次馬のざわめきが守の耳にも届いた。

さて、どうするか。頭をひっこめて、守は考えた。

やっぱり、ここでのぼるしかなさそうだな。もう一度タンクを見あげ、覚悟を決めた。てっぺんに手が届けば、身体は腕力でひっぱりあげられるだろう。

女性警備員の落ち着いた声が聞こえた。

「誰もあなたを傷つけたりしないわ。そんな危ない真似《まね》はやめましょうね」

女の子はうめくように何か言った。

「こないでよ……こないでったら！」

守はもう一度頭を出し、高野の注意をひこうと試みた。早く、早く気がついてください！

気がついて、高野は目を見開いた。驚きで顎《あご》がガクンと落ちた。守は急いで、声を出さずに口だけ動かした。

(知らん顔してください)

高野はそれとわからないほど小さくうなずいた。横目でちらりと女の子を見やる。

(どうするつもりだ?)唇《くちびる》が動いた。

「そばによらないで! 本当に飛び降りるわよ!」女の子の金切声が響く。

(僕がこっちからのぼって後ろに回り込みますから)

手で方向を指し示し、

(話しかけて注意をそらしてください)

うなずく代わりに、高野は激しくまばたきした。今にも守のほうに踏み出してきそうになり、顎を引いてぐっとふみとどまった。

守はポンプ小屋の脇《わき》に引き返した。できるだけ悟られないほうがいい。まずここにのぼって、タンクの方へ移動しよう。

ジャンプ。手が屋根に届き、頑張《がんば》ってつかもうとしたがはずれた。

「お嬢ちゃん」高野の声が聞こえてきた。「怖がらないでいいんだ。そこにいたいなら動かなくていい。ちょっと話をしよう。僕はここの店員でね、名前は高野。たかのはじめは数字の一と書くんだよ。君の名前は? よかったら教えてくれないかな」

「美鈴《みすず》ちゃん!」女の子の母親の、半泣きの声が聞こえた。「お願いだからおりてきてちょうだい!」

もう一度ジャンプ。今度はがっちり手が届いた。ポンプ小屋のドアのノブに片足をかけ、守は自分をひっぱりあげにかかった。高野の声があやすように続いている。

「今日はお母さんと買い物に来てくれたんだってね。ありがとう、何を買ったの？」

上半身がポンプ小屋のうえに出た。とたんに視界が開け、座っている女の子の後ろ姿と、説得にあたる店員たちが見えた。高野は一歩前に出ている。

「こっちへ来ないで」

女の子の声がはっきり聞こえた。守はポンプ小屋のうえに出た。

努力して、屋上フェンスのある側に目をやらないようにした。それでも、身体のそちら側がむずむずした。

ゆっくりと、姿勢を低くして女の子に近づく。赤いセーターが風に震える。高野はしゃべり続けている。

「書籍売り場に来てくれたかな。君は本は好き？」

タンクの手前まできた。女の子の背中まで、約二メートル。彼女はまた、じりじりと移動を開始した。それにつれて守も動く。いよいよフェンスが近くなってきた。

「嫌《きら》いよ」女の子は囁《ささや》いた。

「嫌い？　そりゃ残念だなぁ。どうして？」

守は用意の姿勢をとった。

「怖いの」女の子は言った。その声が正常な調子からはずれ始めた。「嫌なの、怖いの、怖い、怖い、怖いよう──」

今や高野以外の説得者たちも守に気がついた。女性警備員の顔に驚きが走った。女の子はそれを見た。彼女は振り返った。守を見た。

彼女は絶叫した。一瞬、守がひるんでしまうほどの声だった。考える余裕もなく、守はやみくもに赤いセーターめがけてとびかかった。女の子を抱えてフェンスから遠のくように引き戻し、尻餅《しりもち》をついて転がり、今度はタンクから落ちないように足をふんばってとめた。

女の子は叫び続ける。説得者たちが駆け寄り、高野がすごい勢いでタンクをよじのぼってきて、ふりまわされそうになっている守に手を貸して女の子を抱きすくめた。

「もう、大丈夫、大丈夫だからね。じっとして、じっとして。シー、静かに」

高野は呪文《じゅもん》のように繰り返し、ようやく抵抗をやめて弱々しく泣き始めた女の子を支えてやった。彼女を降ろすには梯子《はしご》が必要だったが、到着した消防隊員が手配して、女の子は担架で運び出された。

「危なかったたな……」

二人でタンクの上に座り込んで、汗びっしょりの額をぬぐった。高野は太い息をついた。

「よくやるよ、まったく。一つ間違ったら守も一緒に真っ逆さまだったんだぞ」

「でも、大丈夫でしたよ」

「こら、青少年！　刑事ドラマの見すぎだぞ」

タンクの下で、牧野警備員が腰に手をあてて怒鳴っている。守はぺこりと頭を下げた。

「このタンクの周りにもフェンスをつけておくべきだったよ。マネージャーに進言しておく」

「あの子、どうやってのぼったんです？」

「守と同じさ。三階の楽器売り場にいたとき、急におかしくなったんだそうだ。山火事に追われる動物みたいに上へ、上へと逃げて、最後がここだ」

「へえ……いったいぜんたいどうしたんだろう？」

「僕もこんな経験は初めてだよ。でもあの子、本当に何かに追われているみたいに見えたな」

ふと、高野は首をかしげて守を見た。「ところで、守はどこから来たんだ？」

「通用階段から」

「だけど、あそこのドアは鍵がかかってるはずだ」

「今日はかかっていませんでした」

ようやく震えが止まり、下に降りられる元気が出てきた。ふと見ると、消防隊員が一人、怖い顔で見あげていた。

「どうもお騒がせしました」

高野が頭を下げると、消防隊員はきっぱり言った。

「困りますね。勝手なことをされては」

飛び降り騒ぎで、警察や消防署から事情はきかれるし、叱《しか》られるし、仕事は滞るしで、守はその日、一時間ほど残業をした。「ローレル」を出るときには、さすがにぐったり疲れていた。

自転車をこいで土手下の道を折れると、後ろから誰かに名前を呼ばれた。スピードを落として振り返ると、真紀がジャケットの裾《すそ》をヒラヒラさせながら追いついてきた。

建てつけの悪い家の引き戸を引き、二人は小学生のように声をそろえて「ただいま」と言った。

「お帰り」

聞き慣れた、それでいて懐《なつ》かしいような声がした。守と真紀は、脱ぎかけた靴《くつ》のかかとを踏んでお互いの顔を見た。

障子を開けて、大造が出てきた。

「ただいま」と、彼も言った。

4

その夜、より子は大車輪の働きをして、小さな食卓に載り切らないほどの夕食を用意した。

「お父さん、夢に見るほどビールが飲みたかったんですってよ」真紀はふくれっ面《つら》をつくってみせた。「失礼しちゃうわよね、わたしたちよりビールだって」

大造は、やはり少し面《おも》やつれしていた。だが、ビールを飲み干して笑った顔は、今までと少しも変わっていなかった。

「なんでもいいわよ、ねえ。こうして帰ってこられたんだから」

大造はビールグラスを置くと、瓶《びん》をとりあげてさしだしたより子を手で制して、正座した。

「今度のことでは本当に、みんなに心配させて、迷惑をかけた。どんなにかすまないと思っている。みんなに感謝している。母さんには怪我《けが》までさせて……」

かくばった身体《からだ》を丸めるようにして、大造は畳に手をつき頭を下げた。

「やだな、お父さん。照れちゃうわ」最初に言ったのは真紀だった。「食べよ。ね？」

食事のあと、守と真紀はどういう経緯で大造が帰ってこられたのか、詳しい説明をきいた。

「名乗り出てくれた目撃者はどんな人だったの？　結局はその人の証言が決め手になったんでしょう？」

「真紀、『新日本商事』という会社を知ってるかい？」大造が訊《き》いた。

「モチよ。うちの営業さんたち、契約をとろうと必死になってるわ」

真紀が勤めているのはエア・カーゴ、すなわち航空貨物を扱う会社なのだ。

「『新日本商事』ってね、もともとは輸入ものの高級家具や骨董品《こっとうひん》ばかりあつかっていた会社なの。それが、五年ぐらい前から分譲マンションやリゾート・ホテルの建設にも手をのばすようになっていてね。もちろん、全部高級資材で内装されて、つくりつけの家具も最高級品ばっかりの億ションだけど、それがまたあたって、急成長しているの。ひところのレトロ流行《ばや》りも、先鞭《せんべん》をつけたのはあの会社だわ」

「その会社がどうかしたんですか？」守は訊いた。

「名乗り出てくれたのは、その会社の副社長なんだよ。吉武浩一《よしたけこういち》さんて言って——」

「ホント？　その人なら知ってるわ！　雑誌に『書斎拝見』っていうエッセイを書いていて、それが単行本にまとまって出たの。見たことがあるわ」

「それなら知ってる。大型の、写真入りのやつでしょう？」

「そうそう。作家とかジャーナリストとか建築家とか、有名な人の書斎ばっかり載っているわ」

「あれ、よく売れたんだ」と、守。

「有名人なんだねえ」より子が考え込んだ。「なかなか名乗り出られなかったの、無理もないよ……」

「どういうこと？」

より子は大造を見やった。ひとつ咳《せき》ばらいして、大造は言った。

「吉武さんは、父さんの事故を目撃したとき、愛人のマンションに行く途中だったんだそうだよ」

守も真紀も、ちょっと言葉が出なかった。

「警察も、あとから出てきた目撃者だからね、ずいぶん慎重に調べたらしいんだよ。言っているいることにおかしな点はないかって。吉武さん、事故のちょっと前に菅野さんと話もしたんだって。時間をきいて、菅野さんがそれに答えて……。菅野さん、急いで帰りたくて走ったんじゃないかって、吉武さんは言っているそうだよ」

より子は簡単に、吉武の目撃証言を要約して説明した。

「わかるわ。筋が通っているもの。わたしだって一人で帰ってくるときはそうよ」真紀は何度もうなずいた。「いやあね。警察って本当に疑い深いんだから。わたし、絶対に警察官とだけは結婚しない」

「向こうがごめんだとさ」より子が言うと、真紀はあかんべえをした。

「そうだね、そんな事情がある人が……」

「わざわざ嘘《うそ》なんかつくはずもない。だからこうして、父さんは帰ってこられたんだ」大造はしんみりした。

「吉武さんは婿養子《むこようし》だそうだ。会社の社長をしているのが奥さんでね。担当の刑事さんに聞いたんだが、これからがたいへんだろう。離婚騒動も持ち上がっているらしい」

「気の毒だよねえ」より子は辛《つら》そうだった。「ありがたいことだよね。そんな事情を押して証言してくれたんだから。ずいぶん迷ったんじゃないかねえ」

「とんでもないわよ。お人好《ひとよ》しね」真紀は同調しなかった。「もとはと言えば、お父さんが逮捕されたことが、そもそもその人のせいなのよ。その場ですぐ証言するべきだったのに、逃げちゃったんだから。そのこと、忘れないでね」

「真紀は厳しいな」大造は苦笑した。「今度のことで、だいぶ嫌《いや》な思いをさせたんじゃないか」

守に向き直ると、「守にもだ。学校で嫌なことがあったろうな」

「大したことなかったよ」守は答えた。真紀は黙っている。

「それより、これからどういうふうになるんですか」話の向きを変えようと、守は訊いた。

「菅野さんに過失があったことははっきりしたわけなんだから」

「だからといって、父さんの前方不注意、安全運転義務違反が消えたわけじゃあないよ。でも、なんとか罰金ですむように、佐山先生は努力してくださるそうだ。示談もまとまりそうだしね」

これからはそっちがたいへんだな。守は思った。しばらくは免許停止も免《まぬか》れないだろうし。それでも、伯父さんが帰ってこられてよかった。そして、菅野洋子さんの秘密をそのままにしておくことができてよかった。守はそれだけを考えようと思った。いいことだけを。いろいろあったけれど、最低限の傷で切り抜けられそうなのだから。

「……とりかえしのつかないことだってあるわ」

真紀がぽつりとつぶやいた。守の心を見抜いて反論したように、固い声だった。

その夜九時すぎに、守は橋本信彦に電話をかけた。証言の必要がなくなったことを知らせるためだ。

彼は不在だった。留守番電話のメッセージが返ってきた。守は手早く事情を説明し、橋本の協力に深く感謝する旨《むね》を付け加えて、電話を切った。正直に言えば、彼と話さずにすんでホッとした思いだった。

そのあと、あねごから電話があった。彼女は授業のノートをとってくれており、能なしや三浦や岩本先生の動向も知らせてくれていた。大造が帰ってきたこと、見通しが明るいことを報告すると、彼女は喝采《かっさい》した。

十一時ちょうどに、ランニングに出た。

今夜はコースを変え、事故現場の交差点に、また行ってみた。泥棒《どろぼう》の真似《まね》をしたあの夜と同じ星がまたたき、触れたら手の切れそうな月が伴走した。

交差点は今夜も静まり返っていた。人影もなく、ただ信号だけがまたたいている。

菅野洋子の暮していたマンションの方向に向かって、守は頭を下げた。

探り回って、ごめんなさい。でも、あのことは誰にも話しません。どうか安らかに。

軽い心で、守はランニングを楽しんだ。家の近くに戻ってくると、土手のうえにポツリと白い人の姿が見えた。

大造だった。

「眠れないんですか」

守は大造の隣に並んで腰をおろした。運動してきた身体に、冷えたコンクリートが心地よい。

大造はパジャマのうえに、誕生日に真紀がプレゼントした手編みの厚いセーターを着ていた。指の間にはさんでいた短い煙草《たばこ》を川に投げ捨てる。赤い点が弧を描き、ぱっと消えた。

「走ってきたあとそんな格好でいると、風邪をひくぞ」

「平気だよ」

ちょっと待ってなと言うと、大造は姿を消した。戻ってきたときには缶《かん》コーヒーを二本持っていて、一本を守に手渡した。「熱いぞ」

二人は黙ってコーヒーを飲んだ。

「いろいろ、迷惑をかけたな」大造がつぶやいた。

「僕は何もできませんでしたよ」

また、間があいた。大造はコーヒーを飲み終え、足元に缶を置くと、言った。

「おまえ、このごろ学校に行っとらんそうだね」

守は飲みかけのコーヒーを吹き出して咳《せ》きこんだ。大造が手をのばして背中を叩《たた》いてくれた。

「びっくりした」むせながらもやっと口がきけるようになると、守は言った。「どうして知ってるの？」

「今日家に帰ってきて、母さんが買い物に行っているあいだだったから、三時ごろだったろうな。学校から電話があったんだよ」

冷や汗が出た。「おじさんが出てくれて、よかった。誰からでしたか？」

「岩本先生とおっしゃっていた。明日から登校するように、登校したらすぐ私のところに来るよう伝えてください、ということだった」

どっちだろう。守は考えた。真犯人がわかったのか。それとも——

処分が決まったのか。

「おじさん、僕が学校を休んでいたのは、おじさんの事故が原因じゃないですよ」

大造は川をながめている。

「本当に、全然別の理由なんですから」

事情を説明するあいだ、大造は一言も口をはさまなかった。話し終えると、ゆっくりと訊いた。

「それで、どうなるんだ？」

「わかりません。でも、岩本先生はいいかげんなことをする人じゃないから、明日はちゃんと登校して、話を聞いてきます」

二人は黙りこんで、対岸のバス会社の大看板をながめた。大型バスが一台、車庫入りするところだ。こんな時刻まで走っている観光バスがあるんだな……守はぼんやりと考えた。

「守もたいへんだな」

やがて、大造は言った。「子供は子供なりにたいへんなんだな」

その横顔を見て、守には伯父の考えていることがわかった。

「真紀姉さんは、もう大人だから」

「そうだな」ちょっと笑う。

わたしに電話なかった？　と尋ねたときの、少し怯《おび》えているようにも見えた顔。

（とりかえしのつかないことだってあるわ……）

「もう、運転はできんな」

話すというよりは言葉を落とすように、大造はつぶやいた。

「うん……しばらくは免停になるんでしょう？　でも、ちょっとの辛抱ですよ」

「いや、そういう意味じゃないんだよ」

大造はゆっくりと言って、煙草に火をつけた。遠い目になる。

「今までこの稼業《かぎょう》でやってきて、一度も事故を起こしたことがない。おじさんはそれを自慢に思ってきた」

「立派なことだと思うよ」

「でも、今度の事故じゃ、そのおじさんのせいで人が一人死んだんだよ。若い娘さんだ。生きていれば、これから山ほど楽しいことがあっただろうに」

そうでもなかったと思うよ……心のなかで、守は言った。

「今まで事故を起こさずに済んできたのは、ただ運が良かったからだったんだな。それを忘れてどこかに慢心があったから、まとめて罰が当たったんだ。そんな気がしてしょうがないんだよ。あの夜、おじさん、いい気分でなぁ」

大造はぼそぼそと語った。

あの日、大造はやや風邪気味で、あまり調子が良くなかったのだという。そこで夜八時ごろ、時刻は早いが今日はもうあがろうと「回送」の表示を出したところに、お客があった。

「四十歳ぐらいの奥さんでね、行き先は成田だった。商社マンで海外勤務している旦那《だんな》が赴任先で倒れて、駆けつけるところだったんだ。電話で呼んだ無線タクシーを待ち切れずに、表に出てきたところにおじさんが通りかかったってわけだ」

「ラッキーだったね」

「場所は三友ニュータウンのはずれでな。普段ならほとんど流さないところだ。たまたま通りかかってよかったよ。その奥さんも言っとった。いつもなら全然見かけないタクシーがスッと走ってくるなんて奇跡みたいだ、ってな」

「回送」の表示を引っ込めてその客を成田空港まで送り届け、帰り道には、空港のタクシー乗り場から、今度は男性客を乗せた。初めての子供が生まれたという知らせに、海外出張先からとんで帰る若い父親だった。その客が、事故現場の交差点から二街区ほど北側で降りたのだった。

「気持よかったんだよ……やっぱりこの稼業も捨てたもんじゃねえ、そう思ってな。そこで、あの事故だ」

沈黙が落ちた。遠くで一度だけ、ひどいバックファイアの音がした。

「菅野さん、なにかに追っかけられているみたいに夢中で飛び出してきた」

平べったい声で、大造は続けた。

「必死でハンドルを切ったんだが、駄目《だめ》だった。まずバンパーにぶつかって、藁人形《わらにんぎょう》みたいにはねあがって、身体《からだ》ごとボンネットの上に落ちてきた。フロントガラスにぶつかって――」

両手でぺろりと顔をなでると、大造はため息をついた。

「――音がした。あんな音は聞いたこともないし、これからも聞きたくもねえな。だけど、ときどき耳のなかに聞こえてくるんだ。夢のなかとか、警察の取り調べ室でも、独房でぼんやりしているときにも、何度も聞いたよ」

守は想像してみようとした。今日の赤いセーターの女の子。あの子が地面に落ちていたら、きっと……

「車から降りて駆けよると、仰向けになって倒れていて、まだ息があった。『しっかりしなさい』って呼びかけたような覚えがある。でも、聞こえてないようだった。びっくりした表情がそのままはりついたみたいに、いっぱいに目を見開いて、小さい声で繰り返してた。『ひどい、ひどい』ってな。おじさん、頭ががんがんして何が何だかわからなかったけど、交差点に立ってあたりを見回してみた。とっさに、誰か一緒だったんじゃないかと思ったんだ。でも、誰もいなかった。そこへ巡査が走ってきたんだ」

ひどい、ひどい、あんまりだ。苦しい息の下のその声が、守の耳にも聞こえる気がした。

「おじさんも興奮していたし、巡査も頭に血がのぼってたんだろうな。自分でも何をしたのかよく覚えてねえんだが、早く救急車を呼んでくれとか、この娘は追っかけられてたんだ、相手を探してくれとか、そんなことを怒鳴ったらしい」

「菅野さんが亡《な》くなったことを聞いたのは、いつですか」

「警察でだ。そのとき、これで一生家には帰れないんじゃないかと思ったよ」

大造は口をつぐんだ。二人は並んで川を見おろしながら、交わす言葉もなく座っていた。かすかに水音が聞こえる。潮が引いていくのだ。

「もう、運転はできん」

やがて、低い声がそう言った。

「生きているかぎり、おじさんはもう二度とハンドルは握らん」

大造は頰杖《ほおづえ》をつき、光る川面《かわも》に目を落としたまま、じっと動かない。守は揺れる筏《いかだ》を見つめ、警戒水位の去ったあとのことを考えていた。

5

「宮下君が犯人だなんて、そんな馬鹿《ばか》な！」

体育科の準備室の片隅《かたすみ》で、岩本先生は椅子《いす》にふんばって腰かけていた。守は彼から一メートルほど離れた壁ぎわできをつけをさせられていたのだが、思わず一歩つめよってしまった。

「何日も調査して、そんな馬鹿な結論しか出てこなかったんですか？」

普段なら、鬼の岩本は生徒に馬鹿よばわりされて黙っている教師ではない。が、今は言葉づかいうんぬんよりも重大な案件を扱っているという自覚があって、守の失言を見逃してくれた。

「宮下がここへやってきてそう告白したときに、俺もすぐそう思った」

「いつのことです？」

「昨日の昼休みだ。で、詳しく問い詰めてみると、どうも要領を得ないし、言葉もしどろもどろになってきた。頭を冷やせと言ってそのまま帰したんだがな」

体育教師は頑丈《がんじょう》そうな顔をくしゃくしゃにした。

「そのまま家に帰って、鴨居《かもい》で首を吊《つ》りやがった」

一瞬、守の目の前が真っ白になった。教師は急いで続けた。

「吊ったが、紐《ひも》がほどけて床に落ちたんだ。そこへご両親がすぐ駆けつけたから、大丈夫、怪我《けが》一つしとらん。そんな顔をするな。誰か入ってきたら、俺《おれ》がお前を絞め殺しかけていると思われる」

「それで――」何度か唾《つば》を飲み込み、ようやく声を絞り出して、守は訊《き》いた。「宮下君、今どこにいるんですか」

「今日は自宅にいる。お前に会いたがってるんだ。どうしてあんなでたらめな自首をしてきたのか、俺にはどうしても理由を話そうとせん。ただ、日下に会って話をしたいというだけでな」

「これから行ってきます」

「そうはいかん。ちゃんと授業を受けて、宮下のところに行くのは放課後でいい。あいつもそれで納得して、待っとるから。これ以上勝手な自主休校を続けておったら、俺が承知せんぞ」

予期せぬところでいきなり拳骨《げんこつ》が飛んできた。ポカリとやられたあと、しばらくのあいだ、守の世界は上下左右に揺れていた。

「今のが、四日間の自主休校を認可するハンコだ。痛いと思ったら、もう勝手なことはするなよ。だいたいお前ってやつは、一度言い出したらテコでも動かんからな」

「たぶん、先生と似てるんです」

「願い下げだ」

岩本先生はふんと鼻を鳴らしたが、目は笑っていた。

「それで、部費の盗難の件はどうなったんですか？　結局、僕が犯人だってことに落ち着いたんですか」

教師は目をむいた。

「馬鹿たれ。俺は最初からそんな話は信じとらんぞ」

「でも……」

「三浦たちが何か企《たくら》んでしでかしたことだ、ぐらい、ちゃんとわかっとったよ。ただ、なんの証拠もなしに嘘《うそ》と決めつけるわけにもいかん。効き目もないしな。で、盗難があってからずっと、俺は毎晩繁華街をうろうろして、とうとう昨晩《ゆうべ》、三浦や佐々木が十八歳未満お断わりの映画館から出てくるところを押えたんだ。連中、酒までくらっていやがった」

いまいましげに吐き捨てた。先生、確か肝臓を悪くして禁酒してたはずだ。思い出して、守はちょっとおかしくなった。

「派出所にも協力を頼んでおいたんだが、ひまがかかったな。気を揉《も》まされたよ」

「でも、そこでいくら金を使ってても、部費の盗難とは関係ないでしょう？」

「そうだな。今の学生はみんなアルバイトをしよるから。原則としては夏休み以外禁止のはずなんだが」

ついでににらまれて、守は首をすくめた。

「ただ、校則違反には違いない。バスケット部の内規破りでもある。一年坊ずのくせに平気で規律を乱すようなことをするから、部費が紛失したりするんだ。そういう後輩を放《ほう》っておく上級生もだらしない。それでこってり油をしぼってやった。年内いっぱい、バスケット部員全員で校内の便所掃除だ。正月合宿のかわりに、俺の選んだアルバイト先で働いて、紛失した金を埋め合わせる」

岩本先生はポケットからハンカチを出すと、爆発するような音をたてて鼻をかんだ。

「盗難に関してはそういうことだ。何よりも、あいつらをきちんと監督できない俺の責任が重大だと思ってる。そのために日下に迷惑をかけた。すまん」

立ち上がり、律儀《りちぎ》に頭を下げた。

「処分が甘いと不満に思うかもしれんが、三浦たちはバスケット部に置いておくつもりだ。連中がやめたいと泣いても、絶対にやめさせせん。ああいうやつだからこそ、放り出さないで鍛えてやらにゃならんのだ。わかってくれるな？」

守はうなずいた。

「よし、もう行っていい。教室に行くまえに、まず能崎先生に会って、勝手に休んだことを謝ってこいよ。あの先生は真面目《まじめ》なんだ」

「そうします」

準備室を出ようとすると、たった今思い出したというように、岩本先生は言った。

「日下、俺は遺伝は信じない主義だ」

ドアに手をかけたまま、守は足をとめた。

「蛙《かえる》の子がみんな蛙になってたら、周りじゅう蛙だらけでうるさくてかなわん。俺はただの体育の教師だから、難しいことはよくわからん。わからんが、教育なんてしち面倒くさいことを飽きもせずにやってるのは、蛙の子が犬になったり馬になったりするのを見るのが面白いからだ」

守は口元が緩むのを感じた。ひさしぶりに、心の底から涌《わ》き上がってくる笑いだった。

「ただ世間には、目の悪いやつらがごまんといるからな。象のしっぽに触って蛇《へび》だと騒いだり、牛の角をつかんでサイだと信じていたりする。連中ときたら、自分の鼻先さえ見えとらんのだ。ぶつかるたびに腹を立てんで、お前の方からうまくよけて歩けよ」

宮下陽一の家は鉄筋三階建のビルで、一階が事務所になっていた。彼の両親は共同で司法書士事務所を開いているのだ。看板の下の「登記手続き一切・不動産鑑定もいたします」という文字と、その横の緑豊かな町並みの絵は、どうやら陽一の手になるものらしい。

陽一の母親は、彼とよく似たきゃしゃな身体のひとだった。案内されたのは三階の奥の部屋で、ドアの脇《わき》には陽一の作品がおさめられた額がかけられている。

ノックすると、小さな声が答えた。

「どなたですか」

「つるさんはまるまるむし」

ドアが開いた。陽一の、もう泣き出しかけている顔がのぞいた。

「僕はどうしようもないぶきっちょだよ。結び目もちゃんと作れないんだからね」

つとめて守から目をそらし、うつむきがちに陽一は言った。

守は鴨居を見上げた。頑丈で、陽一の体重ぐらい楽々支えられそうだった。紐がほどけてくれて、本当によかった。

包帯もあいかわらず、そのうえに、陽一はまたひとまわり小さくなったように見えた。

「どうしてそんな真似をしたのさ？」

陽一は答えない。

「岩本先生から話は聞いたよ。あのまま僕がぬれぎぬを着せられて退学処分になったら可哀《かわい》そうだ、そう思ったから、嘘をついて助けてくれようとしたのかい？」

しんとしている。階下も静かなのは、宮下君の両親もここでの話を気にしているからだろうか、と思った。

「でも、それは間違ってる。ましてや死のうなんてとんでもないよ。周りの人たちがどれくらい悲しむか、ちょっとでも考えてみたかい？　だいいち、君にそこまでしてもらったって、僕はそれにこたえきれないよ。責任のとりようがない」

長い間をおいて、蚊のなくような声が答えた。

「僕がやったんだ……」

「だからそれは違うじゃないか」

かぶりを振って言いかける守に、おっかぶせるようにして陽一は続けた。

「僕がやったんだ。全部僕がやったことなんだ。日下君だって、僕が何をしたか知ったらきっと軽蔑《けいべつ》するはずだよ」

「どういうことさ」陽一の勢いに、守は少し不安を感じた。「君が何をしたってんだ？」

陽一の頰を涙がつたった。

「僕がやったことなんだ」彼は繰り返した。「日下君のおじさんの記事を貼《は》り出したのも、黒板の落書きも、日下君の家の壁に『人殺し』って書いたのも、みんな僕なんだ。僕がやったんだよ」

出し抜けにボディ・ブローをくらった感じで、守は声も出なかった。しゃくりあげるたびに上下する陽一の頭と、包帯に包まれた右手を見比べていた。

「じゃあ、その手……うちのガラスを割ったときに切ったんだね？」

陽一はこっくりした。守のなかに正気が立ち返ってきた。

「わかった」彼は低く言った。「三浦たちに脅されてやったんだ。そうだろう？」

もう一度大きくうなずく。

「直接手を下したんじゃ、誰かに見つかったときまずいもんな。だから君を脅して代わりにやらせたんだ」

守は、陽一が「ローレル」へやって来たときのことを思い出した。あのとき何か話したそうだったのは、このことだったのだ。

「その怪我も、自転車で転んだんじゃないね？　僕のバイト先まで来て、そのことを打ち明けようとしたことが、三浦たちの誰かにバレたんだ。それで殴られたんじゃないのか？」

陽一は、無事な左手で顔をぬぐった。

「言うとおりにしなかったり、誰かにしゃべったりしたら、今度はこの程度じゃすまないって言われたんだ。一生両手が使えないようにも、目が見えないようにもしてやれる。俺たちがやったなんて、誰にもわかりゃしないって」

守の耳の奥で、血が沸騰《ふっとう》した。

以前、大造が「頭にきて耳から血が吹き出しそうだ」と言っていたことがある。子供をはねた運転手をつかまえたときのことだった。大造が追いかけて車をとめさせなければ、その運転手は逃げおおせてしまうところだった。無免許で、酔っ払い運転だった。

その気持がわかった。年寄りだったら、頭のどこかで血管が切れているところだ。

「僕はなんにもできない。スポーツも駄目《だめ》、勉強も駄目。女の子たちは僕になんて見向きもしないよ。だけど、絵だけは……絵を描《か》くことだけは僕のものなんだ。それだけは誰にも負けない。絵を描くことを取り上げられたら、僕は本当のからっぽ、抜け殻《がら》になっちまう。だから、脅されたとき、怖くて怖くてたまらなかった。むしろ、殺してやるって脅された方が耐えられたかもしれない。目を見えなくされたり、手をつぶされたりしたら、僕は生きながら死んじまう。命がなくなるんじゃなくて、中身を抜き取られて、からっぽになってひからびちゃうんだ。それを考えたら、三浦たちの言うとおりにせずにいられなかった。あいつらにとっちゃ、僕への脅しを実行するくらい、準備運動みたいに簡単なことなんだから」

ようやく守の顔を見て、陽一は続けた。

「だけど、ずっとうしろめたくてたまらなかったんだよ。日下君は、僕をわかってくれようとしてた。誰もかまってくれない僕に、君だけは真面目に声をかけてくれた。それなのに僕は、その日下君にあわせる顔のないことをしていたんだよ。だから、償いをしたかった」

「償い……？」

「今度の盗難事件の犯人が僕だって名乗り出れば、それで解決すれば、日下君が助かる。そう思った。だけど、僕はそこでもうまくやれなかったんだ。岩本先生の前に出たら、満足に嘘をつくこともできなかった。前の夜、寝ないで考えたのに。先生には『お前はおとなしく絵だけ描いてればいい』って言われたよ。『日下なら放っておいても大丈夫だ』って。僕は家に帰ってきた。そして、ますます自分がちっぽけで惨《みじ》めに思えてきたんだ。生きてる価値なんかない。だから首を吊ろうとしたのに、そこでも失敗しちゃったんだ」

深呼吸を一つして、守は言った。

「そりゃ、最高の失敗だったよ」

宮下家を出ると、守は学校に戻った。午後六時三十分。閉められている裏門を乗り越え、人目に触れないように充分注意をはらって、夜間の通用口を通り抜けた。

校内はすっかり明りが落ち、がらんどうの暗闇《くらやみ》が広がっている。守はまっすぐ二階へあがり、ペンライトを取り出して三浦のロッカーを探した。

向かって右から四番目の上段。ぴかぴか光る真っ赤なダイヤル式南京錠《ナンキンじょう》がついている。へでもない、と思った。

三浦のロッカーを開けると、乱雑に詰め込まれている中身を、三浦の母親でもしないほどていねいに、きちんと整理した。薄汚れたタオル、教科書、資料集、表紙のまくれたノート、汗くさいTシャツ、半分ほど中身の入ったラーク一箱——そして、ノートを一ページ破り取り、そこにボールペンで書いた。

「三浦邦彦は遺伝を信じる」

それをロッカーの中身のうえに目立つように置くと、扉《とびら》を閉めて元どおりに鍵《かぎ》をかけた。

学校を出ると、近くの電話ボックスに入った。三浦家の電話番号を回す。

「もしもし?」

一発で本人が出た。ガールフレンドからの電話でも待っていたのか、妙に愛想のいい声だった。

「三浦君ですね?」

「そう、俺《おれ》だけど……」ちょっと黙り、それから用心深そうに、「なんだよおまえ——日下か?」

また血圧が上がってきて、こめかみがズキズキしてきた。できるだけはっきりと聞こえるように、抑えた口調で、守は始めた。

「一度しか言わないからよく聞けよ。三浦、お前のやったことは洗いざらい全部わかってるんだ。どうしてそんなことをするかも、な。俺が他所者《よそもの》で、田舎者で、泥棒《どろぼう》の子で親なしの居候《いそうろう》だからだろ? お前ってやつは、そういう人間をいじめるのが大好きなんだよな。でもな、三浦。おまえこそ可哀そうなやつだ。おまえは開けちゃいけないドアを開けたんだ」

びっくりしたような沈黙が伝わってきた。それから怒鳴り声。守は負けじと声をはりあげた。

「一度しか言わないといったろう? 静かに聞けよ。あとからもう一度話し合いたいと言ってきても、もうアウトだからな。

いいか三浦、確かに俺は親なしの居候、泥棒の子だよ。だけど、もっといいことを教えてやる。俺の親父《おやじ》は横領犯なだけじゃない、人殺しもしてるんだ。俺のおふくろを殺したんだよ。ただ、バレていないだけさ」

啓子が擦り切れるようにして若死した責任の一端は、敏夫にある。守はいつもそう思ってきた。つまりこれは嘘ではないのだ。

「お前がうちの壁に書かせた落書きは、本当のことなんだ。俺は人殺しの子供でもあるんだよ」

沈黙。今度は息を殺して。

「あたってるよ、三浦。俺は人殺しの息子なんだ。遺伝を信じるんだろ？　泥棒の子は泥棒。そうなんだ。そういうものなんだよ。遺伝はあるんだ。だから甘く見るんじゃないぞ。俺には人殺しの血が流れてるんだ。人殺しの子は人殺し。そうだよな？」

ちょっと待ってくれよ……言い訳がましい声が聞こえた。

「黙ってろって。いいか三浦、そうだよ。思い出してみたらどうだい？　以前、お前が目をつけていた女の子のことだ。彼女の自転車だ。鍵が見つかって、だから帰れたなんていうのは、嘘だよ。お前も知ってるらしいけど、あれは俺が鍵を外してやったんだ。泥棒の血が流れていたら、あれぐらいお茶の子なんだよ。生まれながらに身についてるんだ。だけどな、三浦。外せるのは自転車の鍵だけだと思うなよ」

怒りは言葉を生み、言葉は怒りを増幅する。守は一気にぶちまけた。

「いいか、これから先、お前が俺に、俺の友達に、俺の家族につきまとったら、彼らに何かやらかしたら、そのときはもう待ったなしだ。どれだけ鍵をかけて閉じこもろうと、どこまで逃げようと無駄だ。どんな鍵もこじ開けて、どこまでも追いかけるからな。お前の大切なバイク、どこに保管してあるんだ？　ちゃんと鍵のかかる安全な場所か？　走り出すまえにはよく注意してみろよ。百キロでスッとばしてる最中にブレーキがきかなくなってることを発見するのは、ゾッとしないだろう？」

電話線にのって、三浦の膝《ひざ》の震えが感じられるようだった。

「わかったかい？　遺伝を信じろよ。そして、せいぜい命を大事にすることだな」

とどめに、受話器を叩《たた》きつけるようにして電話を切った。

胃のあたりから重いつかえが消えていく。気がつくと、自分の膝も震えていた。電話ボックスのガラスにもたれて、守は深々とため息をついた。

6

十一月三十日発行写真週刊誌「スパイダー」通巻第五二四号より抜粋

「良心」と「愛人」のあいだ
名乗り出た善意の目撃者の場合

読者諸兄のなかに、年商百億円を誇る企業の重役であり、財産家で美人の妻をもち、その妻よりなお美人で若い愛人をお持ちの幸運な方はおられるだろうか。左の写真の人物、株式会社新日本商事副社長の吉武浩一氏は、その稀有《けう》な幸運の持ち主である。なおかつ、氏はたぐいまれな正義感と公平な良心の人でもあった。

ことの起こりは、十三日深夜に起きた交通事故である。個人タクシーにはねられて二十一歳の女子大生が死亡した事故だが、この事件、目撃者がいないために、被害者の方が信号無視して車の前に飛び出してきたという運転手側の主張と、運転手こそ信号無視したのだという被害者側の主張とが、まっこうから対立する形になっていた。その対立にけりをつけ、逮捕されていた運転手を青天白日の身にして釈放させたのが、かくいう吉武氏の目撃証言だったわけである。

吉武氏が事故を目撃した現場は、氏の自宅とはかけ離れた場所にあり、氏にはその時刻にそこにいるべき正当な理由がなかった。あったのは、氏の愛人で事故現場近くのマンションに住むI嬢を訪ねる途中だったという、きわめて危ない理由だったのである。

吉武氏は○○県枚川市出身の四十五歳。一介のセールスマンから現在の地位にのぼった辣腕《らつわん》の事業家だが、氏が副社長をつとめている新日本商事そのものは、氏の夫人と創立者であるその父親の所有物である。氏が、愛人をもつには最大限の注意をはらわねばならない立場にあることは、想像に難くない。

しかし、吉武氏は現場の目撃証言がないために運転手が不当な疑いをかけられていることを知ると、城東警察署に出頭し、氏の目撃した事故の様子が、運転手の供述どおりであることを証言した。氏の記憶は正確で、被害者の女子大生が事故の直前、時刻を尋ねた氏の質問に、『零時五分過ぎです』と答えたことまで覚えていた。これにより、城東警察署では氏の証言の信憑性《しんぴょうせい》を認め、事故原因は被害者側の過失にあったことで落着したのである。同時に、吉武氏が実に勇敢であり、家庭内のもめごとより社会正義を優先される太っ腹な人物であることも実証されたことになるが、これによって氏の離婚が時間の問題となったという悲観的観測も生まれている。

それにしても、哀れをとどめるのはI嬢である。吉武氏との仲がおおやけになった彼女、勤めていたクラブも辞め、吉武氏と夫人がどういう結論を出すか、友人宅に身をひそめながらなりゆきを見守っている。読者諸兄のなかにもしも吉武氏のごとき幸運な方がおられたら、くれぐれもご注意願いたい。妻の逆鱗《げきりん》に触れず愛人を泣かせないためにも、秘密の逢引《あいび》きに通う際には交通事故を目撃されないことである。

7

浅野家の生活は、一見、平常に戻った。

少し元気はないようだが、真紀は毎朝会社に出勤する。より子は毎朝守を叩き起こし、弁当を持たせて学校に送り出すと、一日の仕事の手始めの掃除にとりかかる。

パターンが変わったのは大造だけだった。今までは、深夜に働き、子供たちが出かけていく朝には布団《ふとん》のなかにいた彼が、座敷の窓際《まどぎわ》に座って見送るようになったのだ。

新聞をながめる時間も多くなった。大造が熱心に紙面に見入っているとき、広げられているのはいつも求人欄であることを、みんな知っていた。ただ、口には出さなかった。

大造のダーク・グリーンの車は、彼より一日遅れて修理工場から戻されてきたのだが、彼はそれを一度掃除したきり、手も触れないでいる。

「東海タクシー」の里見社長は、免停期間が終わるまでうちで働かないかと、何度か誘いをかけてきた。掃除や整備の手伝い、人員管理。運転以外にも、仕事はたくさんある。

だが、大造はやんわりとそれを断わった。もう二度とハンドルを握らない、車に近寄ることさえすまいと決めた彼の決心は、どうあっても揺らぐものではなかったのだ。

「大さん、堅いからねえ」

とうとうあきらめて帰るとき、里見社長はより子に言ったものだった。

「運転手稼業《かぎょう》をやってると、誰でも何度かそんな気になるもんだし、気持はわかるんだがね。奥さん、これからどうするね？」

「なんとかなりますよ」より子は笑って答えた。

守の学校生活も落ち着きを取り戻した。あの一撃がよほどこたえたのか、三浦と仲間たちはピタリと嫌《いや》がらせをやめた。宮下陽一も怪我《けが》が癒《い》え、登校してくるようになった。

師走《しわす》に入ってまもなく、一家で夕食をとっているときのことだった。つけっぱなしのテレビで六時のニュースが流れている。見るともなく目をやると、どこか見覚えのある建物が守の目に映った。アナウンサーがしゃべり始めた。

「本日午後三時ごろ、K区の大型スーパー『ローレル』城東店で、中年男性が突然暴れ出し――」

ローレルだ。守は食事をやめた。

「家庭用品売り場から持ち出した出刃包丁で店員二人に負傷させるという事件が起きました。この男は同区に住む無職、柿山和信《かきやまかずのぶ》四十五歳で――」

「いやだ、守ちゃんがバイトしてるところでしょ？」守が取り落とした箸《はし》を拾いながら、真紀が訊《き》いた。

「怪我をしたのは、同店の警備員牧野五郎さん五十七歳と、店員の高野一さん三十歳の二人です。高野さんは左肩を刺され、全治約二週間の重傷です。なお、事件当時同店には千五百人ほどの買い物客がいましたが、負傷者は出ていません。警視庁城東警察署では、柿山を逮捕して現在動機などについて調べていますが、柿山は犯行直後異常に興奮しており、また覚《かく》醒剤《せいざい》所持による逮捕歴もあることから、薬物中毒による一時的な精神錯乱が犯行の原因と見て、調べを進めています」

守は危うく茶碗《ちゃわん》まで落とすところだった。

高野の運び込まれた病院には、面会時間の終了ぎりぎりにすべりこむことができた。

高野は首から肩にかけてギプスと包帯で固定され、ベッドに横たわっていた。あいている右手には点滴の針が刺さっている。守がそっと病室に顔を出すと、その姿勢でできるかぎり首を持ち上げて、

「やあ、こりゃ、どうぞ」と、笑顔を見せた。

「すまないね。びっくりさせたかい？」

「ニュースで見たんですよ。夕飯がヘンなとこに入っちゃったみたいだ」

警官たちはひきあげた後だった。本格的な事情聴取は明日以降のことになるという。

「ひどいめにあいましたね。痛みますか？」

「そうでもないよ。そんなに深い傷じゃないんだ。ただ、場所が場所だから大事をとってこんな格好をさせられているだけでね」

高野は顎《あご》の先で傷口のあたりをさしてみせた。もう十センチ上だったら首筋、十五センチ下だったらまともに心臓の真上だったろう。

簡単に言ってるけど、危ないところだったんじゃないか。守は背中がヒヤリとするのを感じた。

「鈍ったのかな。自分じゃよけきれると思ったんだけど、情けないね。まあ、お客さんに怪我がなくてよかった」

「牧野さんは？」

「あの人は、犯人を取り押えたときに腰を打ったんだ。でも、検査でも骨に異状はなかった

そうだし、大丈夫、今ごろは家で休んでるだろう」

「だけど、おっかないな。うちでこんな事件が起こるなんてね」

書籍コーナーと家庭用品売り場は、四階のフロアの両端に位置している。柿山が暴れ出し、ショーケースを素手で叩き割って包丁をつかみ出したとき、売り場の女性店員はすぐに非常ベルを鳴らしたが、高野と警備員が駆けつけなければ、買い物客にも怪我人が出ていたかもしれない状況だった。

「表彰ものですね。このあいだの飛び降り騒ぎといい、今回といい、高野さんがいなかったらお手上げだったじゃない」

「知らないのか？　こういうときのために、会社は多少成績に難があっても体力のある社員を採るんだぞ」

高野は笑った。やはり、ちょっと痛そうに見えた。

「それに、この前のときは守のお手《て》柄《がら》だったんじゃないか」

話している間も、一定ののんびりした間隔で点滴の液が落ちてくる。薬が効いてきたのか、高野はぼんやりして、眠そうに見えた。守はそっとベッドのそばを離れかけた。

「……でも、いい機会だと思ってはいるんだ」高野がつぶやいた。

「なにがです？」

「ちょっと……考えていることがあってね……あの女の子、覚えているか？」

「もちろん」

「あの子、学校じゃ優等生でね。あんな騒ぎを起こす原因なんて……なさそうなんだ。騒ぎからしばらくたったら、どうしてあんなことをしたのか、自分でもわからなくなっていたらしいし……」

言葉尻《ことばじり》がぼやけてきた。しばらく様子を見ていると、目が閉じている。守は静かに病室を出た。

廊下を少し進むと、クリップボードを手にした若い看護婦とすれちがった。美人だなぁ……と見送ると、高野の病室に入っていった。

盲腸を切った経験のある佐藤の説によると、独り身の男というものは、入院していると絶対に看護婦に熱をあげてしまうものなのだそうだ。

ひょっとすると、高野さんもいよいよ年貢《ねんぐ》のおさめどきかもしれないな。それはそれで結構、災い転じて福となすってもんだ。守は考えた。

それにしても――

「いい機会」とは、どんな意味だろう。命を落としかけた人間のセリフではない。

病院の通用口を出ていくとき、まばゆいライトとともに救急車が走り込んできた。黄色い毛布をかけた担架が運び込まれていく。

あの女の子――なぜあんな真似《まね》をしたのか、自分でもわからなくなってたって？

8

歳末は、黙っていても客が集まる。商品も売れる。それだけに一日の売上げ目標額も高く設定され、店員たちには緊張の日が続く。

師走の第一日曜日、開店から午後の休憩までの時間を、守と佐藤は書籍コーナーを離れて過ごした。一階のコミュニティ・ホールで行なわれる福引きコーナーの担当が回ってきたからだ。こうした通常の仕事以外のことに時間をとられるのも、このシーズンの特徴だった。

ここで使われている福引きの仕掛けは、一般的なハンドルをじゃらじゃら回して玉を出す形のものではなく、多少近代的に見せるためにコンピュータと連動していた。スロットマシンのようなもので、操作する店員がレバーを倒すと、マシンの中の画面がすごいスピードで回転する。お客は手にストップ・ボタンを持っていて、好きなところで押してストップをかける。止まったところで画面に出ている数字の賞品がもらえる、という具合だ。きれいだし、音はうるさくないし、子供たちは大喜びだったが、重いレバーを倒しては起こし、倒しては起こし、一人で一台ずつ受け持って、次々と切れ目なくやって来る大勢の客を相手にぶっ続けで作業する店員の方は、一時間もやっていると腕がだるくなってくる。

「おい、守、修羅道《しゅらどう》って知ってるか？」にこやかな顔の内側に「いいかげんうんざり」を押し隠して作業しながら、佐藤が訊いた。

「シュラドー？　武道の一種ですか？」

「ノー、ノー。修羅道とはすなわち六道《ろくどう》の一つで、戦いで死んだり殺されたりした人間の堕《お》ちる場所なんだ」

「それがなんか福引きと関係あるんですか？　はい、残念賞。また来てくださいね」

ポケットティッシュを渡された客は、未練たっぷりに、「特賞一名様　エーゲ海クルージングの旅七日間」と大書されたポスターを振り返っていく。

にわかに講談調で、佐藤は続けた。

「争いの妄執《もうしゅう》、恨みつらみ心に深く去らずして、修羅道に堕ちる。するとどうなるか。堕ちたところは戦場だ。朝日がさす。立ち上がって剣をとり、ひしひしと攻め寄せる敵と戦わねばならぬ。傷つき、倒れ、また立ち上がって刃をふるう。日が暮れるころには手が落ち、足が落ち、痛みに呻吟《しんぎん》しつつ涙を流す――」

「またなんか変な本を読みましたね」

「最後まで聞けよ。ところがだ、それでも死ねない。不死身なんだ。一度死んだんだから当然だけどよ、傷だらけで瀕死《ひんし》の重傷を負っていても、朝日がさしかけるときれいに治っちまう。そしてまた敵が攻めてくる。戦わねばならぬ。その繰り返しよ。こりゃ、たまんないぜ」

「僕にはそれ、ラグビーの全日本チームがオール・ブラックスと対戦したときの様子に思えるな」

「何時間もレバーを押したり引いたりしてよ」佐藤はほとほといやになったというように首を振った。「守、俺たち、こうやって客を騙《だま》してんだぜ」

「どうして？　お客さんは福引きを楽しんでますよ」

「それそれ。問題はそこだよ。特賞なんて、ホントに出ると思ってんの？　そんなわけあるかよ。俺《おれ》の見たところ、まあ三等のハイファイ・ビデオで頭打ちだな」

「あらやだ、本当？」

耳ざとい女性客が口をはさんできた。眉間《みけん》にしわを寄せている。

「とんでもない。ちゃんと一等も特賞もあります」

佐藤はつくり笑いをすると、その女性客から抽選券をもぎ取った。レバーを倒す。四等だった。

「余計なことを言わない方がいいですよ。はい、四等です。サランラップとのど飴《あめ》、どっちがいいですか？」

さすがに声を低くして、それでも佐藤は続けた。

「お客は夢を求め、抽選引替券を握りしめてやってくる。俺は胸が痛むよ。抽選券欲しさに、お客が必要でないものまで買ってるんだと思うと。俺とお前はよ、その罪で、死んだら修羅道に堕ちるぞ。福引きの修羅道だ。朝から晩まで、腕が落っこちるほどレバーを操作してさ、夜が明けるとまたわしわしと客がやって来る。手に手に抽選券持って。同じことの繰り返しだ。ガチャン、ガチャン――」

「どういう発想してるんですか」

そこへ、高野を欠き、現在は書籍コーナーの事実上のチーフになっている女史がやって来た。

「ごくろうさま。交代するからお昼にしてね。午後からは倉庫で検品をお願い」

「阿弥陀様《あみださま》、お助けを」と、佐藤が言った。


佐藤と二人、カフェテリアで昼食をとったとき、守は橋本に電話をかけに立った。抽選コーナーにいるときより子から電話があったそうで、伝言をもらっていた。

「今朝、日下君が家を出るのと入れ違いに、橋本って人から電話があったんですって。かけなおしてくれるようにって」

橋本信彦が、何の用だろう？

電話は話し中だった。時計を見ながら二分おきに三度かけ、ツー、ツーという音の繰り返しに、守は受話器を戻した。

「すぐ会いに来てくれないと絶交よ！　彼女か？」佐藤はにやにやした。

「そうです。でも平気ですよ、何度も絶交してるから。あとで仲直りするのが楽しいんです」

「ヒヤヒヤ、おみそれしました」佐藤は深々と頭を下げた。「いいよなぁ。そこへいくと俺なんか自由人だから、旅から旅の風まかせ。とめてくれるなカワイコちゃん！」

「今度の正月休みはどこへ行くんですか」

「パリーダカール・ラリーを見に行く」

「へえ！　いいなぁ。だけど相当かかるでしょう？」

「金か？　まあな。でも、そのために頑張《がんば》って切りつめてきたからなんとかなるさ。俺が休んでるあいだはよろしくな。行ったきり戻らなかったら、欧州大陸の方を向いておがんでくれよ」

その話と、さっきまでの修羅道うんぬんが結びついて、守は佐藤に尋ねてみた。菅野洋子の一件以来、ときおり考えていることだった。

「佐藤さん、好きなように旅して歩くために、もっといい仕事につこうと思ったことはないんですか？」

「いい仕事って？」

「つまり……もっと楽してガンガン儲《もう》かるような」

佐藤はきょとんとした。「お前らしくもない質問だな。どうかしたのかよ」

「別に。ちょっと興味があるだけです」

「ふうん」佐藤は鼻の下をこすった。「ガンガン儲かる、か。そりゃうれしいけど、でもよ、そういう話はたいていヤバイだろ？　誰かを騙すか、こっちが騙されるかだ。気乗りしねえよな。本屋は面白いし、俺の性にもあってるよ。働いただけの実入りはちゃんとあるんだし」

倉庫に戻ると、検品と返本の山が待ち受けていた。おまけに、今日はあの店内ビデオ・デイスプレイで来年夏向きの水着のファッション・ショーを流しているそうで、佐藤がしょっちゅう中座する。

「すっげえハイレグ。ありゃ、ハダカよりハダカだぜ。お前も見てこいよ」

一時間もすると、制服の下のTシャツが汗びっしょりになった。片付けても片付けても、仕事は山と控えている。こっちの方が修羅道だよ、と、苦笑いが出た。

返本のため積み上げられている雑誌の束をながめて、ふと「情報チャンネル」を思い出した。

どのくらい売れたんだろう？　どれぐらいの人たちがあの記事を読んだんだろう。大部分は、やはりこういうルートを通り、最後は断裁業者の手に渡ったのだろうけれど。

（全部買いあげていってくれた人がいたの）

裁判がどうのこうのという話だったっけ……でも、恋人商法のようなケースで、はたして個人を詐欺《さぎ》容疑で訴えることなんかできるのだろうか。

そのとき、ちょっとおもむきの違う雑誌が目にとまり、守はぼんやりとした物思いから覚めた。

いわゆる「切り抜き雑誌」だった。一般に出回っている新聞・雑誌・写真週刊誌や夕刊紙の記事をそのまま切り抜き、ジャンル別に編集し直したものだ。守の知っているかぎりでも、書評専門、コンピュータ関連の新製品開発情報専門の二誌があり、それぞれに需要があるのか、よく売れている。

ただ、これはちょっと違っていた。社会面、つまり三面記事専門のものなのだ。犯罪・事故・事件の記事ばかりだから、一般の人がそう興味をもって手にするものではないし、仕事上そういうものが必要な人たちは、自分でスクラップしているだろうから、わざわざ買うまい。切り抜き雑誌は手仕事でつくられるので、普通の雑誌よりかなり割高なのだ。

　この雑誌は取次を通さず、出版社が直接持ち込んできたのだが、引き受けるとき、高野も同じことを説明して、こちらで指定する期限が来たら必ず責任持って引き取りに来るよう、何度も念を押していた。

「九月下期〜十一月上期　事故・自殺その他」という大見出しにひかれて、一冊手にとってみた。大造の事故の記事もあるだろうと思ったのだ。

載ってはいたが、ささやかなものだった。三大新聞と、経済紙が一紙、浅野家でとっている東京日報。どれもベタ記事で、寄り集まっても、月末に起きた幼児誘拐《ゆうかい》未遂事件の記事一紙分の半分にもならない。

　それでも、ここに書かれていないところで、様々なことがあった。どんな事件でも同じはずだ。巻き込まれた人たちにとっては、頭の上にいきなり月が落下してきたようなものなのだから。

　それにしても、毎日毎日、人が大勢死んでいるんだなぁ……。枕川じゃ考えられないことだ。守の目には、この東京という都会が頑丈で容赦ない一そろいの奥歯をもった怪物に見えることがあった。人間をバリバリ嚙《か》み砕く。

全体にパラパラと目を通しているとき、十月上期のところで、「東西線ホームで飛び降り」という見出しが目にとまった。そういえば、この路線を利用している真紀がそんな話をしていたことがある。(駅で聞いたんだけど、自殺した人の首がね、連結器の間にはさまってたんだって。ホントよ)

読み進むうちに、守は思わず倉庫の床に正座した。

「死亡した女性は——会社員、三田敦子さん(20)で——」

三田敦子。

あの、座談会の女性の一人か?

まさか。雑誌を膝に、守はまばたきした。何度見直しても同じことが書いてある。三田敦子。自殺。遺書は発見されていない。

十月。三田敦子、飛びこみ自殺。十一月。菅野洋子、事故死。だが、内容的には自殺と似ている。走って車のまえに飛び出してきたのだから。

雑誌を持ったままフロアの端のカード公衆電話に走った。もう一度、橋本を呼び出す。

また、話し中。

くちびるを噛んで考え、思い直してこの切り抜き雑誌の発行元に電話した。それ以前の分はもう返本してしまったあとなのだ。

用件を話すと、ちょっとお待ちくださいと言ってオルゴールが鳴り出した。守はいらいらと足踏みして待った。

「もしもし？　お待たせしました。加藤文恵さんという名前はありますね。九月二日付で記事が出ています。自宅のマンションから飛び降り自殺」

「遺書があるかどうか書いてありますか？」

「ええ。発見されてないそうです。動機を調べている、と」

加藤文恵。飛び降り自殺。遺書はなし。

「高木和子という名前は？　それはありませんか？」

ちょっと沈黙して、ページを繰るかすかな音のあと、相手は答えた。

「ありませんね……見当たりません」

では、三人だ。まだ三人。もう三人。

三人死んでる。座談会の四人の女性のうち、三人までが。

守の様子がおかしいことに気がついたのか、佐藤がそばに来ていた。

「おい、どうしたんだよ？　たった今二リットルばかり献血してきましたって顔だぜ」

「すみません、ちょっと急用ができたんです」

守は階段へ走った。橋本に会いに行こう。彼もきっと、このことで電話してきたのだと思った。

四人のうち三人。こんな馬鹿《ばか》な偶然があるものか。

9

橋本信彦は消えていた。

いや、消えたのは彼だけではなかった。家もだ。残されているのは、彼の暮していたオフ・グリーンの家の残骸《ざんがい》だけだった。

ひび割れ、黒くすすけた壁。むきだしになった焦《こ》げた鉄柱が墓標のように空を突いて立っている。魚の歯を思わせるギザギザの残骸だけが残った窓枠《まどわく》の向こうには、焦げ臭い暗がりが広がっている。

「危険・立入禁止」のロープのそばによると、足の下でなにか砕ける音がした。窓ガラスの鋭い破片に混じって、丸みを帯びた酒瓶《ボトル》のそれが、灰燼《かいじん》と水たまりのなかで点々と光っている。

あとかたもなく、すべて焼きつくされている。

溶けかけたキャビネット。スチールの縁だけが残されたデスク。守の腰かけたソファが残したふやけたスプリング。

いったい何があったんだ？　残骸を見あげ、守は言葉も出なかった。橋本さんに何が起こったんだ？

「あんた、橋本さんの知りあい？」

振り向くと、片手にほうきを持ち、赤いエプロンをかけた女性が立っていた。

「はい……そうです」

「親戚《しんせき》の子？」

「いいえ。ほんの顔見知り程度ですけど……これ、いったい」

「橋本さん、亡《な》くなったよ」

亡くなった？　守は立ちすくんだ。橋本信彦まで死んだ？

「何があったんです」

「プロパンの爆発」女は答えた。「ひどいもんだったわよ。この通りの先の家でも窓ガラスが吹っ飛んじゃったんだから。はた迷惑な話だよ」

女は、気分が悪いと学校を早退してきた子供を見るように、守をながめた。

「あんた、大丈夫かい？　ひどい顔してるよ」

「橋本さん、爆発で亡くなったんですか」

「そうだよ。丸焦げだったって、聞いてるけどね」

女は手にしたほうきで守を手招きした。「とにかくそこから出なさいよ。危ないよ。警察の人に、入っちゃいけないって言われてるんだから」

言われたとおりにしながら、守はもう一度振り向いて焼け跡を見た。真っ黒な残骸の山のなかに、ここを訪ねてきたとき見た記憶のある壁掛け時計が転がっている。ガラスが割れ、針は二時十分をさして止まっている。

吹っ飛んだ。木端微塵《こっぱみじん》に。

電話が通じなかったのも、このためだったのだ。火災や事故で接続線が切れると、一時的に通話中音が聞こえるようになる、という話を聞いたことがあった。

「何が原因だったか、わかりますか？」

「さあねえ。お酒か、奥さんが逃げちゃったからか、なんだろうね。あの人、変わってたからね。何を考えてたんだかわからないよ」

女の言葉の意味がつかめなかった。

「どういうことですか？」

「自殺だってよ」女はほうきをぶらぶらさせた。「家中のガス栓《せん》が全開になってたんだって。おまけに、ごていねいにポリタンク一杯分のガソリンをまきちらしてさ。で、マッチでもすったんじゃないのかねえ。今、消防署で調べてるって。あんた、本当に大丈夫かい？　ねえ、橋本さんの知りあいなら、あの人の身内と連絡がとれないかね？　みんな困ってるんだよ。うちだってガラスは割れるし水びたしになるし、どうしてくれるんだろう」

あとは聞こえなかった。外界の全《すべ》ての音が消えていった。

橋本信彦も死んだ。自殺した、と。

向かいの家のブロック塀《べい》に頭をもたせかけ、守は考えた。

また、自殺だ。四人のうちの三人じゃなかった。あの座談会に関《かか》わった、五人のうちの四人だった。

こんなことがあり得るはずがない。信じられない。偶然でこんなことが続いてたまるものか。

これは殺人なのだ。誰かが、計画的に、冷酷に計算を立てて、この四人を殺してきたのだ。首筋に刃物をあてられたように、冷たいものが走った。

橋本は、あの四人の女性をつなぐたった一つの輪だったのだ。一見無関係に見える三つの死体を結びつける要《かなめ》だった。だから吹っ飛ばされたのだ。

この徹底した破壊ぶり。それでわかる。あのキャビネットには、四人の女性の取材記録が、写真があった。この殺人を企て、実行している「誰か」にはそれが邪魔だったのだ。

もし、橋本が、あの四人のうち三人が別々の場所で死亡していることに気がつけば――いや、きっと気づいたのだ。彼は気がついた。だから殺されたのだ。

ただ――守は目を上げた。

いったいどんな方法で？　菅野洋子はともかくも、あとの二人の女性は、少なくとも外見上は疑いの余地のない自殺だった。目撃者がいる。相手は生身の人間だ。ビルの屋上や駅のホームから突き落とすことはできても、自分からそうするように仕向けることなどできはしない。

風に乗って、焼け跡の匂《にお》いがした。ガソリンの匂いがした。

ガソリン。そう、ガソリンだ。橋本一人を殺すだけなら、プロパンの爆発だけで事足りたはずだ。「誰か」は、キャビネットの中身まで始末したかったがために、ガソリンをまいた。そして火をつけた。

どうやって？　この有様だ。「誰か」もその場にいたなら、けっして無事ではすむまい。だからこそ、警察も自殺と判断しているのだ。

いったいどうやったんだ？

橋本さんは僕に何を伝えたかったんだろう。またそれを思い出した。

今朝の電話だ。あれで何を話したかったのだろう。三人の女性の死が連続殺人であることだけか、それともその方法までつかんで——

今朝の電話。そこで思考が止まった。

この焼け跡はもう冷えている。爆発があったのはいつだ？

時計は二時十分で止まっていた。今、午後四時三十分を過ぎたところだ。あれは今朝午前二時十分ということなのだ。

あれは橋本さんじゃなかった。橋本信彦の名前を借りて「誰か」が電話してきた。

突然、どやしつけられたように守は悟った。

たった一冊だけ残った「情報チャンネル」だ。もう一つの輪だ。四人の女性をつなぎ、三人の死亡の偶然性を否定する唯一《ゆいいつ》の証拠だ。脇《わき》の下を冷たい汗が滑り落ちた。

あれはうちにある。そして僕は、橋本さんに、うちの住所と電話番号を書いたメモを渡してあった。「誰か」はそれを知っている。知っているから電話してきたんだ。

警告するために。

電話が見つからなかった。気がちがったように走りまわって、一区画先の電話ボックスに飛び込んだときには目が回りそうだった。焦《あせ》るあまり、とっさに家の電話番号さえ思い出せなくなった。

受話器を握り、金属的な接続音を聞いているとき、もうすべて手遅れではないかと思えてきた。家の電話もまた、ツー、ツーという通話中音を繰り返すだけになっていたら——

「はい、浅野です」より子の声が出た。

「おばさん？　早く家から出てください！」

「へ？　誰よあんた」

「守です。説明してる時間がないんだ。いいから黙って言うとおりにしてください。早く家から出るんです。なにも持たないで。おじさんも、真紀姉さんもいっしょに。今すぐ！」

「ちょっと守、どうしたのよ？」

「頼むから僕の言うとおりにしてください！　お願いだから」

「あのねえ」より子の声がとがった。「なにを寝惚《ねぼ》けてるんだか知らないけど、あんたの留守の間にまた電話があったのよ。橋本さんて言って、折り返しかけてくれって——」

「知ってます、だから——」

「電話番号、聞いてあるんだよ。教えようか？」

声が出なくなった。電話番号を教えてきたって？

「あんたと大事な話があるんだってよ。いいかい？　読むよ」

橋本の家の電話番号ではなかった。都区内の局番だ。透明人間とドッジボールをしているような気分だった。

何を考えてるんだ？　頭がガンガンしてきた。次の弾はどこから飛んでくるんだ？　なかなかダイヤルすることができなかった。恐ろしかった。このまま何もかも放《ほう》り出して逃げ出したかった。

でも、それはできない。守はより子の言った番号をダイヤルした。

呼出し音は二回だけで、相手が出た。守には何を言ったらいいのかわからなかった。指先が白くなるほど強く受話器を握りしめた。

初めて聞く、落ち着いた低い声が呼びかけてきた。

「やあ、坊や。坊やだね」

間を置いて、楽しそうに。

「どうやら君を脅かしてしまったらしい。私はぜひ君と話がしたかったんだよ。橋本信彦は抜きにしてね。彼の役目はもう終わっていたんだよ……」

第五章　見えない光

1

「誰か」の声だった。

奇妙な「既視感」がたちこめてきた。菅野洋子を殺してくれてありがとう。あのときと同じだ。

すべては一本の電話で始まり、最後にはまた一本の電話に行きついたのだ。

「君は頭のいい子だ」声は続けた。かすかに語尾がしわがれている。チェーン・スモーカーのそれのように。

「行動力もある。私は感心しているんだよ。早く君に会いたいものだ」

「あんたは……」ぐっと歯を食いしばってから、ようやく守は言った。「あんたなんだね？全部あんたのやったことなんだね？」

「全部とは？」

「決まってるじゃないか。橋本さんの爆死と、『情報チャンネル』の座談会に出席していた四人の女の人のうち三人が死んでいることだよ」

「ほう」声は素朴《そぼく》に感嘆した。「君はもうそこまで調べていたのか。驚いたよ。今日君に連絡したのは、橋本が死んだことを知らせ、あわせて女性たちのことも教えるためだったんだが、その必要はなかったんだね」

「なぜだ？」語尾がヒステリックに裏返るのをこらえることができなかった。「どうしてこんなことをして、それを僕に教えようなんて言うんだよ。あんたの狙《ねら》いは何だ？」

「その理由を話すのはまだ早い」

思いがけず、優しいとさえ言っていい口調で、相手は続けた。

「時期がきたら話してあげよう。今はただ、あの三人の女性も、橋本信彦も、私の命令に従って死んだということだけ覚えておけばいいよ」

「命令？　馬鹿《ばか》言っちゃいけない。正気の人間に命令して自殺させることなんかできるもんか」

明るい笑い声がした。教室で不覚にも生徒の冗談に笑い出してしまった教師のような。実際、聞こえてくるその声には、目下の者に教え諭すような響きがあった。

「そう、まだ信じられないかもしれない。君には信じられないようなことが、この世には山ほどあるのだ。無理もない、君はまだほんの子供だ」

自転車を押した女性が二人、電話ボックスの前を通りかかった。そのうちの一人と、一瞬、目があった。女性はけげんそうな顔をした。ねえ君、どうしたの？　具合でも悪いの？　困ったことがあったら大人に相談なさい。

　この電話の向こうで、「誰か」も同じような顔をしているのかもしれない。可哀そうに、君の手には余ることだけど、あいにく君しかいないものでね。

　馬鹿にしやがって──そう思うと、少しだけ恐怖が遠のいた。

「死んだ三人の女性は、どこをどう調べても自殺であることに疑いはない。菅野洋子も自殺だったんだよ。私のちょっとした計算違いで無用の疑いを招いてしまったが、彼女は彼女自身の意思で交差点に飛び出したのだ」

「あんたに命令されて？」

「そうだ。私が彼女たちを片づけた」

　片づけた？　ゴミでも捨てるように？

「そして、私は少しも後悔していない。残った一人も同じように片づけるつもりだ」

　あと一人。守は残った女性の名前を思い出した。高木──そう、高木和子だ。写真の左端に座っていた。肩までの髪の、目鼻立ちのはっきりした美人。

「私は少しも恐れていない。私のしたことが発覚するはずはないからね。しかし、無用な注意を惹《ひ》いて失敗するわけにはいかない。だから、橋本信彦にも消えてもらった。あの男は見る影もなく落ちぶれてはいたが、頭は悪くない。君が訪ねていったことがきっかけになって、あの四人の女性が現在どうなっているか知ろうと動き出すかもしれなかった。そして、四人のうち三人までが死亡していることを知ったら、必ず疑っていただろう。私のことを」

「あんた……橋本さんを知ってたんだね？　橋本さんもあんたを知っていた」

「そうだ。ヒントをあげるよ。私はね、『情報チャンネル』の発行元を訪ね、売れ残った雑誌を全《すべ》て買い取っていった男だ。そして橋本信彦に、裁判うんぬんの嘘《うそ》をついて取材記録を見せてもらった男でもある」

いいおじいちゃんだったわよ。水野明美の言葉を思い出した。

「あんた――もう年寄りだって聞いてる」

「そうだな。君に比べたら半世紀は長生きしている」

「なぜこんなことをしてるんだよ？」

「信念だ」

それは断言であり、宣言だった。

「私の信念だよ。それがこの老いぼれた身体《からだ》を動かしているのだ。坊や、約束しよう。四人目の高木和子のときには、必ず君に連絡するよ。そして、君に証明してあげよう。私にどれほどのことができるのか、信じられるように」

「それまで待ってなんかいるもんか」

恐怖は完全に吹っ飛んだ。あるのは怒りだけだった。守の内側で、激した自分自身が外へ出るドアを拳《こぶし》でがんがん叩《たた》いている。

「あんたに何ができるのか、知りたくもない。知る必要もないし、今、僕がここで電話を切って、一番近くの警察へ駆け込むのをとめることができるとも思わないね」

言い終えると同時に、本当に電話を切りかけた。思いとどまったのは、こちらの行動を見透かしたかのように、「誰か」が精一杯声を張りあげたからだった。

「いいや、私にはできる」

声は自信に満ちていた。

「考えてごらん。君には失うものがたくさんあるはずだ。橋本には何もなかった。あの男に残っていたのは、せいぜいケチなプライドだけだった。だから、彼の口を封じるには、ああいう手荒い手段を使うしかなかったのだ。だが、君は違う」

凍りついた。守のすべてが凍りついてしまうまで待って、「誰か」は続けた。

「わかるだろう？　私は君がどんな証拠を握っていようと、何を知っていようと、少しも気にならない。なぜなら君には何もできないからだ。私は他人を意のままに操ることができるのだよ。その『他人』のなかに君の家族や友人を混ぜることも、これまたしごく簡単なのだ」

どこかへ吹き飛ばしたはずの恐怖心が、曳光弾《えいこうだん》のように尾を引いて戻ってきた。その光のなかに大勢の人たちの顔が見えた。

「卑怯者《ひきょうもの》」

それだけ言うのがやっとだった。

「だったらさっさと僕を殺せばいいじゃないか。なぜそうしないんだよ？」

「私は君が好きだからだ。君の勇気を、知恵を評価しているからだよ。そして、私たち二人にはきっとわかりあえる部分があると思うからだ」

「誰がお前なんかと——」

「小さなデモンストレーションをお見せしよう」守をさえぎって、「誰か」は続けた。「今夜九時だ。私が確かに他人を意のままに動かすことのできるという証拠を、君の家族を使って見せてあげる。信じる、信じないは君の自由だが、行動を起こすのはそれを見てからでも遅くはあるまい」

ちょっとからかうような調子でつけ加えた。「まだ行動を起こす気になればの話だが」

「あんた、気違いだ。自分のやっていることがわかってるのか?」

「それについては君と会ってから話し合って結論を出すことにしよう」

声は最後まで楽しげな調子を崩さなかった。

「楽しみだよ、坊や。私は君に会えるときを心待ちにしている。私と君との間には、きっと共通点があるはずだ。それを君に教えられるときが来るまで、しばらく私のことは忘れていることだ。必ず連絡するから」

「高木和子を探す」守は言い切った。「探して、あんたが手を出せないようにしてやる」

「ご自由に」

笑い声。

「この広い東京で、どうやって探し出すのかな? まあ、やってごらん。今となっては、彼女が君に見つけられるような場所にいるとも思えないし、君の呼びかけに応《こた》えて現われるとも思えない。彼女だって、今はもう充分すぎるほど怖がっているはずだから」

残されているのは彼女一人だけであることを、高木和子も知っているということなのだ。

「もう一つ、最後に言っておくよ。君が私を探し出そうとしても無駄《むだ》なことだ。手掛りは何もないし、この電話番号の場所にも、もういないつもりだからね。私の方から君に会おうとするときまで待ってもらうしかないのだ」

何かからの引用のように抑揚をつけ、最後にこう言って、電話は切れた。

「私は返事をしないし、二度と帰ってはこない。そのときが来るまではね」

2

高木和子が橋本信彦の死を知ったのも、彼の家の残骸《ざんがい》の前に立ったときだった。

彼を訪ねようと思い立ったのは、耐え切れなくなったからだった。毎日毎日、笑顔をつくって化粧品を売りつける仕事をしながらも、和子の内側で確実にある種の侵食が進んでいた。家具で隠したカーペットのしみのように、どうごまかしてもそれはそこにあった。

動かない。あの四人のうち三人が死に、残ったのは彼女一人だけだという現実は。

橋本なら、何か知っているかもしれない。そう思うといてもたってもいられなくなった。

座談会に出たときには、あんな不愉快な男とは二度と顔を合わせるまいと決めたものだったが、今はその橋本が唯一《ゆいいつ》の鍵《かぎ》のように思えた。彼女たち四人を知り、身元を知っているたった一人の男。

　その橋本も死んでいる。

爆発で吹っ飛んだ門扉《もんぴ》の跡に立った彼女は、これまで心に抱いてきた怯《おび》えなどものの数でもなかったことを知ったのだった。

「ちょっと、あんた」

誰かに声をかけられた。真っ赤なエプロンをかけた女が、不機嫌《ふきげん》そうに眉根《まゆね》を寄せてこちらをながめていた。

「橋本さんの身内の人かい？」

「いいえ。ただの知りあいです」

へえ、と、馬鹿にしたように女は顎《あご》をあげた。

「あの人にゃ、死んでから訪ねてくる知りあいってのがばかに多いもんだ」

「ほかにも誰か来たんですか？」

和子は身構えた。彼女の記憶のなかにある橋本という男には、身の上を案じてくれる知人などいそうになかった。誰か来たのなら、きっとこのことに関《かか》わりのある人間に違いない。

「一時間ぐらい前かな。高校生ぐらいの男の子だったよ。やっぱりあんたみたいにそこにつっ立って、悪酔いしたみたいな顔をしてた」

「男の子」

当惑してしまう事実だった。

加藤文恵に続いて三田敦子が死んだあと、和子と菅野洋子とは、これが偶然ではないという可能性を吟味してみたことがあった。もっとも、それを考えていたのはもっぱら洋子のほうで、和子は、相手のあげる推測を片っ端から否定していたのだが。

「お客の一人よ、きっと」あのとき、洋子は言った。「わたしたちのこと恨んで、それで一人ずつ殺しているのよ」

「そんな度胸のあるやつがいるもんですか」和子は鼻で笑った。「だいいち、どうしてあたしたち四人とも殺されなきゃならないのよ。誰も、同じお客をだぶってカモッたことなんかないわよ。あたしのお客はあたしだけ。あんたのお客はあんただけしか知らない。恨まれるのも一人ずつ。別々よ」

「あの雑誌を見て——」

「だから、あたしたちのお客があの雑誌を見ているとは限らないじゃない！　見ていない可能性のほうがずっと大きいわよ」

「一人、いるの」洋子は囁《ささや》いた。「私の元のお客で、あの雑誌の記事を読んだ人が。すごくしつこいのよ。わたし怖くて——」

「洋子あんた、それで引っ越ししたの？」

洋子はうなずいた。「でも駄目だったわ。すぐわかっちゃった。まだ追いかけてくるのよ」

「しっかりしなさいよ」

自分もまた、同じ目に遭うかもしれない可能性にひそかに身震いしながら、和子は強く言った。

「その男にはもう何もできやしないのよ。訴えることだってできないわ。あたしたちはただ、雇われていただけなんだから。詐欺《さぎ》行為があったとしても、それは会社の責任で、あたしたち個人じゃないわ」

「だから殺しているのかもしれないわ」消え入りそうな声でつぶやいた。「ほかに、恨みを晴らす方法がないから」

「馬鹿なこと言わないでよ！　敦子も文恵も殺されたんじゃない、自殺したんだから。何度言ったらわかるの？　だいたい、あたしたちが何をしたっていうのよ。そりゃ、ちょっとは汚い手を使ったかもしれない。だけど商売よ。営業よ。殺されるほどのことなんかしてないわよ」

洋子は黙り込んだ。じっと和子を見ている。

「何よ？」

「和子、本気でそう思ってる？　本当に、何も悪いことなんかしていないと思ってる？　わたしたちを恨んでいる人がいるはずないって思ってる？」

「あたりまえじゃない」

だが、洋子は騙《だま》されなかった。その日別れるとき、彼女はこう言った。

「和子、あなたにも誰かいるのね？　こんなことをしそうな、思いあたる人がいるのね？　わかってるわ、あなただって怖いのよ」

そのとおりだった。思い当たる「客」がいないではなかったのだ。そのときは。

だが、その「客」は死んでいた。古いアドレスの控えをもとに問い合わせてみると、その男はもう死んでいたのだ。五月に。最初の一人、加藤文恵が死ぬ四カ月も以前のことだった。

服毒自殺だったと、問い合わせに答えた相手は言った。和子は、その「客」が大学の研究室に勤めていたことを思い出した。専攻は何だっけ……なにか、医者と似たことをしていたような気がする。

和子はその「客」に、あの「情報チャンネル」を送りつけてやったことがあったのだ。それは、橋本信彦が皮肉な笑みを浮かべながら、彼女に「記念に」とくれた一冊だった。

その「客」は、いやになるほど純粋な男だった。学問にまみれて暮していて、駆け引きも、思わせぶりな態度も、すべて額面通りに受け取る男だった。和子は大勢の「客」を扱ったが、督促状の額面を見てもまだ和子が商売をしていたことに気づかなかったのは、その男だけだった。

「バカじゃないの、あんた」彼が電話をかけてきたとき、そう言ってやった。「まだ目が覚めないの？　あれはお芝居よ。ぜーんぶお芝居。あたしあんたなんかなんとも思ってないわよ」

だが相手は信じなかった。盲目的に和子を追いかけることをやめなかった。それも恨んでいるからではなく、彼女を好いていたからだったのだ。

だから、「情報チャンネル」を送りつけてやったのだ。彼女が、彼のような「客」を本当はどう思っているのか、わからせるために。

以来、その「客」――田沢賢一とか言ったっけ――は、ピタリと連絡してこなくなった。自殺していたなんて、和子の与《あず》り知らぬことだった。

高校生ぐらいの男の子。和子は思い出そうとした。田沢賢一には弟がいただろうか？

「その子、どんな感じの子でした？」

尋ねると、赤いエプロンの女は首をかしげた。

「どんなって、その辺にいそうな子だよ。髪の毛にパーマをかけてるわけでもなし、着てるものも目立つものじゃなかったし。不良学生じゃなさそうだったね」

「橋本さんに似てましたか？」

「全然。可愛《かわい》い顔してたから」

当の日下守は、そのときにはもう電車に揺られていた。和子がもう十分早く駅に降り立っていたら、反対側のホームに立っていた彼の方が、和子の顔を見つけて走り寄っていたかもしれなかった。

「ねえ、あんた、橋本さんの身内と連絡とれないかね？」

赤いエプロンの女が言った。

「損害賠償してもらいたいんだよ。本当に困るんだから」

「お金でかたがつくうちは、幸せですよ」

和子は答え、その場を離れた。

アパートに戻ると手早く荷物をまとめ、大家にも告げず、周囲に人目のないのを確かめて表に走り出た。とりあえず、どこかここから離れたところで暮そう。ウイークリー・マンションでも借りればいい。

それで、誰も彼女を見つけ出せないはずだった。しばらくのあいだは。

3

時間を忘れるために、守はありとあらゆることをした。

へとへとになるまで長距離のランニングをした。部屋に鍵をかけ、破錠用の道具全部に磨《みが》きをかけた。あねごと宮下陽一に電話をかけた。高野の入院している病院に連絡して彼の回復ぶりを訊《き》いた。外出していた真紀が七時ごろ帰ってきたので、彼女が観《み》てきたという新作映画を話題にしゃべりまくった。

「途中で寝ちゃったの」と、真紀は白状した。「だからアクションものがいいって言ったのに、いっしょに行った人全員が歴史ドラマを観たがるんだもの。多数決で負けちゃった」

「毎晩遅くまで遊びまわってるからだよ」

より子がここぞという感じで口をはさんだ。真紀はペロリと舌を出した。

「だって、忘年会シーズンなんだもん」

真紀はケロリとして言ったが、それだけでなく、自棄酒《やけざけ》半分に飲み歩いていることを、守は知っていた。

大造の事故は、真紀と恋人の前川のあいだに深刻な影を落としたらしかった。彼女が夜中に泣きながら電話をしているのを、守は何度も聞いている。毎夜のように午前様をしていながら、彼女がいつも一人きりで帰ってくることも、家族に打ち明け話をして慰めてもらいたがらないことも、よくない傾向だった。

「でもホント、ここのところ少しはめを外しすぎたわ。昨日なんかね、今思い出そうとしてみても、どこにいたのかよく覚えていない時間があるのよ。だいぶ酔ってたのね」

「おっかないね。襲ってくださいと宣伝してるようなもんじゃないの」

「あら大丈夫よ。お母さんが考えてるようなアブナイ事件はね、九〇パーセントまでは顔見知りの間柄《あいだがら》で起こるんだって。わたしはタクシーを拾おうと思って一人で歩き回ってたんだから、かえって安全だったのよ」

「へ理屈をこねる娘だね」

二人のやりとりを聞いているあいだも、守の目はともすると時計に移っていた。頭は空白になり、時計の針は、地雷原を這《は》う兵士のようにジリジリとしか進まないように見えた。

「守ちゃん、さっきからずっと時計とにらめっこしてるわね」

真紀がそう言ったのは、日曜の夜の簡単な夕食が済んだあとのことだった。まもなく八時になる。

「そうかな」

「そうよ。何か約束でもあるの？」

「時計、ちょっと遅れてない？」

大造が答えた。「そんなこたぁないだろう。今日、ネジを巻いて合わせたばかりだぞ」

浅野家の食堂には、年代ものの柱時計が一つある。骨董《こつとう》屋が泣いて喜んで引き取っていきそうな手巻きのもので、大造とより子の結婚祝いに親戚《しんせき》がくれたものだった。

これまで何度か地震にも遭い、かける場所も変わってきているが、一度も動きが止まったことはなかった。週に一度大造がネジを巻き、たまに油を注《さ》す。それだけで、いつでも家中に響き渡るいい音で正確な時刻を告げてくれている。

その柱時計でさえ、今の守には時限爆弾に見えた。

八時半になると、守は自分の部屋にひきこもった。一人きりになり、誰もそばにいなければ何事も起こらないのではないか――すがるようにそう考え、明りを消した部屋で座りこんでいた。

そして、ベッドサイドにあるデジタル時計をにらんでいた。

八時四十分になったとき、ドアにノックの音がした。

「わたしよ、ちょっと入ってもいい？」

真紀の顔がのぞく。いいと答えないうちに、彼女はかくれんぼうする子供のようにドアをすりぬけると、後ろ手に閉めた。

「どうしたの？　そんな顔して。おなかでも痛い？」真紀は小首をかしげた。

追い出すわけにもいかない。守は曖昧《あいまい》に笑い、頭を横に振った。

「ね、どう思う？　いい話よね？」

「どうって……何が？」

「何って、決まってるじゃない。さっきの話よ。おかしいわね、聞いてなかったの？　今日、吉武さんがうちを訪ねてきたって、お母さんが話していたでしょう」

そういえばそんな話が出ていたような気もした。守も真紀も留守の間に、吉武浩一が新日本商事の部下を連れてやってきて――

「わたしはいい話だと思うな。どのみち、もうタクシーの運転をやめるんだったら、新しい仕事を探さなくちゃならないんだもの。お父さんの年齢になると、なかなか求人もないものなのよね。せっかく吉武さんがああ言ってくれるんだから、甘えてみればいいのに」

どうやら、吉武浩一が、大造に就職話を持ってきたらしかった。

「なぜ、吉武さんが？」

「だから、あの人としては罪滅ぼしのつもりなのよ。自分が逃げ出してしまったために、お父さんに辛《つら》い思いをさせた。だから、おかえしをしたいのよ」と、笑う。

「少し考えさせてくれって答えるなんて、お父さんもお母さんもどうかしてるわ。新日本商事ならお給料だっていいんだし。わたしも説得してみるから、守ちゃんからもそれとなく話してみてくれない？　二人で共同戦線を張りましょうよ」

そんなことを話しているうちに、容赦なく九時が近づいてくる。守は身体《からだ》がこわばり、喉《のど》が乾いてくるのを感じた。

家族の——誰なんだ？

「というわけ。ね、お願いね？　頑張《がんば》りましょうね」

そう言い残して真紀が部屋を出た。守は大きく吐息をつき、じっと時計を見つめた。

八時五十分になった。

「守、洗濯物《せんたくもの》かたづけなさい！」階下からより子が大声で呼ぶ。「聞こえないの？　ま・も・る！」

八時五十五分三十秒。

「しょうがないわね」

おざなりなノックに続き、どしどしとより子が部屋に踏み込んできた。両手に乾いた洗濯物を抱えて。

「これね。今、お父さんがお風呂《ふろ》に入ってるから、あんた続けて入りなさい。声をかけるから」

そこで彼女も首をかしげた。「どうしたの……？　具合でも悪いのかい」

守は黙って激しくかぶりを振った。八時五十九分。

「ほんとかい？　なんだか顔が青いよ。そういえば、あんた、昼間も電話でなんか訳のわからないことを言ってたよね」

守が答えないので、より子はしかめ面《つら》で部屋を出ていった。肩越しに一度振り向く。

次の瞬間、デジタル時計がひらめいて九時を表示した。同時に階下で柱時計が鳴り始めた。

守は両腕でぎゅっと膝《ひざ》を抱いた。

ボーン、ボーン、ボーン。鳴り続ける。デジタルはひらめく。一秒、二秒。

柱時計が鳴り終え、九時十秒になった。

十五秒になった。

二十秒を過ぎた。

三十秒。

守の部屋のドアがゆっくりと開いた。もう一度、真紀が顔をのぞかせた。

その目は守に向けられながら、何も見ていなかった。焦点は百メートルも先にあった。そして彼女は一本調子に言った。

「坊や、私は橋本信彦に電話をかけた。それで彼は死んだのだよ」

ドアがばたんと閉じた。

呪縛《じゅばく》が解けて動けるようになると、守は廊下へ飛び出した。真紀の部屋のドアを体当たりの勢いで開けた。彼女はプレーヤーの前にかがみこんでいた。

「きゃッ！ どうしたのよ？」レコードを手に、真紀は飛びあがった。

「いやだわ、何事？」

「真紀姉さん……今、なんて言った？」

「何って――さっきの話？　吉武さんのこと？」

何も覚えていないのだ。

「いいえ、いいの」

「やっぱりおかしいわよ。守ちゃん、どうしちゃったの？」

いいんだ、気にしないで。言い訳をして部屋に戻った。ベッドの端に腰を降ろし、両手で頭を抱えた。

階下で、「真紀、あんたに電話よ！」と呼ぶより子の声がしている。

「誰から？」と、真紀が階段を降りていく。その足音も軽く、なにひとつ変わったことはない。

今の守にできることは、心底怯《おび》えることと、途方にくれることとだけだった。

4

それからの毎日、守は悪夢を循環製造して生きているようなものだった。手を触れるものすべてが黄金に変わってしまい、富に埋もれて飢え死しなければならなかった童話の王様のように、誰にも近寄ることを避けて暮した。

食いとめなければならない。自分だけで。誰にも話さずに。これ以上、ほかの誰かを巻き込むわけにはいかないのだ。

師走《しわす》も半ば、町はいっそう活気づいた。商店街には笹竹《ささたけ》が飾りつけられ、駅前に救世軍のラッパが流れる。毎年恒例の町会の夜回りが始まり、眠れずに寝返りばかりうっている守の耳には無縁な明るい呼びかけが通りすぎていく。

「今年は三の酉《とり》まである年だからね、火事が多いよ」

より子がそう言って、守の部屋にも「火の用心」のステッカーを貼《は》っていった。それは守に、嫌《いや》でも橋本信彦の死に様を思い起こさせた。溶けたキャビネットを思い出させた。焼け跡の焦《こ》げくさい異臭を思い出させた。

何日か続けて、夢のなかでガスの漏れるシューッという音を聞いた。夢のなかではよくあることだが、そこは守の暮すこの家でもあり、同時に橋本信彦の家でもあった。

夢のなかで、橋本の黒いシルエットが見える。彼は眠っている。そこに電話が鳴る。呼出し音が続く。一回、二回、三回。出ちゃいけない、いけない、と、守は叫ぶ。だが橋本は起き上がって電話をとる。そして、くぐもったような爆音とともに窓から炎があふれ出る。

いつもそこで目が覚める。汗びっしょりになり、爆発の衝撃を避けようとするかのように身体を丸めて。

誰かに打ち明けたらどうだろう。あらいざらい話してしまったらどうだろう。相手はただ笑い飛ばしてくれるかもしれない。疲れているんだよ、と。ひょっとしたら、守もいっしょに笑うことさえできるかもしれない。

だが、それから数日すると、相手は死んでしまう。ビルの屋上から飛び降りて。疾走する車の前に身を躍らせて。そして電話がかかってきて、低くこう言うのだ。

「坊や、君は約束を破ったね……」

誰にも話せない。

話さないでいるために、必要最低限の言葉しか口に出さなくなった。

真紀は、このごろ守ちゃんはまたちょっと偏屈になったわね、と、ふくれる。宮下陽一は、話しかけたそうにそばまで来ては、あきらめて行ってしまう。あねごは心配を通りこして怒っている。「ローレル」では、歳末売り出しの殺人的な忙しさを口実に、ようやく退院してきた高野とさえ口をきかなかった。

最初の訪問から一週間後に、吉武浩一がまた浅野家を訪ねてきた。大造の返事を聞くためにである。

彼の申し出を受けるかどうかについて、大造とより子はそれまでに何度も話しあっていた。時には子供たちも加えて、かなり突っ込んだ話しあいをした。今後の生活。大造の年齢では再就職先が見つかりにくいこと。

その結果、大造は吉武の申し出を受けることに決めていた。新しい就職先は、「新日本商事」が最近になって始めた家具やインテリア用品のレンタル業で、大造は、注文伝票に従い、配送用のトラックに荷物を積み込む仕事につくことになるのだ。

その決定を知らせると、吉武は手放しで喜んだ。

今回は吉武一人で、仕事の帰りに寄ったということだった。そっと玄関前をのぞきに行った真紀が、さすが、いい車に乗ってるわと感嘆しながら戻ってきた。

「外車？」

「ううん。あのね、吉武さんはスノッブじゃないのよ。どこかでエッセイに書いていたわ。世界には、ある国が他国にむかって胸を張って提供できるほど素晴らしいものがたくさんある。日本の乗用車もその一つだ。だから私は国産車にしか乗らない、って」

初めて会う吉武浩一の実物は、守の目に、それまで雑誌などで見かけていた写真よりもはるかに若く、健康そうに見えた。むらなくきれいにゴルフ焼けしており、その肌色《はだいろ》がワイシャツや背広の色合いとよく釣《つ》り合っている。

目撃証言をしたために彼がやっかいな立場に立たされたことも、それを揶揄《やゆ》する向きが多かったことも、浅野家全員が知っていた。特に守と真紀は、大造に「うちの娘の真紀と、息子の守です」と紹介されたとき、どういう顔をしたらいいのか戸惑いを隠せなかった。

だが、吉武本人はそんなことなどまったく意に介していないように見えた。

「どんなものを出したらいいかね？　口に合わなかったらどうしよう」と、より子が悩みながら出した家庭料理を誉《ほ》め、大造の就職を喜び、真紀の舵《かじ》取りに調子を合わせて、海外出張時のエピソードから、インテリアの流行の動向、最新のファッション事情まで語り尽くしても、豊富な話題はつきることがなかった。

彼が初めてサザビーのオークションに参加し、清朝《しんちょう》末期に西太后《せいたいこう》が紫禁城《しきんじょう》で愛用していたという長く美しい煙管《きせる》を競《せ》り落としたときの話には、真紀は身を乗り出した。大造の事故以来、彼女がこんなに楽しそうにしているのは初めてのことだった。

「西太后って、すごく贅沢《ぜいたく》好きな王妃だったんでしょう？」

「そう言われていますね。ある意味では、彼女が清朝を滅ぼしたのかもしれません。二千着もの衣装を持っていたという話ですよ。お嬢さんは、『ラスト・エンペラー』という映画を観《み》ましたか？」

「ええ、観ました。素晴らしかったわ」

観はしたものの、二時間を超える長い上映時間の大半を、彼女は居眠り半分ですごしたのだった。いっしょに行った守はよく覚えていたが、黙っていた。

楽しそうに語り続ける吉武を見ているあいだ中、守はどうも、以前に彼とどこかで会ったことがあるような気がしてならなかった。どこだったろう？

トイレに立つふりをして、表に停《と》めてある吉武の車を見に行ったとき、やっと思い出した。シルバー・グレイの車体。

菅野洋子の部屋に忍びこんだあの夜、現場の交差点に立っていたのだ。

吉武は帰るとき、「ここで結構ですよ」と、玄関先で挨拶《あいさつ》を済ませた。大造たちが部屋に戻ると、守はそっと外に出た。

彼はポケットに手を突っ込んで車のキーを探していた。どんなやり手の実業家でも、ドライバーはみな同じなのだ。

吉武は守に気づいた。

「やあ、遅くまでお邪魔して申し訳なかったね。何か忘れ物でもしたかな？」と、非のうちどころのない営業用の微笑を浮かべた。

「おかしなことをうかがってもいいでしょうか」

「なんだね？」

「吉武さん、この車で現場の交差点にいらしてましたね。事故のあった週の日曜日、午前二時か二時半ごろだったかな」

吉武はじっと守を見返した。やがてその目が和らぎ、目尻《めじり》に笑いじわが刻まれた。

「まいったな、どうしてわかったんだい？」

「見かけたんです。僕は夜中にランニングする習慣があるし、事故のあと、やっぱり気になって現場近くまで走っていったことがありますから」

「そうだったのか」吉武は胸ポケットから煙草《たばこ》を取り出し、火をつけた。

「それと、その煙草も。いい香りですね。ちょっとクセがあるけど」

吉武は軽く笑った。「今後、隠密《おんみつ》行動を取るときにはよく用心するよ」

紫の煙は美しかった。

「お礼を言いたかったんです」守は言った。「いろいろな……事情があったのに、名乗り出てくださったことを」

「一部のマスコミで大分騒いだから、知っているんだね。あれは大袈裟《おおげさ》だったよ。私の個人的なことなら心配してくれなくていい。離婚はしないし、副社長を辞めることもない。いくら婿養子《むこようし》といっても、私だってまるで無能じゃないのに、世間はそうとってくれていないんだな。今回のことでよくわかった。もっと頑張って、私あってこその新日本商事だということをアピールしなきゃと、やる気が出てきた」

明るい顔に、守はホッとした。笑みをひそめて、吉武は続けた。

「それより、私こそ君や君のお姉さんにお詫《わ》びしなければならないんだ。逃げてしまったこと。名乗り出るまで時間がかかったこと。迷ったんだよ。もうちょっと待ってみればほかの目撃者が出てくるかもしれない——なんてね。いくじのない男だよ」

「でも、結局は名乗り出てくれた」

「当然のことだ」

言ってから、吉武は気遣わしげな顔をした。「最近、少しやせただろう?」

守は驚いた。「僕がですか?」

「うん。さっきは君に驚かされたから、今度は私が驚かす番だ。名乗り出る前に、この近くまで来てみたことがあったんだよ。警察より先に直接浅野さんの家族に会って、話をしたらどうかと考えたものでね。結局はそうせずに帰ってしまったんだが、そのとき、君を見かけた」

守は記憶をたどってみた。

「やっぱり、この車で?」

「そうだよ」

思い出した。

「土手の下に停めていた。「君はランニングしていた。あのときと比べると、頬《ほお》がこけたね」

「そうかな」

そうかもしれない、とは思った。「誰か」の出現以来、気の休まるときがないのだから。

吉武はゆっくりと言った。「今度のことは不幸な出来事だった。でも、それがきっかけでこうして君たちと知りあいになれたことを、私はとてもうれしく思っているんだよ。私たち夫婦には子供がいなくてね」

吉武は微笑した。暖かな手で心に触れられるような、そんな笑みだった。

「君や、君のお姉さんと知りあえて、とてもうれしい。何か困ったことがあったら、遠慮なく言ってほしいんだ。私の力でできるだけのことをさせてもらうよ」

「ありがとうございます。なにからなにまで。すべてのことに」

吉武は、まっすぐに守の目を見て言った。

「私は、君のお父さんに償いをしなければならなかった。だから、しなければならないことをしているだけだよ」

こうした毎日の暮しが続くうちに、守もふっと、自分の立場を忘れかけることがあった。

「誰か」はもう二度と接触してこないのではないか。あんなことはもう終わったのではないか。恐れることはもう何もないのではないか。

だが次の瞬間には、思い直している。「誰か」の言葉を思い出している。

「四人目のときには必ず君に連絡するよ」

あれは嘘《うそ》ではないのだ。

新聞やニュースで、「高木和子」という女性が死亡したという報道はされていない。「誰か」は本当に時機を待っているのだ。その言葉は信用していいのだと思うようになった。

「誰か」の言葉のとおり、高木和子を探す道は、守にはなかった。二十三区内の電話帳でまず高木和子を、次に「高木」の名前を探し、千に一つの幸運を頼みに、順に電話してみたこともある。だが、該当する「高木和子」は発見できず、彼女が都下や近郊に暮していたら、あるいはひょっとして偽名を使っていたらなんにもならないことを思って、やめた。喉《のど》がガラガラになっていた。

待つしかない。でもそのときが来たら、必ず食い止めてみせる。高木和子は死なせない。

それだけを心にしっかりと刻みつけていた。

だが、なぜだろう？　なぜそれを守に連絡し、何を話したいというのだろう。私と君とにはきっと共通点があるはずだ、という言葉の意味はなんなのだろう。

時機が来たら話してあげるよ。「誰か」はそう言っていた。今はそれを待つしかないのだ。勇気がそげないように、静かに歯を食いしばりながら。

ある夜、ランニングから帰ってくると、見慣れない車が家の前に停めてあり、助手席のドアが開いて、真紀が降りてきた。運転席の男が何か話しかけていたが、真紀は振り向きもしなかった。

男が車から降り、前を回って真紀の腕をつかんだ。それ以上のことをするようだったら加勢しようと思っていると、真紀は男の手をふりほどき、振り向きざま相手の頰をひっぱたいた。

家に駆け込み、玄関の戸をピシャリと閉める。守は唖然《あぜん》としている男をやり過ごして家に戻った。

真紀は泣いていなかった。むしろ、晴れ晴れとした顔だった。

「お見事でした」と、守が言うと、彼女は声をたてて笑った。少しもヒステリックにではなかった。

「あれが前川さんだね？」

「そうなの。あの人ね、お父さんの事故があった途端に態度がおかしくなって……。エリートだから、父親が刑務所に入っている娘とつきあうわけにはいかないと思ったんでしょう」

「おじさんは違うよ」

佐山弁護士の努力と、これまでの大造の運転手としての実績、そして示談がまとまったことで、大造の処分はどうやら略式請求に落ち着きそうな気配だった。それなら、罰金刑で済む。

「そうよね。わたし、それであの人の本性を見たような気がしたわ。それなのに、なかなかふっきれないでいたの。もしかしたら、って。でも、わかったのよ。わたしはもう前川さんを好きなんじゃない。ただ、浅野さん、ふられたのねって言われるのがシャクなだけなんだって。わたし、今まで鼻高々だったもんだから。前川さんて、社内の女の子にすごくモテてるの」

わたしも見栄《みえ》っぱりよね、バカみたい。真紀はおおらかに笑った。

「もっといい人が見つかるさ」

「うん。今度は評判倒れじゃない男にするわ」

「絶対に評判倒れじゃない人を、一人知ってるよ」

「あら、じゃあそのうち紹介してくれる？」

だが、守と高野とは、どことなく隔てのできた状態が続いていた。原因が守の側にあることは明らかで、弁解の余地はない。ただ、高野が頼れる相手だけに、怖かったのだ。ほかの誰よりも、「誰か」のことを打ち明けてしまいそうな気がした。それを避けるためには離れているしかなかったのだ。

ところが、明日は大晦日《おおみそか》という日の夜に、その高野の方が守を訪ねてきた。

5

「暮の忙しいときに突然お邪魔して、すまなかったね」

高野はすっかり回復していた。固定もとれ、ラフなセーターの上からでは、包帯をしている様子も感じられないほどになっている。

「もうすっかりいいんですね。よかった、ファンクラブの面々も安心してますよ」

「ファンクラブ？」

失礼しますと声をかけて、真紀が顔を見せた。コーヒー・カップを滑るような手つきで差し出すと、受付嬢の切り札の微笑を投げてしずしずとひきさがる。

「ここでも一名増えたみたいだ」守は笑った。「覚悟してください。うちの姉さんは手強《てごわ》いですよ」

二人で、しばらくの間とりとめのない話をした。高野がなぜ訪ねてきたのか、その理由が守にはわかっていた。わかっているだけに、口に出せなかった。

「実はね」コーヒー・カップが空になるころ、ようやく高野は言った。

「このごろ守の態度がどうも変だから、ちょっと様子を見に来たんだ。売り場じゃゆっくり話もできないだろう。電話をかけても――おい、業務連絡でももうちょっと愛想がいいぞ」

「すみません」

謝るしかなかった。高野が気を悪くしているのではなく、心配してくれているだけに、辛《つら》かった。

「何かあるわけじゃないんだな？」

「全然。心配かけて申し訳ないです」

嘘が顔に表われていないかと、鏡が欲しくなった。

「安心したよ。気がすんだ。それに、これで遠慮なく守の意見を聞かせてもらえるな」

「僕の意見？」

「うん。順に説明するけど、例の飛び降り騒ぎの女の子に関係していることなんだ。僕もずいぶん頭をひねってはみたんだが、今や完璧《かんぺき》に行きづまってる状態でね」

高野が病院でもあの女の子のことを言っていたのを、守は思い出した。

「あの子、優等生だって言ってましたね。あんな騒ぎを起こすタイプじゃないって」

「そうなんだよ。だからどうも気になってね。あの騒ぎのときの母親の様子にもひっかかるところがあった。で、ちょっと詳しく事情を調べてみると――」

高野は急にあらたまった口調になった。「クレプトマニアって、知っているか？」

「なんですか、それ？」

「心理学用語で『病的盗癖』という意味なんだ。特に経済的理由があるわけでもないのに、物を盗みたいという衝動にかられて窃盗や万引きを続ける。強迫神経症の一種だよ」

公立高校の履修課程には、まだ心理学は入っていない。守は「はあ」と返事した。

「つまりその――あの子がそれだったっていうんですか？」

「うん。本人も親も、ひどく悩んでいる。専門医にかかっているそうだ」

「可哀《かわい》そうに」

怖い、怖い、怖い——あの子が恐れていたのは、自分のなかの理性で歯止めの効かない衝動だったのだろうか。

「それとももう一つ、僕と牧野さんをひどいめにあわせてくれた、あの柿山という男だ」

「あれから特に何も聞いてないけど、やっぱり覚醒剤《かくせいざい》中毒だったんでしょう？」

高野は首を横に振った。「確かにそういう前歴はある。でも、あの事件を起こしたときには、彼はクリーンだった。警察での血液検査でも、結果は陰性だったんだ」

「へえ……。でも、一度覚醒剤中毒になると、薬をやめたあとでも幻覚を見たり、錯乱したりすることがあるって、どこかで読んだ覚えがあるな」

「フラッシュ・バックってやつだ。うん。警察でもそう見ている」

「警察はね。でも、高野さんのその顔は、納得がいかないという顔ですよ」

高野は顎《あご》をひっぱっている。やがて目をあげると、言った。

「この二つの事件、たった十日のあいだに起こっているんだ。こんな短期間に、今までなかったような事件が二つも起こるなんてどこかおかしくないか？」

「偶然じゃない？　それぞれ原因は違うんだし」

「そう思うかい？　でも、こんなことが起き始めたのは、うちが広告アカデミーと契約してからなんだよ」

「広告アカデミー？」

「ほら、ビデオ・ディスプレイが入っただろう？　あれがそうだ」

守は、スクリーンの枠《わく》に入っていたロゴ・マークを思い出した。どこかで見た覚えがあると、あのとき思った。

「正式には頭にマーケティングという言葉がつくんだが、単に『広告アカデミー』と言うだけで通用している。うちのような大型小売業者やファースト・フード、ファミリー・レストランの各社をクライアントにぐんぐん伸びている会社なんだ」

「広告代理店ですか？」

「とは違うんだ。もっといかがわしいね。販売促進のアドバイス・人材育成・市場調査その他なんでもやります。会社の宣伝パンフレットを読んでみたことがあるけれど、香具師《やし》の口上みたいな感じを受けたよ。ただ、あそこと契約した企業が業績を伸ばしていることは、間違いない。だからうちも契約したわけなんだけど……」

「ははん。悪い噂《うわさ》があるんですね？　賄賂《わいろ》とかリベートとか？」

高野は苦笑した。「いや、そうではない。というより、そんなことなら常識の業界だ」

広告アカデミーにつきまとう悪い噂は、ある意味ではもっと科学的なことだった。

「僕にこの話をしてくれたのは、大手の企業研究所に勤めている大学の先輩なんだけどね。彼が言うには、広告アカデミーは、過去、あるデパートで、新しく開発されたごく軽い興奮剤を使用したことがあるそうなんだ。飲んだり皮下注射したりしなくても、呼吸によって血液に入る。それを空調施設と連動させた装置を通して、店内に散布したらしい。もちろん秘密裏に行なわれたことだから証拠はないが、情報の信頼度は高いと言っていたよ」

「だけど、興奮剤なんかまいてどうするんです？　お客さんに駆けっこさせるんですか」

「購買意欲をあおるのさ」

守はポカンとした。

「ほら、『衝動買い』って言葉があるだろう？　たいして必要でもないものや、ぜいたく品を買ってしまってあとで後悔する。消費者がなぜそんな心理状態になるのか調べて、人為的にその状態を引き起こせれば、放《ほう》っておいても商品は売れるさ」

「そりゃまあ……バーゲン会場ではお客さんはいたく興奮してますよね」

「だろう？　うちだって、バーゲンのときはアップ・テンポのBGMを流す。それとは逆に、貴金属や家具のような高級品の売り場では落ち着いた曲をかける。お客さんがどんどん歩いて通りすぎていっちゃ困るからね。コントロールしてるんだよ。広告アカデミーは、それをもっとつきつめて実践しているわけだ」

「なんか、イヤな話ですね」

「うん。これがファースト・フードやレストランだとまた話が変わってくる。そもそも、空腹だ、と感じるのは胃や腸じゃない。脳なんだ。脳のなかに、食欲をつかさどる部位があって、腹が減ったから食べろ、満腹だからやめろ、と指令を出しているんだよ。もし、薬物とか低周波とか音楽を使ってそこに働きかけて、さして空腹でもないのに空腹感を覚えさせることができたら、どうなると思う？」

「実際は胃がパンパンでも、食べようという気になる――？」

「な？ その結果、売上げは跳ね上がる。一時、催眠療法でダイエットできる、というのが話題になったことがあるけど、効果が逆なだけで、原理は同じさ」

「高野さんが言いたいのは」頭を整理しながら、守はゆっくりと言った。

「広告アカデミーがうちでもそれと似たようなことをやっている、ということですね？」

「まず、間違いないと思う」

「でも、それとあの二人とがどうつながってくるんです？」

「あの二人はね、副作用だよ」

高野はきっぱりと言った。

「副作用にやられたんだ。たとえば、一般に広く普及している薬だってそうじゃないか。かく言う僕も、ショック症状を起こすんでペニシリンが使えない。台所用洗剤でも、手が荒れてしまってどうしても使えない人がいる。合わないんだ。広告アカデミーが開発している販売促進の新手段にも、適応しない人がいたって不思議じゃないさ」

それにあの二人には共通点がある。指を二本立てて、高野は続けた。

「二人とも薬を使っている――もしくは使っていた経験があるということだ。あの女の子は、周期的にめぐってくるウツの状態のとき、医者が処方してくれる精神安定剤を飲んでいたそうだ。そして柿山は覚醒剤。フラッシュ・バックというのはね、コップいっぱいのビールでも、風邪薬を飲んでもそれが引き金となって起こることがあるそうだ」

大変な話になってきた。

「そうすると、広告アカデミーが、うちでも購買意欲をあおるためにその興奮剤を使っていて、それとあの二人の使っていた薬とがごっちゃになって、あんな錯乱状態を引き起こした——そう考えたわけですね」

「そう。最初はね。ところがそこで行き詰まっちゃったんだ」

高野は悔しそうにため息をついた。

「まず、うちのビル管理をしている人たちにそれとなく尋ねてみても、最近、設備に手を入れた様子はないっていう。興奮剤をばらまくとしたら、かなり大がかりな装置を持ち込まなければできないはずだ。ただやみくもにふりまけばいいってもんじゃないからね。おまけに、あの柿山だ。彼は、警察での検査でクリーンだった。覚醒剤そのものもだけれど、なんの薬物も出なかったんだ。警察の検査で検出できないほどの薬物を、広告アカデミーで極秘に開発しているとまでは、僕も思えない」

「振り出しだ」

「そう。それでだ——」

またノックの音がした。真紀がひょこんと顔を出す。

「お話がはずんでいるようね。コーヒーのおかわりはいかがですか？」

それにケーキも、と、チーズケーキの載った皿が出てきた。

「大急ぎでつくったから、どうかしら。甘いもの、お嫌《きら》いじゃないですか？」

姉さん、完璧に立ち直ったな。いそいそと給仕する真紀を横目に、守は思った。まあ、めでたいけど。

「広告アカデミーがどうかしたんですか？」

すっかり腰を据《す》えて、彼女は切り出した。

「は？」

「いえ、広告アカデミーのお話をしてらしたでしょう？　ちらりと聞こえたものですから。わたし、あの会社にはひどい目にあわされたことがあるんです」

高野は興味をひかれた顔になった。

「どんなことです？」

「あ、わかった」

守は口をはさんだ。邪魔をするつもりはなかったのだが、真紀の言葉で思い出したのだ。

「あの試写会でしょう？」

真紀はちらりと守を牽制《けんせい》してから、会話の舵《かじ》を取り直した。

「そうなんです。広告アカデミーと化粧品会社がスポンサーになっていた映画の試写会でね。映画そのものはまあまあだったんですけど、終わったあと、ホールにずらりとその化粧品会社の新製品の販売場ができていて、わたし、要りもしないものを山ほど買っちゃったんです。家に帰ってからすごく後悔して。でも、捨てるのももったいないでしょう？」

「そうですね」

真紀は元気づいた。「だから、仕方なしに使ってみたんです。ところがわたしには全然あわなくて、かぶれてしまったの。もう、それ以来はあの会社の試写会の招待状が来ても無視することにしてるんです」

「一度、僕にくれたことがあるじゃない」

それでロゴに見覚えがあったのだ。

「守ちゃん、行かなかったじゃないの」

「忘れてたんだ。だけど姉さん、それは偏見てもんだよ。無駄使《むだづか》いしたのは姉さんの責任で、広告アカデミーが悪いわけじゃないさ」

「だって、雰囲気《ふんいき》に呑《の》まれちゃったのよ。わたしだって、普段は絶対にそんなことしないのよ。化粧品は慎重に選んでるもの」

そのとき、高野が意外なことをした。その辺のあんちゃんのように、ピィーと口笛を鳴らしたのだ。

「驚いたな。どんぴしゃりだ」

「何がどんぴしゃりなんですか」

「真紀さん、それはただ雰囲気に呑まれただけじゃない。サブリミナル広告にひっかかったんですよ」

守と真紀はあやふやに顔を見合わせた。「サブマリン？」

「いや、サブリミナル広告。識閾下《しきいきか》投射法とも言うんだけど」

ちょっと考えてから、高野は守に訊《き》いた。「現代用語辞典みたいなもの、持ってないか？」

真紀は飛び立つように自分の部屋に戻り、電話帳のような用語辞典を抱えてきた。高野が必要なページを繰っている間、守はこっそり訊いた。

「どうして姉さんがこんなもの持ってるの？　信じられないな」

真紀も耳打ちを返した。「忘年会のビンゴ・ゲームで当たっちゃったのよ。持って帰ってくるの、大変だったんだから」

「あった」

高野がページを広げてさしだした。「広告・宣伝」の項だった。

「サブリミナル広告」

潜在意識下に訴える広告。テレビまたは劇場のスクリーン、あるいはラジオなどに認知不可能な速度または音量でメッセージを出し購買行動に十分な刺激を与えようとする広告。一九五七年にアメリカのJ・ヴィケリとプレコン・プロセス・アンド・イクイップメント社が同時にこの方式の実験結果を発表した。それによると三〇〇〇分の一秒〜二〇〇分の一秒で、プログラム進行中の画面の上を五秒ごとにCMをフラッシュさせるもので視聴者が見たり意識したりはできないが意識下には残る。この結果、ポップコーンは五割、コカコーラは三割の売上高の上昇を見たという。その後FTC（連邦通商委員会）は倫理的な問題点を指摘し、禁止措置をとった。

「つまり真紀さんは、映画を観《み》ている間中、フィルムのあいだにはさまれている化粧品のCMも一緒に見せられていたというわけですよ。もちろん、まったく意識せずにね」

なるほど。ようやく守にもわかってきた。

「『刑事コロンボ』に『意識下の映像』っていうのがあって、確かこれがトリックになってた」

「そうそう。あれだ」

「ひどいじゃない。アンフェアだわ」

「日本ではまだ、実際の効果のほどが疑わしいということで、禁止措置はとられていないんです。広告アカデミーならやりかねないな。さっき、どんぴしゃりと言ったのは、実は僕も、興奮剤の線が消えたあとはこのことを考えていたからなんだよ」

思わず、守も大声になった。「あのビデオですね？」

「そう。広告アカデミーが大手を振ってうちに持ち込んだ、あのビデオ・ディスプレイだ」

風の吹き抜けるような沈黙が通りすぎたあと、真紀がめずらしく慎重に言った。

「でも、本当にそうかしら。実際の効果のほどは疑わしい。今そうおっしゃったでしょ？」

「ええ。でも、疑わしいということは、ひょっとしたらあり得るかもしれないということの裏返しではあるでしょう。それに、広告アカデミーは、我々の認識よりもはるかに先のところを走っていて、サブリミナル効果を確実に喚起することのできるノウハウをあみだしているのかもしれない。音響とか色彩とか、画像だけではないほかの要素も取り入れてね」

守は座り直した。

「すぐやめさせなきゃ。またあの二人みたいなことがあったら――」

しかし、今度は高野がゆっくりと首を横に振っている。

「ところがね、僕がいくつか調べてみた限りでは、サブリミナル広告によって錯乱状態が引き起こされたという例は、ないんだよ。理論上からもありえないことだ。方法に問題はあるにしても、見せているのはただのCMなんだからね」

拍子抜けした感じだった。高野が行きづまっているというのは、これだったのだ。

「売上げが不自然に急上昇してるということはないんですか？」真紀が助け舟を出した。

「ありませんね。歳末だから、上がって当然。予期されているとおりのカーブですよ」

「ビデオが入って約四十日か……まだこれからなのかもしれませんよ」

「だとしても、問題に変わりはないよ。どんなに売上げを上げることができても、錯乱状態を引き起こすコマーシャルなんて、誰が喜んで導入する？　うちのお偉方も、そこまで欲に目が眩《くら》んではいないさ」

高野は冷たくなったコーヒーを飲み、守は腕組みして壁に寄りかかった。

「何かほかに変わったことは起きていないの？」真紀は一生懸命だった。「たとえば、お客さんのなかに急に愛想が良くなる人が出てきたとか」

「お客に？　店員じゃなくて？」

「そうそう。やたらに商品を誉《ほ》めちぎるとか。なんかそういうふうに、興奮状態になるショットが入っているのかもしれないわよ」

「だけど、何に興奮するかは人によって違うじゃない。お金に興奮する人もいれば、うちの佐藤さんみたいに山や砂漠《さばく》の写真を見るとウズウズする人もいる」

「守ちゃんは何に興奮する？」

「そりゃもう、姉さんに」

真紀は手にしていた盆で守の頭を軽く叩《たた》いた。高野は笑っている。

「あ、だけど」もう一度ぶとうとする真紀をよけながら、守は言った。「一時期、確かに興奮している人はいましたよ。牧野さんだ」

高野は眉《まゆ》をあげた。

「あの人が？　彼は自衛隊がクーデターを起こしても鼻歌をうたいながらながめているような人だぞ」

「それで落ちた手榴弾《しゅりゅうだん》の破片を記念に拾ってきたりする。でも、あのときはちょっとハイになってた。前科八犯の万引き常習犯を捕まえたときですよ。その前に、女子高生も二人捕まえたでしょう？　すごく調子が良かったんだ」

ただ——思い出してきた。「それからしばらくしてきいたときには、暇で暇で困るほどだって言ってたな。牧野さんだけじゃなく、ほかの売り場の警備員さんたちも。万引きが減ってきていたんですよ」

「ほかの売り場でも？」

高野は繰り返し、壁の一点を見つめるように、視線を据えた。

「万引きが減ってる？」

「高野さんの手元にデータは出てませんか」

「万引きの被害額の正確なところは、棚卸《たなおろ》ししてみないとわからないからね。しかし……そうだな、考えてみればそうだ。思い出したよ」

ややあって、守と真紀が心配顔でながめる前で、ゆっくりとその目が晴れていった。

「それだよ」彼は叩きつけるように言った。「万引きだ。発想が逆なんだ。広告アカデミーがあのビデオを使ってやっているのは、売上げを上げることじゃなく、万引きによる被害額を減らすことなんだよ」

書籍コーナーだけで年間四百五十万円。安西女史は嘆いていた。一年のうち一カ月分以上はただ働きさせられていることになっている、と。

「だけど、そのためだけにわざわざあれほど大掛かりな装置を入れるかな？　警備員さんを増員する方が安上がりで早くありませんか」

「いいかい」今度は高野が座り直した。「考えてごらん。あのビデオ・ディスプレイは、まず第一に店内の装飾品としての役割を持っている。商品情報だって流せるし、宣伝にも使える。そこに、万引き抑制に効果のあるショットを入れてごらん。一石二鳥だ。確かに守の言うとおり、万引きの対策のためだけにあれを導入したんじゃ、もとがとれない。被害額を損金で落としてあきらめたほうが早いさ。でも、サブリミナル・ショットを使って、販売促進のついでに万引きを抑制することができたらどうだ？　簡単なことさ。細工されたテープをお客に見せておくだけでいいんだから。しかも、能力に個人差のある警備員に頼るより、はるかに確実だ」

あの野郎、今日はいやに手際が悪かった。牧野が不思議そうに言っていた言葉を、守は思い出していた。妙におどおどしていたな。

「万引きが発見されて捕まるところとか、警備員が走ってくるところとかを映したショットを流して、下意識に警告する。だから、犯行も減るし露見しやすくなるんだ。やましいことをしているという意識、ここでやったら絶対に捕まるぞという意識を抱かせるからだよ」

「じゃ、あの二人は？　錯乱状態になったこととの説明もつきますか？」

「あの二人には、薬以外にも共通点がある。心理的にきわめて弱い部分を持っている、ということだ。かたや盗癖のノイローゼ患者、かたや逮捕歴のある薬物中毒者。そこに、捕まるぞ、捕まるぞという無意識の警告をぶつけてごらん。彼らの頭のなかで眠っている地雷の上を踏んで通るようなものじゃないか」

「なんだかゾッとしてきちゃったわ」

真紀は身震いする真似《まね》をした。「人間て、自分の意思だけで行動しているものだと思ってたのに」

私は他人を意のままに操ることができるのだよ。「誰か」の声が、守の耳の奥によみがえった。信じられないかもしれないが、できるのだ。

「調べてみましょう」守は言い切った。「テープはローレルのなかの集中管理室にあるんでしょう？　現物を調べるのがいちばんだ」

高野は平手で膝《ひざ》を叩いた。「そりゃそうさ。でも、どうやって？　あそこは関係者以外立入禁止、ドアはしっかり閉じられている。テープの納められているキャビネットにも錠がおりている。さらにうれしいことに、僕はそのどっちの鍵《かぎ》も持ってないんだ」

来た。守はひそかに思った。また来た。こういう機会が。どうなっちゃってるんだろう、いったい。

何か言いたげにためらっている彼の気配を感じたのか、真紀は立ち上がった。

「さあ、わたしはお皿を洗わなくちゃ。高野さん、どうぞごゆっくり」

彼女が出ていくと、高野は促すように守に向き直った。

賭《か》けだな。守は考えていた。じいちゃんから教えられたことは、誰にも話していない。これからも話すつもりもなかった。それなしで、どこまで信じてもらえるかだ。

「高野さん、僕はたぶん、やれると思う。そのテープをとってこられると思うんです」

「守が？」

「うん。方法はちょっと説明できないし、したくないんだけど、要は僕を信じてくれるかどうかなんだ」

高野はじっと考え込んでいた。

「あの女の子を助けたとき、通用階段を通って屋上に出た。鍵はかかっていなかった——そう言ってたよな」

彼は真顔だった。

「でも、あとで調べてみたら、やっぱりあそこはいつも鍵がかかっているとわかったよ。あのときみたいに——つまり、そういうことか？」

守はうなずいた。

それからきっかり二分間、高野は思案していた。やがて言った。

「よし。どういう手順にする？」

6

決行は翌日、大晦日《おおみそか》の夜になった。新年の営業は三日からなので、それだけ調査の余裕が持てるからである。

売り場でのささやかな打ち上げと手じめが済むと、守は先に帰ったふりをして洗面所に隠れた。三十分ほどそのまま待ち、人声が消え、警備員室と非常灯だけを残して明りが全《すべ》て消えると、ポケットから出したペンライトを手に、暗い店内へと踏み出した。

昼間のうちにルートを確認しておいたので、暗闇《くらやみ》でも戸惑うことはなかった。監視カメラのある位置では、忍者よろしく姿勢を低くし、壁づたいに走った。時おり携帯用の防臭スプレーをまいて、細かい粉末のなかに浮かびあがる警報装置の赤外線の網を確認し、ひっかからないように充分注意を払った。

こうしたことのすべては、昼間、邪気のない顔をしてあちこちへ歩き、警備員にきいてみたり、「ローレル」と契約している警備会社のパンフレットをながめたりして調べたことだった。誰もなんの疑いも抱かず（警備員の一人などは、設備に興味を持ってくれる人は少ないんだと、少しばかりうれしげでさえあった）、きわめて協力的に教えてくれたものだ。守は、周囲の人たちが彼を真面目《まじめ》だと評価してくれていることと、母親から人畜無害に見えるおとなしい顔つきを譲り受けたことに、心ひそかに感謝した。

集中管理室のドアを破るのは造作もないことだった。暗証番号で鎖錠・解錠する押しボタン式ロックで、ドアのノブの上に一から十二までの数字と、ABC三つのアルファベットのついたボタンが並んでいる。

かがみこんで、ノブの下側からペンライトでボタンを照らしてやる。十五個のうち、光り方のちょっと鈍いものが五つ。手の脂《あぶら》がついているのだ。

今度はまたベーキング・パウダーの出番だ。その五つのボタンの一つ一つに、紅筆でていねいに白い粉を塗りつけてやると、五つのうちの四つに、今日最後にこのドアをロックした人間の指紋がくっきりと浮かび上がった。

数字が三つ、三と七と九。それにアルファベットのAだ。

ここでポケット・コンピュータを取り出し、錠前のカバーをはずし、内部の回路に接続して、この四つのボタンを順番に押してやるように組んであるプログラム（これは守の手になるものでもじいちゃんの作品でもない。コンピュータ関連の雑誌に、マニアの作品として堂々と掲載されているものなのだ）を実行してやる――手順としてはそれでいいのだが、ここで守は気がついた。

ここは、「ローレル」の城東店。全国通算では第三七九号店なのだ。

となると、あとはAをどこにはさんでやるか、しめて四通りの組み合わせしかない。三A七九だった。ご苦労なことだ。

なかに入ると、そこで待ち受けていたのはテープの入っているキャビネットだった。キャビネット。ものも言いようとはこのことだ。ダイヤル式のコンビネーション・ロック。金庫といったほうが正確である。これだけ厳重にするところを見ると、広告アカデミーにはやはり後ろ暗いところがあるのだと思った。

とりかかる前に、守は狭い部屋のなかを探ってみた。ドアの暗証番号の決め方からして、ここの責任者はあまり慎重な性格ではないとふんだからだ。引き出しや電話機の裏、花瓶《かびん》のなか、あるいはカーペットの下に、このキャビネットの合わせ番号をメモしたものを隠してあるかもしれないと思ったのだ。

はずれていた。隠しているのではなく、メモして持っているのだろう。仕方ない、始めよう。

まず、ダイヤル錠の回転する内側の部分に、2Bの細い鉛筆を取りつける。鉛筆の頭は守から見て右手にくるようにする。そしてその先に白い紙を張りつける。地震計の記録用紙と針みたいな形にするわけである。

キャビネットの冷たい肌《はだ》に右耳を押しつけ、ダイヤルを回し始める。ダイヤルの内側には、音で錠前の嚙《か》み合わせを悟られることを防ぐためにスプリングが仕込まれているので、どう回してもジィー、ジィーという音がするだけだ。

しかし、回しているうちにどこかで内部のピンが嚙み合うと、そのときだけ、ごくかすかにではあるが、錠前全体が反応する。その微細な動きが鉛筆の先に伝わり、そこだけ上下に振れ跡を残すのだ。あとは、その記録をたどり、鉛筆の振れているところを数えて、またダイヤルを回しながら、一つ一つ手ごたえを確かめていけばいい。

三十分かかった。さすがに汗びっしょりになった守は、そこにあった三本のテープを抱え、来たルートをたどり直して、一階の洗面所の窓から外に出た。警報装置も、内側から窓を開けるかぎりは作動しないのだ。

高野は駐車場で待っていた。愛車のドアを開けながら、守をせかした。

「知り合いの編集スタジオを頼んであるんだ。行こう」

スタジオの技師は高野の大学時代の友人で、鴨志田《かもしだ》といった。子供漫画に登場するクマのように大柄《おおがら》で、人のよさそうな顔をしている。高野には「イチ」と呼びかけ、守を「おにいちゃん」と呼んだ。

　スタジオはこぢんまりとした規模で、まだ新しく、リノリウムの床も防音壁も真っ白だった。守が漠然《ばくぜん》と思っていた視聴覚室のような構えではなく、すべてコンピュータ操作になっていて、キーボードやカウンターが並んでいる。

　鴨志田はすぐに取りかかった。守の失敬してきたビデオをコンピュータにかけ、アドレス信号という一種の番号をコマごとにインプットして、番号順にスクリーンに映し出す作業である。ビデオは一秒に三十コマ。機械的だが手間のかかる仕事だった。

　問題のショットは、一本目のテープの二十五コマ目に、まず現われた。

「ローレル」と似たような店で、客の男が警備員に手を押えられている。男の顔には、信じられないという表情が浮かんでいる。

　次のショットは、腰の警棒に手をあてながら、上着の袖《そで》がふくらむほどのスピードでこちらに向けて走ってくる三人の巡査。

　腕を背中にねじあげられ、二人がかりで押えつけられている男。

　警備員に追いかけられ、頭を後ろに投げ出すようにして悲鳴を――音は消えているが、口が歪《ゆが》んで開いている――あげながら逃げていく女。

　次から次と、こうしたショットが、紅葉がりや南海の楽園、ファッション・ショーの光景の合間合間に、醜いしみのようにはさまっていたのだった。

　鴨志田が低く口笛をふいた。

「これが万引き防止の特効薬ってやつか……」

高野がうなるように言った。「万引きする心理なんて、まだよくわかっちゃいないんだ。これはただ威嚇《いかく》するだけのものだよ」

「そしてこれが錯乱状態を引き起こしたんですね」守は画面に見入っていた。

「心の中に爆弾を隠している人間には、ね」

鴨志田は椅子《いす》を回して守たちに向き直った。「ただな、サブリミナル広告の効果自体、あまり認識されてないくらいだろ？　これだって、因果関係を認めさせることができるかね？」

「でも、このテープがかかってたんですよ」

「そうだろうさ。おにいちゃんはこの、紅葉がりのビデオを見た。それは間違いないだろう。だけどそのとき、それにこのショットが仕組まれていたかどうかまではわからないだろ？二人が錯乱状態になったとき流れていたビデオに仕組まれていたかどうかも、今ではわからない」

彼は軽く両手を広げた。

「イチの頼みなら、これから徹夜してでも、この三本のテープ全部に挿入《そうにゅう》されているおかしなショットをとっぱらってやるさ。だけど、広告アカデミーはまた新しいテープを持ってくるぜ。きりがない。どうする？」

高野はじっと、何も映らなくなった画面に顔を向けていたが、やがて言った。

「ともかく、これのダビングを頼むよ」

沈黙のなか、スタジオ内の空調のサーモスタットが働く音が響いた。守は身震いした。

7

高木和子は、その年の残りを、アパートからも実家からも遠く離れた町にあるコーヒー・ショップ、「ケルベロス」ですごしていた。

「ケルベロス」は、お客が十人も入れば満席の、こぢんまりした店だった。和子と同年代の三田村という男が、一人だけで切り回している。

きっかけとなったのは、アパートを離れ、ウイークリー・マンションに移って一週間ほどしたある日、公園のベンチに腰かけていた和子に、三田村が声をかけてきたことだった。

「毎日、ここで何をしてるんですか？」

和子は相手を見あげたが、返事はしなかった。次に何と言うか、だいたい見当はついている。どこかでお会いしたことがありませんか？　さもなければ、よろしかったらお茶でもどうですか？　それとも、ヒマならちょっとつきあわない？

そのとおり、彼は言った。「よかったらそこの店でコーヒーを飲みませんか」

通りの向こうを指さす。それが「ケルベロス」だった。

「味は保証しますよ。僕の店だから」

和子はゆっくりとまばたきし、「ケルベロス」の看板と男の顔を見比べた。相手は面白そうに笑った。

「経営者を殺して乗っ取った店なんです。だから床下に死体が埋まってる。いえ、冗談ですよ。本当に僕の店です。柱一本分ぐらいはね。あとはまだ銀行の所有物です」

「なんであたしに？」和子は短く訊《き》いた。

「僕の店の常連客に、あの幼稚園に子供を通わせているお母さんたちがいるんです。彼女たちとあなたとの間に、どうも誤解がありそうだから」

和子は公園と隣り合わせている幼稚園に目をやった。狭い庭で、紺色の園服を着た子供たちが元気よく跳びはねている。

「あたしが毎日ここに来て幼稚園の方をながめているから、お母さんたちが警戒してるってこと？」

「そうです。このところ嫌《いや》な事件が多いですからね。みんな神経質になってるんですよ」

和子はおかしくなった。幼稚園をながめていたつもりはなかったし、なによりも、彼女自身の方が身の危険を感じてここまで逃げてきたのだというのに、思いつめた顔でここに座っている様子で、子供をさらっていきそうに思われたのだろうか。

「笑いましたね」相手もにっこりした。「そんな顔で笑える人なら大丈夫。僕からお母さんたちによく説明しておきますよ。とにかく、コーヒーをどうです？　失礼なことを言ったお詫《わ》びをしなけりゃ」

そんな次第で、和子は「ケルベロス」に足を踏み入れた。

名前は風変わりだが、居心地のいい店だった。コーヒーは濃く、熱かった。三田村は自分の方から名を名乗り、ここへ開店するまでの苦労話を、少しも苦労などしなかったような調子で語ったが、和子が自分から言い出さないうちは、名前を尋ねることさえしなかった。

「お店の名前は誰がつけたんです？」

止り木に足を休めて、和子は訊いた。

「自分で。変わった名前でしょう？」

「とっても。怪物みたい」

「そのとおりですよ。神話に出てくる地獄の門の番犬の名前です」

「どうしてそんな変な名前をつけたの？」

「つまりね、この店は地獄の入り口なわけです。だから、お客さんがここを出ていくときは、地獄の入り口の前で引き返して行くことになるわけでしょう。どんなに落ち込んでここのドアを押しても、もうそれ以上悪いことにはなりっこないってことですよ」

和子は微笑した。心のどこかで固く閉じていたバルブが開き、暖かな湯が注ぎ込まれたようだった。

それから毎日、「ケルベロス」に通うようになった。三田村はいつも忙しく、ほかに客がいれば話もできなかったが、働く彼をながめているのは楽しかった。

「正月はどうするんです？　旅行の予定でもあるんですか？」

大晦日が近づいたある日、三田村が訊いた。和子はかぶりを振った。

「予定なんてないわ。一人でうちにいるだけ」

実家にも、今年は帰らないからと連絡してあった。追手に手掛りを与えそうで、怖かったのだ。

追手。和子は今、追われる身の自分をはっきりと認識していた。

「僕は、大晦日は閉店して、新年の朝早くに店を開けるつもりなんです。初詣《はつもうで》帰りのお客が寄ってくれますからね。開店の前に、初詣に行くというのはどうですか。真夜中だからちょっと寒いけど、気分のいいもんですよ」

和子は承知した。そして、ふと考えた。一人では怖いけれど、誰かいてくれれば——

「ついでに、頼みごとをしてもいいかしら」

「なんですか」

「初詣の前に、いっしょにあたしのアパートに行ってもらえると助かるんだけど。ここからちょっと遠くて申し訳ないんだけど、荷物を取りに行きたくて」

三田村は少し真顔になり、和子を見つめた。この人はどんな生活をしているのだろう、という疑問が、彼の目のなかに浮かんでいた。

やがて、彼は答えた。

「いいですよ。お安い御用だ」

アパートには、三田村の古いミニに乗っていった。彼は面目なさそうだった。

「店のローンの払いで手一杯で、車まで手が回らないんです」

「車なんて、走ればそれでいいじゃない」

ドアの郵便受けに、五、六通の封書がはさまっていた。ダイレクト・メールやクレジット会社からの通知、旅行会社のカタログなど、用のないものばかりだったが、そのなかに一つだけ、宛名《あてな》書きも消印も差出人の名前もないものがあった。和子は封を切った。

文面は簡潔だった。

「最後の一人になってしまったあなたを助けることができると思います。一月七日、午後三時までに、有楽町のマリオンの前に来てみてください。私の方から声をかけます。このことは誰にも言わずに、慎重に行動してください。危険ですから」

手紙を手に棒立ちになっていると、アパートの入り口で待っていた三田村がやって来た。

「どうしたんです？」気軽に彼女の顔をのぞきこむ。「家賃滞納で立ち退《たちの》きでも言い渡されましたか？」

和子は指先まで白くなっていた。三田村もそれに気づいた。

「どうしたんです」

もう一度、そう訊いた。今度は本当の質問だった。

和子は黙って手紙を差し出した。三田村はそれを読み、目をあげた。

「これは何です？」

和子のなかで土手が崩れた。彼女は震え出した。とまらなかった。かなり長いことそうして三田村の腕をつかんでいた。やがて、彼女は言った。

「あたしのこと、正気だと信じてくれる？　あたし、今まで嘘《うそ》ばかりついてきたわ。それを信じてもらってきたわ。それなのに、今ようやく本当のことを話したら、誰も信じてくれないような気がするの」

彼女は話しだした。すべてを。


手紙の主の指示に従ってみよう。そう言い出したのは三田村の方だった。

「僕もいっしょについていきますよ。人目の多いところだし、大丈夫、何も危険なことなんかない。相手に会ってみなきゃ、話が始まらないでしょう？」

「殺されるわ」和子はつぶやいた。

「そんなことにはなりませんよ。あなたはもう一人きりじゃないんだから」

その晩、彼女はウイークリー・マンションを引き払い、荷物をまとめて「ケルベロス」に移った。泣くことを思い出したのも、その夜だった。

初詣の帰り道、路上で通行人たちに薄いリーフレットを配っている少女に出会った。彼女は「主の教え」と書かれた看板の前に立ち、母親らしい女性と二人、透き通った声で賛美歌を歌っていた。

「ちょっとした新年のミサだね」

三田村が微笑《ほほえ》んだ。少女は和子に近づき、リーフレットを差し出した。

「聖書の一節です。どうぞ読んでみてください。主のお恵みを」

和子はリーフレットを受け取った。なぜか急に、それが貴重で神聖なものに思えたのだった。

内容を読んだのは、三田村の車の助手席に落ち着いてからだった。

和子に渡されたリーフレットには、新約聖書の「ヨハネ黙示録」からの一節がひいてあった。キリスト教には無縁の彼女にも、そこに書かれている言葉の不吉さは理解できた。彼女はそれを丸め、ダッシュボードのくず入れにつっこんだ。

「なんて書いてあったの？」三田村が訊いた。

「よくわからないわ」

和子は外に目をやった。新たな年。新たな町。もうすぐ日が昇り、夜が明ける。

リーフレットを捨てる前、最後に目に入ったひと続きの言葉が、彼女の心に重く染《し》み込んだ。

——彼《か》のものの名を死といい、それに陰府《よみ》が従っていた。

日下守が間に合わなければ、和子はあと一週間で死ぬ運命にあった。

第六章　魔法の男

1

新年三日からの営業開始に、守と高野だけは気勢があがらなかった。

守が、マネージャーたちとの話し合いの結果を尋ねたとき、高野は悔しそうに拳《こぶし》を握りしめて答えた。

「とぼけられた」

「テープの写しをつきつけてやったのに、そらっとぼけてるんだ。追及すると、因果関係が立証できるか、ときた。おまけに、あまりそういうことをかぎまわっていると、君の部下が迷惑することになるぞと言われたよ」

「つまり、僕たちが？」

「向こうも頭がいいよ。僕はクビになっても構わないが、書籍コーナーには、ここでの仕事を大事にしている人たちがいるからね」

何か方法があるはずだ。稼動《かどう》を開始しているビデオ・ディスプレイを見つめて、高野は言った。

「必ず、あんなものをここから追い出してやるからな」

新年は守にとって、別の意味でも気の重いものだった。「誰か」はまだ接触してこない。ともすると、重圧に押し潰《つぶ》されそうな気持になる。

お年玉を手に手に、書籍コーナーは子供たちであふれていた。守もレジに応援に入り、ゲームブックやマンガ本を買っていく小さな手に応対することに追われた。佐藤は遠く日本を離れ、砂漠《さばく》の砂埃《すなぼこり》にまみれているころだ。守はつくづく彼が羨《うらや》ましくなった。

母親に連れられて文学全集を買いに来た小学生が、恨めしそうな目でアニメ・キャラクターのコーナーをながめている。守はなんだか可哀《かわい》そうになって、釣《つ》り銭《せん》を返すとき、いっしょに人気マンガのキャラクターをあしらったワッペンを渡してやった。小学生の目が輝いた。

「ありがとう」

守は手振りで、早くしまっちゃいなと合図した。そのとき、誰かに呼ばれた。

「日下君」

コーナーの入り口に、子供たちの頭から高くぬきんでて、吉武の顔があった。

「こんなところですみません」

ちょうど昼食時だった。いっしょに食事をと誘われ、守は彼を五階のレストラン街にある中華料理店に案内した。世界中を旅してまわり、おそらく相当な食通であるはずの吉武を連れていくには気のひける場所だったが、遠くに行けないのだから仕方ない。

　吉武は熱いおしぼりで顔をぬぐうと、笑って手を振った。

「かまうものか。私が日ごろどんな昼飯を食っているか教えてあげたいよ。いちばん多いのは持ち帰り弁当かな」

「ホントですか？」

「本当さ。私にとっては、炊《た》きたての熱い飯と味噌汁《みそしる》が最高のごちそうなんだ。昔ドヤ街にいたときなんか、よくその夢を見たよ」

　吉武は高い一品料理をいくつか選ぶと、デザートにライチーを追加した。ここのウエイターは守のバイト仲間なのだが、オーダーシートを手に首をかしげながら奥に引っ込んでいく。ひょっとしたら、メニューに載せてあるだけで、本当はライチーのラの字もないのではないかと、守は危ぶんだ。

「お宅にうかがったら、君は休み中はこちらでアルバイトしていると聞いたものでね」

　大造とより子はまさに寝正月を過ごしていた。特に大造は、慣れない力仕事に疲れたのか、腰が痛むといって横になっている。吉武の突然の訪問に、さぞやあわてたにちがいない。

　料理が来ると、吉武は守を促して箸《はし》を取った。

「どんどんお食べ。午後からはまた忙しいんだろう？」

「昼間からこんなごちそうを食べて、うちのみんなに恨まれるな」

「じゃあ、今度は皆さんをご招待するさ。ぜひそうさせてくれ。私は妻と二人暮しだろう、にぎやかな食事に憧《あこが》れているんだ」

「吉武さんも、今日から仕事なんですか？」

重役クラスはたっぷり休暇をとるものだとばかり思っていた。

「あれこれと片づけることが多くてね。それに、仕事していたほうが気が楽だ。正月のハワイは日本人村で、とんでもない場所で知り合いと顔を合わせたりするからね」

「ハワイ？」

どうりで、また一段と日焼けの色が濃くなっているはずだと思った。

「ゴルフばかりの休暇だったよ。家内はまだ向こうに残っているんだが、やっぱり暇を持て余しているんじゃないかな」

「いいですね」

「一度遊びにおいで。大して広くはないが、ワイキキ・ビーチの見える場所にリゾート・マンションを買ったんだ。ホテルよりはうまい飯を食わせるぞ」

ありきたりだが、と、チョコレートの大箱が出てきた。

「売り場の皆さんに。みんな疲れ切っていて、糖分が要りそうな顔だった」

「アメリカのおじさん」だな。食事をしながら、守は真紀から聞いた話を思い出していた。働き者だけど貧乏な一家を、アメリカに渡ってひと財産築いたおじさんが訪ねてくる。一家には幸運を、財産はあっても孤独なおじさんには家族の愛情を――いかにも真紀好みの話だった。

そんな思いが守の顔に出ていたのか、吉武は面白そうに訊《き》いた。

「思い出し笑いかね？」

「ああ、いいえ、すみません。なんでもないんです。ちょっとおじさんのことを考えていただけで」

「おじさん？」

守はあわてた。「ええ。うちのおじさん、新しい仕事にも慣れたみたいで、毎日楽しそうだな、なんて。吉武さんのおかげです」

言ってしまってから、これでは話が妙であることに気がついた。

「あれ……すみません。もっとヘンですね」

吉武は、そうだね、と笑った。

「実は、僕は浅野家の養子なんです。それもまだ正式なものじゃなくて、名字も違います。本当は、僕と真紀姉さんは従姉弟《いとこ》どうしなんですよ」

「君のご両親は？」吉武はゆっくりと訊いた。

「母はもう亡《な》くなりました。親父《おやじ》は――」ちょっとためらった。「死んだようなものです。ずっと行方不明だから」

新日本商事に勤め出してまもなく、大造が意外そうに、「会社で聞いたんだが、吉武さんも枚川の出身だそうだよ」と話していたことがある。ひょっとしたら日下敏夫のことを知っているかもしれない、と反応を見てみたが、吉武は何も言わなかった。デザートがくるまで、少し気まずい間があいた。守はふと、吉武にならきいてみてもいいかもしれないと思った。

「吉武さん、ある人間が、ほかの人間を意のままに動かすことなんてできると思いますか？」

吉武は運ばれてきたライチーの殻《から》をむく手をとめた。

「どういう意味だね？」

「つまり、ほかの人間に命令することによって、したくもないことをさせることができるだろうかってことなんです」

吉武は笑いだした。「そんな方法があれば私も知りたいね。秘書に試してみたいものだ。彼女、本当に厳しくてね。彼女の許しがないと、私はうっかりトイレにもたてない」

やっぱりな。守は考えた。この目で見た自分でもまだ信じられないのだから、本気にしてもらえなくて当然だ。

「広告アカデミーという会社をご存知《ぞんじ》ですか？」

「さあ……知らないな。広告代理店かい？」

ジャスミン茶が出された。料理はきれいになくなり、ライチーの皿にも殻と種と溶けかけた氷が残っているだけだ。

「ごちそうさまでした。午後から居眠りしそうですよ」

吉武とは、店を出たところで別れた。少し買い物をして帰るよ。すごい混雑だが、楽しいね。彼はそう言ってエスカレーターを降りていった。

高野が急ぎ足でレジの守のもとへやって来たのは、それから三十分ほどしてからのことだった。

「守、さっきここにお前を訪ねてきた人、知り合いだろう？」

「ええ、そうですよ。昼飯をおごってもらっちゃった」

高野は険しい顔で続けた。「一階の出口の近くで倒れたんだ。今――」

守の耳にも、近づいてくる救急車のサイレンの音が聞こえてきた。

「ひどい興奮状態で、僕は一瞬あいつを思い出したよ」

「あいつって、あの柿山ですか？　冗談じゃないですよ」

レジを飛び出し、守は一階へ走った。

2

彼は幸せだった。この十二年、訪れることのなかった幸福感が彼を包み込んでいた。

いい子だ。本当に。このまえ訪ねていったとき、わざわざ私を追いかけてきて礼を言ったっけ。交差点であの子に姿を見られていたとは考えもしなかったが。

いい子だ……素直に育ってくれた。あの子には何としてもいい将来を与えてやらねば。私の義務だ。まず、うまく切り出して、大学に進学するとき援助してやろう。あの子が希望するなら留学も。

そのあとはうちで働いてもいい。もちろん、いつまでもただの従業員のままにはしておかない。私の作りあげてきたものを、あの子に継がせなければ。もっとも本人が私の仕事に興味を持てばの話だが。そうでなかったら、希望するところにコネをつけてやれるだろう……いや、やはり私の手元に置いておきたい。そうでなければならない……

あまり幸せに酔っていたので、最初は気分の悪いことが気にならなかった。ひとごみのせいだろう。空気が悪い。どうして換気をしないのだろう？　守もこんなところで長時間過ごしているのだろうか。もっといいアルバイトを——

そうだ、なにも将来だけに限らない。うちでアルバイトをしないかと誘ってみよう。営業の二課で人手を欲しがっていた。そうすれば、もっと頻繁《ひんぱん》にあの子の顔を見ることもできる。

何もかもうまくいった。心配することは一つもない。

頭痛が始まり、息苦しくなってきた。胸の奥でどらを鳴らしているように、心臓の鼓動が大きく聞こえる。それが全身に響き、宿酔《ふつかよい》の朝の電話のベルのように、耐え難い苦痛を運んでくる——

霞《かす》む目に、大勢の買い物客たちが見えた。明るいビデオの画面が見えた。店内に入ったとき、なかなか工夫のあるきれいなディスプレイだと、興味を持った。

そう、明るい。ここはあまりに明るすぎる。だから目が痛むのだ。

女子店員が手をさしのべて近寄ってくる。お客様、どうかなさいましたか？

彼は答えようとした。なんでもない、少し気分が悪いだけだ——

そして気がつく。

あれは店員ではない。ここはにぎわう店内ではない。ここは恐れていた場所、悪夢のなかでしか見たことのなかった場所、追及の場所だ。ひとたび閉じ込められたら二度と出ることのできない場所だ。

お客様。声が呼ぶ。違う。あれも見せかけだ。あれは私を追ってくる見せかけの顔。

お客様。しつこい手が伸びてくる。彼に触れようとする。捕えようと、捕えて引き戻そうと。

彼は逃げる。足がもつれる。誰もが彼を見ている。指をさし、声をひそめて。最も恐れていたことが起きている。

外へでなければならない。ここから逃げなければならない。まだ時間はある。逃げきれる。私は償いをしようとしているのに、今ようやくそのときがきたのに、なぜその今になってこんなことが。不公平だ。

床に倒れていく自分を意識はしなかった。まず膝《ひざ》が折れ、上半身がゆっくりとそれに続いた。倒れていく。力の抜けた腕をあげ、彼は必死で胸を押えた。そこに身に着けている大切なものが落ちて失《な》くならないように。そのまま腕を下敷きに倒れていく。

床は冷えていた。靴底《くつぞこ》のゴムの匂《にお》いがした。意識がとぎれる直前、最後に彼が感じたのは、倒れたはずみで唇《くちびる》の端を切り、そこから血が流れたことだった。血は銅の味がした。

3

救急病院の一室で吉武浩一が意識をとりもどしたのは、運び込まれて一時間後のことだった。守は彼のベッドの足元に椅子《いす》を引き寄せて座っていた。

チアノーゼを起こし、倒れたときに左胸を押えていたので、最初は心臓発作かと思われた。医師や看護婦たちの顔には緊張がみなぎっていた。廊下で待たされた守は、ひょっとしたら最悪の結果を聞くことになるのではないかと怯《おび》えながら、閉じた処置室のドアから目が離せなかった。

だが、担《かつ》ぎ込まれて三十分もすると、脈拍も呼吸数も平常に戻り、血圧も安定した。医師は首をひねり、ともかく病室に入れて様子を見ようと指示を出したのだった。

「やあ……これは、どうしたのかね」

気がついた吉武は、最初にそう言った。

「やだなぁ。それはこっちのセリフですよ。気分はどうですか」

指示されていたとおり、ベッドサイドにあるナース・コールのボタンを押しながら、守は答えた。

担当医と吉武のやり取りを聞きながら、考えた。

（僕は一瞬柿山を思い出したよ）

高野はそう言っていた。それはつまり、吉武もあのサブリミナル・ショットが原因で精神を乱されたということにつながる。

「人間ドックに入ったことは？」医師がきいている。

「去年の春に、一週間かけてくまなく検査をしました」吉武は答えた。「私は心臓マヒを起こしたんですか？」

「心臓マヒという病気はありませんよ」医師は答える。「すべて正常値だ……しかし、どうも気持よくないですな。これまでに似たようなことはありましたか？」

「まったくありません。自分でも信じられませんよ。この私が本当に倒れたんですか？」

「ともかく、一度詳しく検査してみましょう」医師は宣告した。「しばらく入院していただくことになりますよ」

「こんなに気分がいいのに？」

吉武は抗議したが、医師と看護婦は病室を出ていってしまった。

「健康第一ですよ」守は笑ってなだめた。

「大袈裟《おおげさ》な医者だ」吉武は言った。「ただのストレスさ。ときどきあるんだよ。特に去年の十二月ぐらいからかな。朝目が覚めると昨夜の行動が思い出せないことがあったりしてね。まあ、半分は酔っ払っていたせいだが。君も救急車でいっしょに来てくれたのかね？」

吉武は、まだ「ローレル」の制服を着ている守をながめた。

守はうなずいた。「お宅には連絡しておきました。家政婦さんが、入院に必要な着替えとかを持ってくるそうです」

「そうか。お世話をかけたね。ありがとう」

清潔だが、殺風景な個室だった。薬くさい空気と、白いベッド。そのほかには椅子が一脚と小さな物入れがひとつあるだけだ。吉武の衣服は、ベッドの脇《わき》の壁のフックに、細いハンガーにかけて吊《つ》り下げてあった。

六時近くになって、ようやく家政婦がやって来た。

「なにも特別な用意は要らないよ。私はすぐ退院するからね。洋服もそのまま置いておいてくれ。本当になんでもないんだ。すぐ帰れる」

吉武はてきぱきと指示をした。実際、顔色もすっかり良くなっている。

「でも、お医者様は入院するようにとおっしゃっていましたよ」家政婦は言い、気が進まなそうに付け加えた。「わたくし、今夜はここに泊まったほうがよろしいですか」

いかにも不服そうな口調だった。家政婦が来たら入れ違いに帰ろうと思っていた守は、なんだか吉武が気の毒になってきた。

「その必要はないよ。帰ってくれてかまわない」

家政婦はにっこりした。「奥様にはお知らせしておきますか」

「その必要もない。あれが帰ってくるころには、退院しているから」

彼女が出ていってしまうと、少し思案してから、守は言ってみた。

「もしよかったら、今夜一晩、僕がここに泊まりましょうか？」

吉武は身を起こした。「そこまでしてもらっては——」

「でも、もしまた発作が起こったら怖いでしょう？」

「君はどこで寝る？　床の上というわけにはいかないよ」

「折り畳みベッドを借りて来ますよ。それぐらいのスペースはあるでしょう。うちにもちゃんと連絡しますから、ひと晩ぐらい平気です。僕じゃたいして役にたたないかもしれないけど」

「そんなことはない。それじゃ、お言葉に甘えることにしようかな」

消灯までに一度、看護婦が検温に来た。守を見て、「息子さんですか？」と吉武に尋ねた。吉武は困った顔になり、守を見やった。

「隠し子です」守はもったいぶって答えた。看護婦は笑った。

「面白いわね。でも、偉いわ」

それからしばらくして、もう一度同じ看護婦が顔を出した。「消灯までよ」と念を押して、雑誌を何冊か貸してくれた。「退屈でしょう」

長い夜だったが、退屈ではなかった。考えることがたくさんあったからだ。

今初めて、守は高野のたてた説に疑問を感じ始めていた。因果関係が立証できるか？　ときいた鴨志田と同じ気持だった。

吉武は、あの女の子や柿山とは違うはずだと思う。大造の事故の目撃証言をしたことで、警察では多少嫌《いや》な思いもしたかもしれない。だが、吉武には、（捕まるぞ、捕まるぞ）という無意識のメッセージを恐れる理由などないはずだと思った。

（新日本商事が莫大《ばくだい》な額の脱税をしてるとか——まさかね）

そのうち、いつのまにか眠ってしまった。

真夜中、何か軽いものが床に落ちる、パサリという音で目が覚めた。やはり眠りが浅いのだ。吉武は静かに規則正しい寝息をたてている。

薄暗い部屋のなかを見回すと、吉武の上着とワイシャツが、ハンガーからはずれて落ちていた。くしゃくしゃの山になっている。

チェ、面倒だな、とは思ったが、守はそっと起きあがった。ついでにトイレにいこう。

上着とシャツを拾い上げたとき、何かが転がり落ちた。ポケットからすべり落ちたのだろう。リノリウムの床に、小さな硬い音がした。

カーテン越しにさしかける頼りない月明りで、守は落ちたものを手探りした。それはベッドの脚の陰に転がっていた。

プラチナの指輪だった。シンプルな模様がついている。結婚指輪だろう。だったらポケットなんかに入れておくかな、本当に今落ちたのはこれかな、と、窓際に寄ってよく見てみた。

指輪の内側に、日付とイニシャルが刻み込んである。

「K　to　T」

そして日付は——守が大切に保管し、母親のことを考えるとき取り出して見た覚えのある、啓子の形見の結婚指輪の内側に刻み込まれている日付と、同じだった。
守の両親の結婚記念日の日付だった。

K to T。

啓子より敏夫へ。

小学生のとき、自転車に乗っていてかまいたちに遭ったことがある。右脚がヒヤリとしたなと感じ、とめて降りてみると、ふくらはぎが十センチほどすっぱりと切れていた。そのときはまだ傷口は死んだ魚の腹のように真っ白で、驚いて見守るうちに、パッと血が吹いた。

それと同じだった。認識はあとからやってきた。血が吹き出すように。

親父《おやじ》なんだ。

(あたしはあんたのお父さんの顔を知らないのよ)

(どこかですれ違っているかもしれないけど、わからないよ)

立ちすくんだまま思った。この人が親父なんだ。

だから、あのサブリミナル・ショットに反応したんじゃないか。

戻ってきていた。吉武浩一が日下敏夫だったんだ。親父は戻ってきていたんだ。

翌朝早く、吉武が目を覚ましたときには、守は姿を消していた。彼はあねごの家を訪ねていたのだ。

どの家もまだ起き出していない時刻だった。東の空に朝焼けがたちはじめてはいるが、頭上にはまだ星が残っている。新聞配達の自転車が通りすぎていく。

あねごの家では、台所に明りがついていた。出版社に勤める両親をもつあねごは、深夜まで働くことのある母親に代わって、本人も認める「恐るべき早起き」なのだった。

守は彼女の家の前で、冷えた手をポケットに突っこんでいた。

玄関のドアが開き、あねごが出てきた。新聞受けをのぞきこむ。引き返すとき、守に気づいた。

「日下君?」

仰天した、というように目をぱちぱちさせる。「どうしたの、こんな朝早くに」

守は黙って、ちょっと肩をすくめただけだった。あねごは近づいてきた。

「いやだ……冷えきっちゃってるじゃないさ。いつからここにいたの?」

答える言葉はなかった。ただ、彼女にこう言いたかったのだ。あたってたよ。親父は本当にそばにいた。こんな話ってないよな。

「ねえ……なにかあったの? どうしちゃったのよ?」

問いかける彼女の肩に両手をかけて、自分のほうに引き寄せた。だが、彼女を抱きしめたかったのではなく、抱きしめてほしかった。すがりつきたかった。

「どうしたのよ」

小さな声で問い続けながらも、あねごはそのとおりにしてくれた。かがみこんでしっかりと守を抱きかかえ、暖めてくれた。

4

やあ、坊や。

約束どおりのその声を聞いたのは、一月七日の朝だった。

「元気だったかね、坊や。いい新年を迎えたかね？」

守はまだ立ち直っていなかった。立ち直れるという気もしなかった。両手のなかに突然、きわめて精巧で壊れやすいものを渡されたようで、動きが取れなかった。

吉武の衣服のポケットから、日下敏夫の結婚指輪が出てきた。文字にすればたったそれだけのことだが、口に出せないほど重い言葉でもあった。誰にも話していないし、どう打ち明けたらいいかもわからなかった。

あねごには、「ただちょっと、急に顔を見たくなってさ」とだけ、話した。彼女は問いつめなかったし、それで態度が急変するわけでもなかった。

「こんな顔ならいつでもいいよ」と言って、笑った。

七日の朝、だから守の頭にはもやがかかっていた。「誰か」の電話はそれをぬぐったように吹き消し、守は姿勢を正した。

「今日の午後三時だ。場所は数寄屋橋《すきやばし》の交差点。わかるね？」

「ぜひ来てくれ。そこが高木和子の最後の場所になる。私も君とそこで会うだろう。待っているよ」

「わかる」

守は正午ちょうどに有楽町の駅に降りた。数寄屋橋交差点まで歩く。好天だった。

あてがあるわけではない。だが「情報チャンネル」をしっかりと握りしめ、そこに写っている高木和子の顔を、そらで思い出せるほどに記憶していた。

だが、女性は服装や髪型によって印象が変わるものだ。(つきあう男性によってもガラリと変わるのよ)とは真紀の意見だが、そこまで考えたくなかった。

それに、この人ごみだ。東京中の人間が一度に集まったかのようだった。買い物。デート。映画。家族連れも目につく。そんな平和の見本のなかを、漆黒のジャングルを進む斥候兵《せっこうへい》のように、雪原で地図を失った登山家のように、守は一人さまよい歩き、長い迷路をたどった。通り過ぎる若い女性たちの顔をのぞき、後ろ姿を追いかけ、疲れて立ち止まってはまた、交差点を渡っていく横顔に走り出す。

あの、デモンストレーションのときの真紀の顔。直前までは何一つ変わったことがなかったのに、「坊や――」と呼びかけ始めたときには、目が焦点を失っていた。

今この雑踏から探し出そうとしている顔も、そのときまではほかの無数の顔と同じように笑い、しゃべり、輝いているのかもしれない。三時まではここに来ることさえないのかもしれない。

どうする？　銀座にあるすべてのデパート、喫茶店、映画館、劇場で「高木和子さま」の呼出しをかけてもらうのか？

空《むな》しい探索に時が過ぎていく。

二時三十分。


和子は三田村の腕にすがり、地下鉄の階段をあがって、マリオンの前に出た。二時四十分だった。

「手紙には、あたし一人で来るように書いてあったわ。いっしょにいると、現われないかもしれない」

「でも、この混雑じゃ、ちょっと離れたら見失ってしまうよ」

そのとき、三田村は少し先の公園に風船売りの屋台が出ているのを見つけた。

「あれにしよう。風船を持っていれば、君がどこにいてもすぐわかる」

和子は赤い風船を手にした。

「子供みたいね」

「お守りだよ」

二時四十五分。

西銀座デパートの脇《わき》の狭い花壇に腰をおろして、守は一時、脚を休めた。もう、ここで待つしかない。三時になり、誰か異常な動きをする人物を見つけたら飛び出すだけだ。

目の前で、距離の長いスクランブル交差点を、一定の間隔をおいて大勢の人たちが行き来する。白い腕章の巡査が手信号を送る。オーバーランした車やせっかちな横断者をとがめる鋭いホイッスルが響く。

この交差点。なぜここなんだろう。

信号が変わり、外堀通りを車が流れ始める。

なぜ三時なんだろう？

二時五十三分二十秒。

背後から肩を叩《たた》かれ、嚙《か》みつくような勢いで振り向くと、面食らった顔の若い女性が立っていた。クリップボードを手にしている。

「びっくりしたわ。君、一人？」

なれなれしい口調ですり寄ってくる。キャッチ・セールスは年中無休か。守は相手をにらみ返すと立ちあがった。

「なによ、ヘンなガキ」

二時五十六分。

西武デパートと阪急デパートのあいだ、JR有楽町駅への通路の入り口に立っていた和子は、周囲が急にこみあってきたことに気がついた。通路の反対側に立っているはずの三田村の顔さえ見えなくなった。和子は風船の紐《ひも》を握りしめ、少しでも人の少ないところに移動しようと前に出た。

人垣《ひとがき》ができている。なにも足をとめる理由などないはずだろうにと、和子はうとましく思った。

「すみません。ちょっと通してください」

何かを見あげていた若いカップルが道をあけた。その後ろにも同じようにあおむいている女性たちのグループがあった。

「すみません……ごめんなさい、道をあけて」

二時五十九分。そのとき、背後から誰かがスッと近寄ると、和子の右手をぐいとつかみ、耳もとにこう囁《ささや》いた。

「今、何時ですか？」

和子の手から風船が離れた。

守はまた交差点に戻った。

信号待ちしている人の群れのなかで、狂ったように自問した。東京中の無数の繁華街、雑踏、交差点のなかで、なぜここが選ばれたんだ？

三時〇〇分。

のんびりとしたオルゴールのような鐘の音が聞こえてきた。

マリオンだ。振り向いて時間を確認した。人の群れが動き始める。スクランブル信号の、今は全方向の歩行者信号が青だ。

鐘の音は続く。何度も聞いたことのある音色だ。毎日決まった時刻に、ビル壁に取りつけられた時計のなかから、精巧に組み立てられた人形たちが現われ、小槌《こづち》で鐘を叩く。そして今は三時。鐘の鳴る時刻だ。集まった大勢の人たちが、足をとめ時計を見あげている。人だかりができている。

だからここだったのか？　とても見分け切れない多くの顔が集まるからここだったのか？　守が高木和子を見出《みいだ》すことが不可能なように。

「あ、風船だ」

守のかたわらを通り過ぎる小さな女の子が、時計を見あげる人だかりのなかから舞いあがった赤い風船を指さした。反射的に、守もそれを目で追った。

歩行者信号が赤に変わった。車が流れ出す。轟音《ごうおん》がまきおこる。

そのとき、動き続ける人形たちを見あげている人だかりのなかから、異様な速さで誰かが飛び出した。黒っぽいコートが守の視界をよぎった。女だった。彼女は足をとめず、まっすぐに車の流れる晴海《はるみ》通りに向かい、ガードレールをまたぎこそうと足をあげた。

地面を蹴《け》って走り出すと同時に守は叫んだ。

「とめて！ 誰かその人をとめてください！」

時間が止まった。ガードレールをまたぐその女性の白いふくらはぎが目に映った。黒いコートの裾《すそ》がひるがえった。人だかりに飛び込むと無数の拳《こぶし》で一度に殴りつけられたような衝撃が返ってきた。勢い余って守はよろめいた。

別の誰かが人だかりをもがくようにして抜け出してきた。今度は若い男で、驚きで凍りついた顔のまま必死に走ってくる。走って、彼の手が女性の黒いコートの裾をとらえたとき、守もガードレールに走り寄った。二人がかりで女性を引き戻すと、いっしょに倒れるようにして尻餅《しりもち》をついた。人だかりから悲鳴があがった。

女性は血の気の失《う》せた顔で、両目を見開いていた。

高木和子だ。間違いない。写真で見た顔だった。神様、感謝します。生まれて初めて、守は思った。

「いったいどうなってるんだ」飛び出してきた若い男が、和子と守の顔を見比べながら、同じように青ざめた顔でつぶやいた。

時計の鐘が鳴り終わり、人垣が崩れていく。道端に座り込んでいる三人を気味悪そうにながめている目もあるが、多くの人たちは通りすぎていく。

男の声で目が覚めたかのように、高木和子は身震いした。まばたきをした。ぼんやりと若い男を見あげる。

「たった今、車の真ん中に飛び出そうとしたんだ」男は嚙んでふくめるように言った。

「あたしが？」

「あなた、高木和子さんですね？」

パニックの反動にもつれる舌で、守はようやくそう訊《き》いた。彼女は振り向いて守を見ると、はっきりとうなずいた。

「あたし、どうなったの？」

「もう大丈夫だよ。こっちの彼が大声で知らせてくれたからよかった。風船がなくなって、僕は君がどこにいるのかわからなくなっちまったんだ」男が答えた。

「あんたがあたしを助けてくれたの？」和子は守に訊いた。

「そちらの人もです。お知り合いなんですね？」

守は若い男を見やった。彼もうなずいた。

「男の子……そうよ、あんた橋本信彦の家を訪ねていったでしょう？」

手をのばして守のジャケットの袖《そで》をつかみながら、和子は言った。

「彼がプロパンの爆発で死んだあとよ。行ったでしょ、ね？」

「行きました。そのあと、なんとかしてあなたを探しだしたかったんだけど」

「あたしもあんたに会いたかったのよ。あんた誰？ 橋本さんとどういうつながりがあるの？ あんたは何か知ってるのね？ 今日ここへ来るようにって手紙もあんたが書いたの？」

しがみついてくる和子の手は冷たかった。守は急いで訊いた。「手紙？ ここへ呼び出されたんですか？」

「そうなんだ」男が答えた。「彼女を助けることができると書いてあった」

守は少し乱暴なほど和子をひっぱって立ちあがらせた。そして男に言った。

「高木さんを連れて、急いでここから離れてください。いくところはありますよね？　あとで連絡を取るにはどうすればいいですか？」

和子を抱きかかえるように支えて、男は答えた。

「僕の店に来てくれればいい」

そして、「ケルベロス」の場所を教えた。

「話は後で。ともかく大至急、ここから離れるんです」

「わかった」

二人が立ち去ると、守は覚悟を決めてあたりを見回した。「誰か」はきっと、そばにいる。すべて見ていたはずだ。

そして、右肩に「誰か」の手がかかるのを感じた。

5

病人だ。

おかしなことに、第一印象はそれだった。あれほど恐れていた「誰か」は、老いた病人の姿をしていた。

「やあ、坊や。とうとう会えたね」

あの少ししわがれた声で、そう言った。背丈も守とさして変わらない。もとの肉体を病が押し縮めてしまったのか、頭だけが妙に大きく見える。だぶだぶの銀灰色の背広が、髪の色と似ていた。目の下がたるみ、顔は年齢が刻んだしわのほかに、病が肉をこそげとっていったしるしの、残骸《ざんがい》のような皮膚でおおわれていた。

守を見ている二つの目。それだけが生きている。

「坊や、もちろん私が誰だかわかるだろうね」

ぐっと顎《あご》を引いて、守はうなずいた。

「四人目は失敗だっただろ?」

意外にも、老人は微笑した。「君はよくやったよ。きっとやれるとは思っていたがね。高木和子のことはもうどうでもいい。では、行こうか」

「行くって、どこへ?」

「怖がることはないよ。私は君が好きだし、君と話したいことがあるからこうして呼び出したんだ。黙ってついておいで」

老人に従ってタクシーに乗り、三十分ほど揺られて降りた。頭上に高速道路が走る街で、オフィス・ビルのなかに点々とマンションが混じっている。夕焼けがビルの壁面に、不吉なほど鮮やかに照り返していた。

タクシーが走り去ると、守の心に冷たい怯《おび》えが戻ってきた。今のタクシーが、自分にとって、正気の世界に戻る最後の船であったように思えた。

老人に案内されたのは、道路から少し引っ込んだ場所にある、白壁のマンションの五階だった。建物に入る前に、守は辺りの様子をしっかりと頭に叩き込んだ。

マンションの向う側に、ビルの合間で肩をすぼめるようにして細い運河が流れている。向かいには立体駐車場がある。近くの電柱には住居表示がある。どんなことになるにせよ、せめて自分がどこにいるのかだけは知っておきたい。

五〇三号室。老人は足をとめた。

「ここだよ」

ドアの上部の表札には、「原沢信次郎」と書いてあった。「誰か」がこんな平凡な名前を持っているなんて、信じられない気がした。

「はらさわ？」

つぶやくと、老人は答えた。

「それが私の名前だ。ずっと名乗らずにいてすまなかったね」

ありきたりで簡素な部屋を通り抜け、老人は奥の部屋のドアを押した。守を先に通し、ドアを閉めてから明りをつけた。

圧倒的な光景が広がった。

奥の壁一面に、オーディオ機器に似た機材がびっしりと配置されている。守に見分けられたのは、中央に据《す》えられた三台のテープ・デッキと、その両脇のスピーカー、チューナー……あれはオシロ・メーターだろうか。増幅機のようなものも見える。母の啓子が亡《な》くなったとき集中治療室で見せられた、心拍数や脳波を測る機械に似たものもある。

つきあたりの窓には重いカーテンがおりて、ぴったりと外部からの光を閉め出している。綿やウールではなく、レントゲン技師のかけているエプロンに似た材質だった。

反対側の壁には、書籍の詰まったつくりつけの戸棚《とだな》がある。床には、毛足の短いカーペットが敷きつめられ、守の足音を吸い込んだ。そして、部屋の中央に安楽椅子《いす》が一脚。

「どうだね」原沢老人が言った。人工の明りと完全な静寂のなかでは、その声がひどく人間的に響いた。

「ここで何をしてるんです」

老人は上着を脱ぎ、かたわらの機材の上に置いた。

「長い話になるよ。疲れるだろう。座ったほうがよくないかね？」

「結構です」守は窓を背に立った。「あんたこそ。どう見ても病人ですよ」

「そうかね」

「一目瞭然《いちもくりょうぜん》です」

「そうか。では、もうあまり時間はないというわけだ。何から説明を始めようかね」

腰に手をあて、鶴《つる》のような格好で機材の前をゆっくりと歩いていくと、テープ・デッキの前で立ち止まった。

「まず、ひとつ種明しをしよう」

デッキのスイッチを入れる。赤いランプが点灯し、続いてスピーカーからテープの走行音が流れてきた。それに続き、日付と時間を読みあげる原沢老人の声が聞こえた。

「被験者　浅野真紀　女性　年齢二十一歳」

守は窓から背中を離した。老人の声が続く。

「あなたの名前は？」

「浅野真紀」

真紀の声が答えた。少し眠たげで落ち着いてはいるが、真紀の声に間違いない。老人の質問に、真紀の声は忠実に、素直に答えていく。生年月日、家族構成、職業、現在の健康状態——

「君の姉さん——正確には従姉《いとこ》だそうだが、彼女は非常に暗示にかかりやすい人だった。柔軟で、適応性が高い。催眠術の被験者には最高のタイプだったよ」

「催眠術？」火傷《やけど》した猫《ねこ》のように飛び上がって、守は老人につかみかかった。「あんた、姉さんに催眠術をかけたのか？」

「そうだよ、坊や」原沢老人は落ち着きはらっていた。「手を放しなさい。続きを聞きたくないのかね？」

息を切らしながら離れると、老人はテープのボリュームを上げた。

「あなたの好きな場所はどこですか？」

「海──青い海が好きです」

「海のどのような場所ですか？　浜辺？　あるいは洋上？」

「そう……ヨットの……ヨットがいいです。デッキに座って、潮風を浴びて……」

老人の声は続き、真紀に、あなたはヨットのデッキに座っている。太陽を浴び、とても楽しい、とてもリラックスしている……と暗示をかけていく。

「これから私の言うことをよく聞いてください。聞こえますね？」

「よく聞こえます」

「あなたの家には時計がありますか？」

「あります」

「時刻がくると、ベルや鐘を鳴らして音を出す時計はありますか？」

「あります……柱時計が」

「それでは、あなたは明日、その柱時計が午後九時を知らせたら、日下守にこう伝えてください」

「明日、家の柱時計が午後九時を知らせたら、守に伝えます……」

「坊や、私は橋本信彦に電話をかけた。それで彼は死んだのだよ」

同じ言葉を、真紀が一本調子に繰り返す。

「そうです。わかりましたね。では、今から私が三つ数を数えます。すると、あなたは目を覚まします。目を覚まして、この建物から出て行きます。そして表に出たら、今までのことをすべて忘れてしまいます。私に会ったことも、私に命令を与えられたことも忘れてしまいます。今までのことはすべて、明日午後九時になったら、自然にあなたの心に浮かんでくるのです。そして、伝言を伝えたあとには、私の命令に従って行動したことも忘れてしまいます」

「忘れてしまいます……」

「いいですね。では数えます。一、二、三。はい」

テープはそこで終わっていた。

「後催眠現象というものだ」原沢老人は説明を始めた。「被験者を深い催眠状態に導き、下意識に命令を与える。すると、それをある一定のキーワード——言葉でも、音でも、なんらかの行動をすることでもいい——を与えることによって、いつでも呼び出し、与えたとおりの命令を実行させることができるのだ。そして、被験者はそのことをきれいに忘れてしまう。もちろん、自分の行動を意識してもいない。記憶にちょっとした空洞《くうどう》ができるだけだ」

デモンストレーションのあった前の晩、真紀は酔っ払って自分がどこでどうしていたか思い出せない時間があると話していた……デモンストレーションのあとも、自分が何をしたか覚えていなかった。

「簡単なことだ。私は熟練した誘導者なんだよ。被験者に近づき、話しかけることさえできれば、催眠状態に導くのは易しいことだ。規則正しく、一定の間隔で指を鳴らしたり、ものを叩《たた》いたりするだけで、浅い催眠状態に導くことができる。そして、どこかもっと静かで時間の取れるここのような場所に連れて行き、さらに深い暗示を与える。どうしても催眠誘導しにくい場合は、薬を使うこともあるがね。おもにバルビツール酸誘導体など……でも、女性にはまず必要ない。女性は暗示にかかりやすい生き物だ」

壁に並んだ機材を、ぐるりと手で示した。「これらの機器は、催眠誘導下にある被験者の身体的、生理的状態を記録するためのものだ。君に興味があるのなら、催眠状態にある人間がどれほど興味深い観察材料になるか、教えてあげられるのだがね」

守は目をそむけた。

「しかし、これは聞きたいだろう？」老人は別のテープをかけた。また別の女性の声が流れてきた。

「これが加藤文恵だ」老人は言った。「実にあけすけだったよ。彼女は、自分がどうやって汚れた金を稼《かせ》いでいたのか、微にいり細をうがって説明してくれた。それを得意に思っていたような節がある。意識が表向きにさせたがらない後ろ暗いことでも、下意識に働きかければ難なく聞き出すことができるのだ」

「その『下意識』って何なんだよ？」

「ここにいる」原沢老人は指先で頭を軽く叩いた。「二十四時間決して休息することのない番兵だよ。学者によっては、下意識こそ人間の魂そのものであると、文学的に表現する者もいる。意識は単なる黒板にすぎない。そこに書かれたものは容易に消されてしまう。しかし、下意識はいわば彫刻なのだ。そこに刻み込まれたものは、太古、人類の祖先が洞窟《どうくつ》の壁に刻んだ古代文字のように永く残るものなのだよ。ある人間が五歳のとき転んで前歯を折ったとする。すると、下意識はその人間が八十歳で死ぬときまで、前歯を折ったときの痛みと恐怖を記憶しているものなのだ。後催眠現象とは、その下意識に働きかけることによって起こる。君は、催眠学習という言葉を聞いたことがあるかね？」

「ある。ダイレクト・メールが来たよ。寝ているあいだに英単語が覚えられる、とか」

「試してみたかね？」

「まさか」

「賢明だ」老人はにっこりとした。「商品化されているものにロクなものはない。それだけのことができるほど高度な技術を体得している誘導者など、ざらにはいない」

「あんたは、自分がその一人だっていうつもりかい？」

「そのとおりだ、坊や」

話がしやすいように、老人はテープの音量を下げた。

「あの四人の女性たちについて、私はこうしてすべての記録を残してある。彼女たちに接触し、暗示をかけキーワードを与え——」

「だけど……それを信じるなら、あの人たちはみんな、ずいぶん長い時間、あんたの催眠にかかっていたことになるじゃないか。そんなことができるのかい？　あんたの知らないところで、誰か全然別の人間が偶然キーワードを言っちまうことだってあるじゃないか」

老人は微笑した。

「時間的なことを心配しなければならなかったのは、実を言うと、高木和子のときだけだったんだ。ほかの四人は、最長の場合でも、キーワードを与えるまで十二時間程度のブランクを計算すればよかった。橋本信彦のときなど、たった三時間だった」

不意に、老人の目に抜け目なさそうな色が浮かんだ。

「私は彼らの行動をきちんと監視するようにしていた。失敗したくなかったからね。ただ、高木和子は、座談会の女性たちの最後のひとりだ。彼女は警戒して、本当に、本格的に逃げて姿を消してしまう可能性が充分あった。私が突き止めきれないほどに完全にね。そこで、長い時間的ブランクが発生することは承知で、つかまえられるときにつかまえた。菅野洋子の通夜《つや》の夜だ」

「でも――」

「そして、複合キーワードを使った。キーワードを口にすると同時に、彼女の右手をつかむ。それが両方そろわなければ、暗示は効かないというわけだ」

「そうやって『死ね』と命令したんだ」

「そうではない」老人は首を振った。「私がしたことは、彼女たちに『逃げろ』という命令を与えたことだけだ。個体には自己保全本能というものがあるからね。『自殺しろ』という命令を与えても、それは実行されない。下意識もまたその人間の一部であることには違いないのだから」

「逃げろ？」

「そうだ。走れ。逃げろ。追手に捕まるな。捕まれば殺されるぞ。さえぎるものは振り切り、ドアを通り抜け、窓を破り、飛び降り、逃げて逃げて逃げ続けろ、さもなければ殺されるぞ、とね。下意識はその命令を実行する。その意味では、彼女たち自身の自己保全本能に彼女たちを殺させたことになるかな」

言葉もなく立ちすくんでいる守のまえで、老人はちょっと手をあげ、そうそう、とつぶやいて、機材の一角に手をのばすと、そこから一通の大判の封筒を取り出した。

「これを高木和子に渡してくれないかね」

差し出された封筒に、守は手を出せなかった。老人は笑顔をつくった。

「心配ない。危険なものではないよ。というより、彼女を完全に助けるためのものだ。彼女は死ななかった。だから、解催眠しておかないと、あとで後遺症が表われる恐れがある。本来なら私がするのが一番確実なのだが、そうもいかない」

守は封筒を受け取った。

「そのなかには、私の育てた、この分野の権威の一人の連絡先が書いてある。もちろん理由は伏せて、それらしい嘘《うそ》を並べてあるが、資料も揃《そろ》えてある。彼に連絡して頼めば、しかるべきようにしてくれるはずだ。君に電話したときから、準備しておいたんだよ。そして君は勝った。だから、高木和子は完全に救ってやらねばならない」

ふと、守は恐ろしいことに気がついた。

「真紀姉さんは？　姉さんはどうなる？　解催眠してないじゃないか」

老人はぽんと守の肩を叩いた。

「それなら心配しなくていい。あのデモンストレーションのあと、きちんとしておいた。真紀さんに電話がかかったことを覚えてないかね？　あれが私だ。肩書きを利用して軽い嘘をついて、翌日すぐに会ったのだよ。そのときちんとしておいたからね」

守は空まわりしそうな頭で考えた。このところ真紀の様子がおかしいことはなかっただろうか？

ない。大丈夫だと思えたとき、ようやくまた老人の顔を直視することができた。老人は静かに言った。

「この期《ご》に及んで嘘はつかんよ。君には嘘はつかん」

安堵《あんど》を感じながら、守はあらためてしっかりと封筒をつかんだ。なにがあっても、これは高木和子に届けねばならない。そうすればもう、真紀と同じように、なにもかもなかったことになるのだ。もう大丈夫なのだ。

でも――

守のなかで渦巻《うずま》いていた疑問が、ようやく言葉を取り戻した。

「でも、ほかの人たちは殺してきた。なぜそんなことを？」

「正しい裁きのためだ」間髪入れず、老人は答えた。そのときまで口元に浮かんでいた薄い笑みが、ぬぐったように消えた。

「一年前まで、私はある大学の研究室にいた。そこで、私が手塩にかけた五人の弟子たちと、催眠療法やバイオ・フィードバック、中国で永い伝統を誇る気功の研究を続けていた。その研究が実を結べば、対人関係のストレスに悩む男たちや、不定愁訴に苦しむ女性たちを大勢救うことになる」

両手を広げ、悲しげにそれを見おろした。「しかし、そのころには私はもう、自分の健康に問題のあることがわかっていた。癌《がん》だよ。一度手術を受けたが、切除不可能な場所まで転移していたのだ。研究に没頭していたため、気づくのが遅すぎた。しかし、人は誰でもいつかは死ぬものだ」

軽くいなすように笑って、続けた。

「私が死んでも、研究員たちがいる。私よりはるかに多くの時間を持っている彼らが、私の遺志を継いでくれる。私はただ、残された時間でできる限り多くの知識を彼らに渡せばそれでよかった。幸い、今はいい痛みどめがあるからね」

老人はつと本棚《ほんだな》に近寄ると、スクラップ・ブックを一冊抜き出し、ページを繰って守にさしだした。「これをごらん。五人の研究員のなかでも最も優秀だった私の秘蔵《ひぞ》っ子《こ》だ」

左側のページに、黒ぶちの眼鏡をかけ、白い歯並びを見せて笑っている若い男の写真があった。広い額。すっきりした鼻筋。眼鏡のレンズの向こうで瞳《ひとみ》がきらめいている。

右のページには、三人の女性たちの死亡記事の切り抜きが貼《は》られている。

「田沢賢一といった。生まれついての学者だったよ。毎日目を輝かせて研究室にやって来たものだ」

「あんた、この人のことを過去形で話してる。この人はどうしたんです」

「自殺したのだ。研究室にあった睡眠薬で。去年の五月のことだよ」

守は目をあげた。老人の目がそれをとらえ、ゆっくりとうなずく。

「彼は恋をしていた。不幸な恋を。内気だが、誠実な青年だった。私は、彼の恋している女性が彼にふさわしい人であってくれればいいと念じていた」

「それは誰だったんです？」守は訊《き》いた。

「高木和子だよ」

沈黙のあと、老人は静かな口調を保って続けた。

「彼が自殺したとき、私は気が狂うかと思った。あれほど辛《つら》い葬式はなかった。私のあとを継いでくれるはずだったものを送る弔《とむら》いだよ」

「なぜ、田沢さんの恋人が高木和子であるとわかったんです？」

「田沢君は私あての遺書を残していた。そこにすべて書いてあったよ。彼は傷ついていた。どうにもならないほど傷ついていた。彼は本当に高木和子に恋していたんだ」

「それでも、死ぬことはない。将来のある人だったんだ。早まったことを――」

「そう思うかね？　私の弟子は無垢《むく》に過ぎ、免疫《めんえき》がなさすぎた。そう思うか？」

いいや違う。老人は険しく断言した。

「坊や、君は恋愛というものをどう思う？　恋愛感情はなぜ一人の人間だけに向けられ、他の人間では駄目《だめ》なのか。なぜ一人の人間だけにひかれるのか。それは神秘だよ。我々学者にとっても未《いま》だ未踏の分野なのだよ。高木和子は、それを営利を得る手段として使った。それに、こともあろうに私の弟子が倒れたのだ。学問の徒が倒れたのだ。惑星探査の宇宙飛行士が、未知の星に降りた途端、原始人にこん棒でなぐり倒されたようなものだ」

老人の声には力があった。

「坊や。彼女のしたことは単なる詐欺《さぎ》や欺瞞《ぎまん》ではない。あれは冒瀆《ぼうとく》だったのだ」

答えられなかった。

「高木和子は、彼女を信じ、騙《だま》されていたことを認めずに訴えかける彼に、あの『情報チャンネル』を送りつけてきた」

守は目を見張った。座談会の記事を、橋本の言葉を思い出した。

(四人の女どものしゃべったことには、俺《おれ》は一言半句も手を加えちゃいない。どんな汚い言葉も、嫌《いや》らしい言い回しも、何一つ付け加える必要なんかなかった)

「遺書といっしょに、それも残されていた。私は読んだ。何度も何度も、暗記するほど読んだよ。そして決心したんだ」

「あの女性たちを殺そうと」守は言った。「でも、なぜ四人全員だったんです？　それなら高木さんだけでよかったはずだ」

「これが個人的復讐《ふくしゅう》以上のものだったからだよ、坊や。彼女たちはサンプルだったのだ」

「サンプル？　馬鹿《ばか》な、実験じゃあるまいし、あんたのしたことは殺人だったんだぞ！」

「そして恋人商法は卑劣な犯罪だ。犯罪者は裁かれねばならない」

老人はよたよたと守に近づいた。

「坊や、私は君の四倍以上の歳月を生きてきた。そしてわかったことが一つある。いつの世にも、真の悪人というものが確かに存在するということだ」

演説。手を広げて。

「しかし、幸いなことに彼らは絶対数が少ない。彼らだけでできることなどたかが知れている。本当の問題は、その彼らについていく者たちなのだよ。恋人商法だけではない、あまた満ちあふれている悪質な金融犯罪も、それを考え出した一握りの者たちだけでは成り立つことはない。それを成り立たせ、実行し、蔓延《まんえん》させているのは、もっと大勢の追随者たちなのだ。そこで何が行なわれ、自分がどういう役割を果たしているのか充分承知していながら、いざというときには逃げ道を探せる者たちだ。悪意はなかった、知らなかった、自分も騙されていた、事情があってどうしても金が欲しかった、私も被害者だ――言い訳、言い訳、果てしない言い訳だ」

沈黙。

「私はあの四人の女性たちに、彼女たちが不当に安く手に入れたものに、正しい対価を支払わせてやろうと考えた。それだけのことだ」

「狂ってるよ」ようやく、守はつぶやいた。「どんな理屈をつけても殺人は殺人だ」

「それは社会が判断することだ。私はこのとおり、先が永くない。あと一カ月もつかどうか白も怪しいものだ。私が死んだら、遺言執行人の手で、ここにあるすべての資料が、私の告白といっしょに警察に送られるよう手配してあるよ」

言うべきことはもう何もなかった。守はただ、ここを出ていくことだけ考えていた。立ち上がり、外に出て、ここからできるだけ遠くに行こう。

「あんた、得意満面だね。そうだろ？　気の違った魔術師だ」

「魔術師か」老人は楽しそうに笑った。「学問は神聖なものだ。決して無駄なものではない。私は科学者だよ。真実を求めている。その証拠に、君に一つ、有益なことを教えてあげられる」

部屋を出かけていた守は振り返った。

「有益なこと？」

「そうだ。君のおじさんのために目撃証言をした、あの吉武浩一の正体だよ」

守はじっと原沢老人を見つめた。

「あんたがあいつの何を知ってるんだよ？」

「あの男は嘘をついている。彼は、菅野洋子が死んだとき、あの現場にはいなかった。私はそれを確信している。なぜかというとね、キーワードだ」

老人は指を一本立てた。「加藤文恵のときは、電話を使った。三田敦子にはホームで話しかけた。橋本信彦のときは、私は彼を訪ね、彼を眠らせ、暗示を与えたあと、ガス栓《せん》をひねりガソリンをまいた。そして、ガスが適当に満ちたころを見計らって、彼に電話をかけ、キーワードを与えて煙草《たばこ》に火をつけさせたのだ」

　そして菅野洋子は――

「彼女のときは、キーワードに、彼女の腕時計を使ったのだ。アラームが鳴るようにできているものだった。それを午前零時に合わせ、アラームが鳴ったら暗示が始まるようにしておいた。そのために、彼女はやみくもに逃げて君のおじさんの車のまえに飛び出したわけだ。だから私もあの夜あの場所にはいなかった。少し休息が必要だったものでね。その手抜きのために、君のおじさんには迷惑をかけてしまった」

　少しだけ、すまなさそうに視線をそらした。

「だから、彼女が死んだあと、事故の状況を報じた記事は全部読んだよ。ニュースも見た。そして、吉武が名乗り出て現場で見ていたと話している内容を知ったとき、私には彼が嘘をついていることがわかったのだ。彼は、あの夜、菅野洋子に時間を訊いたと証言した。彼女がそれに答えて『零時五分です』と言ったと。それは嘘だ。ありえないのだ」

「なぜ？」

「零時五分なら、もう暗示が始まっていた。彼女は私の与えた暗示のなかの追手から逃げていた。外界からの刺激に反応できたはずがないのだよ。誰かに時間を尋ねられたからといって、それに答えられたはずがない。絶対にだ」

　絶対に。老人は強調した。

「吉武浩一は真っ赤な嘘をついている。彼が本当にあの場にいたのなら、誰も追うものなどいないのに必死で逃げていく菅野洋子をこそ見ていたはずなのに。彼はありえない話をしている。なぜだろう？　なぜそんな嘘をついているのだろう？」

守は目を閉じ、ドアに寄りかかった。

「あいつが僕の親父《おやじ》だからだよ」

初めて、老人の顔に驚きが走った。

「あの男が君の父親だと？」

「そうだよ。知ってるんだ。あいつは十二年前行方不明になった僕の親父で、今は吉武浩一と名乗ってる。僕と浅野さん一家を助けるために、あんな嘘の目撃証言をしたんだ」

「君はどうしてそれを知ったのだね？」

守は説明した。結婚指輪。（捕まるぞ！）というサブリミナル・ショットにひっかかったこと。それにもう一つ――

「あいつは、僕に『日下君』て呼びかけた。そんなふうに呼べるはずはなかったんだ。浅野さん一家は、僕を『息子です』って紹介したんだからね。今考えてみれば、そのとき気づかなかったほうがどうかしてたんだ」

しばらくのあいだ、老人はじっと床を見つめていた。

「坊や、しかし、彼の身元ははっきりしている。目撃証言のとき、警察で洗いざらい調べあげたのだからね。生まれや経歴、戸籍を偽ることなどできないよ」

「僕もそれは考えたさ。だけど、あいつから聞いたんだ。昔、一時期ドヤ街にいたことがあるって。ああいう場所では、金で戸籍を売買することがあるっていうじゃないか。親父みたいに、過去を消したい人間が金を払って、もう戸籍なんか必要ない他人の身元を譲ってもらうんだ。さもなきゃ、野たれ死にした仲間の誰かの身元をそっくり頂く。それで生まれ変われるってわけさ」

「なるほど。考えられることだ」老人はうなずいた。「だが、坊や。それは間違っているよ。彼は君の父親ではない。それよりも、もっと大きな借りを負っている。君と、君の母親に」

老人は今一度テープ・デッキに歩み寄った。

「彼が嘘《うそ》をついていることを知ったとき、私は興味を抱いた。そして、彼が嘘をつく理由を知りたいと思った。だから、彼にも催眠誘導を試みたのだ。これがその記録だよ」

「あいつに？」

「そうだ。幸い、私には彼のような人物に気軽に近寄れるだけの肩書きがある。それでも、非常に困難な仕事だったよ。ぶ厚い抑圧の壁を破らなければならなかったのだからね。しかし、彼の嘘の意味を知ったとき、同時にその理由もわかった。あの男には、死んでも表向きにしたくないことがあったのだ」

老人はテープをスタートさせた。長い告白が始まった。その告白に耳を傾けることは、守にとって、深い霧に閉ざされた十二年という歳月をさかのぼっていくことだった。

6

十八歳の春、大学進学のために上京した野村浩一の胸には、希望があふれていた。枚川市で代々旅館業を営み、土地の旧家として知られていた彼の生家は、第二次大戦の戦火で家屋と家財の大半を失い、また戦後の混乱を生きのびるために少しずつ身売りをしたことがたたって、今では見る影もない状態にあった。

旧家の悪い一面として、血筋を重んじるあまり新しい人間を容《い》れることを嫌《きら》うところがある。野村家ではそれが特に顕著で、旅館業という、柔軟な頭脳と商才の要る家業には、その偏狭さは致命的な打撃を与えてきた。

彼はその野村家の総領息子であり、生家を再興するだけの力を秘めている希望の人でもあった。

そのときにはもう、野村家に残っているのは、かつての旧家としての面目と、毎月の乏しい地代だけだった。既に夫を亡《な》くし、一人息子の浩一だけのために生きているようになっていた母親の梅子は、その乏しい生計を削ってでも、息子を東京の大学に送った。そのことの意味を、浩一は充分すぎるほどよく理解していた。一見腐りかけているかとさえ見える古株に、思いがけず伸びてきた新芽。それが彼なのだった。

東京での生活は順調だった。浩一は優秀な学生であり、そのまま進めば有能な青年となり、野村家にふさわしい仕事を成し遂げられるだけの人材になることを、彼本人を含めて誰も疑っていなかった。

最初の不運が襲いかかってくるまでは。

事故だった。

浩一の下宿の近くに新築中のビルがあり、彼がその近くを通りかかったとき、彼の頭の斜め上方で、作業員たちが三階の窓ガラスをはめこんでいたのだ。そして、次の講義のときに提出するレポートの内容を考えながら、浩一がちょうどその真下に来たとき、ガラスを支えていた作業員の手が離れた。ガラスを吊《つ》り上げていたワイヤーのフックがはずれたのだ。容赦ない引力の手で、浩一は全治二カ月の重傷を負った。

その事故には手厚い補償がなされたし、若かった彼は傷の回復も早かった。二カ月の空白なら、あとでなんとでも取り戻せると考えて、病院のベッドではひたすら本を読んで過ごした。本当にあわてたのは、退院のたった一ヵ月後に再入院を宣告されたときだった。

血清肝炎にかかっていたのだ。

肝炎が輸血された血液から水平感染するものであることは、今日ではよく知られている。予防法の研究も進んだ。その意味では、浩一は二重に不運だったといわねばならない。出血死を免《まぬか》れさせてくれた輸血のために、それから一年間の学生生活を、彼は丸々棒に振った。ようやく元のコースに戻れるまで回復したとき、今度は母の梅子が倒れた。軽度の脳溢血《のういっけつ》で命に別状はなかったが、それに伴う経済的な事情は、既に浩一に選択の余地を残さないところまで逼迫《ひっぱく》していた。二十一歳の春、浩一は「中退」という不本意な形で大学を離れ、それ以上に不本意な就職をすることになった。

息子の就職に際して、縁起を担《かつ》ぐ梅子は知人に彼の姓名判断をしてもらった。知人は言った。

「運気は強いけれど、事故と縁の切れない名前です。改名されたほうがいいかもしれませんよ」

既に身に降りかかってしまった不運に腐っていた浩一は、その言葉に耳を貸さなかった。彼の言いたいことはただ一つ、「不公平だ」。それだけだった。

社会への第一歩は、都心にある中規模の不動産会社の社員として踏み出すことになった。それほど悪い就職先ではなかったはずなのだが、浩一自身のなかにある挫折《ざせつ》感《かん》と、それと裏腹の屈折した優越感は——自分は本来こんな場所にいるはずのない人間なのだ——彼を気難しく、不愉快な男へと仕立てていった。人当りの悪さ、同僚たちへの、口には出さないがなお一層雄弁に態度に表われる侮蔑《ぶべつ》の意識が、敵をつくり、人を遠ざけ、ひいては仕事にも悪影響を及ぼすようになっていった。

その当然の帰結として、彼は転々ところがり始めた。履歴書の職歴欄は、「一身上の都合により退職」の記入と、さまざまな会社名で埋め尽くされることになった。辞めた会社のなかには、名前さえ記憶していないところもある。次の就職先に提出する履歴書には、そういう所はとばして書いた。空いた年月は適当に修正して。短期間ではあったが、すべてに嫌気《いやけ》がさして、浮浪者同様にドヤ街で生活したのも、このころのことだった。

三十二歳の夏、浩一はある運送会社に中途採用された。仕事は総務関連の事務だったが、小規模な会社で男性の内勤者は彼一人だった。得意先回りをする社長の鞄持《かばんも》ちも、彼の役割の一つになった。

そうした得意先の一つに、新日本商事があったのだ。

二人が知りあったころ、のちに彼の妻となる吉武直美は、まだ二十二歳の学生だった。披《ひ》露宴《ろうえん》の口上風にどちらが先に「見初《みそ》めた」のかを言えば、彼女の方からだったろう。世間知らずの彼女には、周囲にいる、親の保護の下で将来を保証されている青年たちよりも、商談のとき、辛抱強く足の間にかばんを置いて、やつぎばやに交わされる会話を停滞させない早さで書類を繰っていく、シニカルな雰囲気《ふんいき》をもつ男の方が、はるかに魅力的に思えたのだ。しかも、彼女の知らない世間を泳いでいる野村浩一には、美貌《びぼう》で有名だった母親譲りの顔立ちがあった。打ち続く不運も、それだけは損なっていなかったのだ。

娘の強い希望に負けて、新日本商事の社長が浩一の身辺調査を始めたとき、一番の懸念《けねん》の対象は、腕よりも長い彼の過去の就職先のリストだった。転がる石には苔《こけ》がつかない。直美の父親は、その言葉の持つ悪い一面の信奉者だった。これだけ転がっていては、身についたものなどなにもあるまい。

ただ、その長いリストは、しばらくしてから別の意味で彼の注目をひいた。野村浩一の過去の就職先は、職種も経営内容もバラバラだが、分野としては、これから伸びるもの、既に伸びつつあるものばかりだった。浩一が就職したころには名もない弱小企業だったものが、今ではその分野で頭角を現わしている例もある。

これは偶然だろうか？　直美の父親は、新日本商事の社長としての頭で、考えた。

偶然ではない。どういう理由で転職を繰り返しているにせよ、一人娘が惚《ほ》れこんでいるこの青年には先見の明がある――もっとあからさまに言えば鼻が利《き》くのだ。そして、自身も一代で会社を興した直美の父は、この先見の明だけは訓練や教育で身につくものではないことを熟知していた。

浩一と吉武直美は、その年の暮に婚約した。浩一は新日本商事に就職し、働き始めた。野村家を実質的に再興することを考えていた彼は、ためらうことなく婿養子《むこようし》になることを承知した。式は直美の卒業を待って行なわれる予定だった。

そして、事故と縁の切れない名前の呼び寄せる最後で最大の不運は、野村浩一が吉武浩一に変わる、その一週間前にやってきた。

7

十二年前――三月。
前夜東京を発《た》ち、枚川市内に入ったころには、浩一の愛車の時計は午前五時十五分をさしていた。糸のような雨がフロントガラスを叩《たた》き、町は冷たい水蒸気に包まれていた。一週間後の結婚式のために、彼は母親を迎えに戻ってきたのだった。実家に一晩泊まり、これまでの電話や手紙では語り尽くせなかったことを話して過ごすつもりだった。そしていっしょに東京に戻る。ようやく巡ってきたチャンス——いや、回り道をしたがとうとう予定のコースに戻ったことを、母親の目に見せることができるのだ。

市内に入ってから、彼は少し回り道をとった。国道を直進して中央通りに抜けるのではなく、駅前で間道に右折して、町を取り囲む山のふもとをひとめぐりし、凱旋《がいせん》を楽しみたかったのだ。

車の窓の右手に、かつて野村家のものだった小高い山が見えてきた。頂上付近がきれいに地ならしされ、建設中のリゾート・ホテルの鉄骨が夜明前の紫色の空に黒くそびえている。「九月一日オープン!」足場にかけられた横看板が電球に照らされている。

夢ではない。浩一は思った。新日本商事をリゾート・ホテルの経営に乗り出させることは、今はまだ難しくても、不可能ではない。遠くない将来、彼が経営の実権を握れるようになったら、必ず。

それまでは、充分に力を蓄えることだ。彼は既に、新日本商事の経営方針を、もっと大衆的な路線まで拡大することを考えていた。大衆という言葉の意味が底上げされる時代が、必ずやって来る。

車は町を半周し、市の西側を走り抜ける線路と道路の交叉《こうさ》する地点にさしかかっていた。

雨足が激しくなり、ワイパーを動かしても視界がぼやけてきた。

早朝の間道で、すれ違う車は一台もなかった。歩行者も見えない。彼はアクセルを少し踏みこんだ。天候とは逆に、気持は高ぶっていた。

車はスムーズに加速した。直美からの贈物だった。これでお母様を迎えに行ってあげてね……。渡されたキーには彼女の体温が残っていた。

黒い人影を認めたのと、ブレーキを踏んだのと、どちらが先だったか記憶にない。霞《かすみ》のなかを泳ぐように現われたその人影は、現われたときと同じように瞬時に消えた。鈍い衝突音がして、車は大きくバウンドしながら急停車した。反動で浩一の身体《からだ》も前に投げ出された。ドライバー保護の緩衝装置つきハンドルはゆるやかに衝撃を受け止め、彼には傷一つ負わせなかった。

音という音がすべて消失した。自分の心臓だけが耳元で鳴っていた。ダッシュボードについた手は脱色したように白かった。

ドアを開けて外に出る。ぬかるみは彼の靴《くつ》をとらえ、激しい雨が肩を打ち始めた。

ぼろきれのかたまりが、間道の端に落ちていた。そのぼろきれには足があり、片方だけ靴をはいていた。脱げたもう片方は浩一の足元に、びっくりするほど近くに転がっていた。

浩一は一歩ずつ、足を前に押し出すようにして近づいた。

ぼろきれは動かない。かがみこんで、首筋に触れた。脈は打っていなかった。

浩一とさして変わらない年代の男だった。右の眉《まゆ》の下に小さなほくろがある。水たまりに半ば顔を突っ込むようにして倒れ、下になっている左耳から一筋、血が流れ出している。震える手で頭を抱え起こすと、生まれたての赤ん坊のようにグラグラしていた。

浩一は死体から手を放し、手のひらを何度もズボンの膝《ひざ》にこすりつけた。首筋に流れ込む雨で、背中が冷たい。

男のさしていた傘《かさ》が柄《え》を上にして落ちている。そのなかにも雨がたまっていく。

右手の山林のなかで、ひと声高く鳥が鳴いた。

浩一はあたりを見回した。

町外れだ。ゆるいカーブを描いた線路が林の向こうに消え、やがてトンネルに吸い込まれていく。カーブの一番ふくらんだところに傾いた信号機がある。無人踏切だ。左手には、壁に「枚川染物工業」とペンキ書きされた古びた倉庫が立ち並んでいる。

誰もいない。

逃げるなら今のうちだ。まだ手のひらをこすりつけながら、濡《ぬ》れねずみになって立ちすくむ。

さあ、逃げるなら今だ。雨がタイヤ痕《あと》も血もきれいに洗い流してくれる。

内からの声にはむかうようにゆるゆると首を振りながら、浩一は、生きている人間には不可能な角度で空を見上げている死体に語りかけた。

「気がつかなかったんだ」

弁解したかった。「見えなかったんだ」

さあ、逃げろ。すべてを棒に振るつもりか？

突然、背後で大きな警告音が鳴り響き始め、彼は脅かされたように飛びあがった。無人踏切の信号が点滅している。遮断機《しゃだんき》が降り始める。列車が通過するのだ。

浩一は呆然《ぼうぜん》と信号機を見つめた。カーン、カーン、カーン。警告音。上下に並んだ赤いランプが交互に点滅する。上、下、上、下。

運転手は気づくだろうか？　この車が、死体が見えるだろうか？　乗客には見えるだろうか？

カーン、カーン、カーン。

血が逆流した。浩一は走り出すと、死体を抱え起こし、車のそばまで引きずった。ドアを開け、雨でびしょ濡れになった死体を押したり引いたりして、ようやく後部座席に押しこんだ。

駆け戻って地面を見回す。傘をつかんでたたみ、死体の脇に置く。水たまりに流れ込んだ血は雨に薄れていく。流れ出ていく。何も残ってはいない。

車に乗り込もうとしたとき、靴につまずいた。脱げたかたわれの方だった。夢中で拾い上げて死体のうえにほうり込む。足を引っこめてドアを閉めたとき、轟音《ごうおん》とともに列車が通過した。

どうやって運転したのか、何を考えていたのか、覚えていない。水たまりを蹴散《けち》らして家のまえに車をつけ、へこんだフェンダーやはげた塗料を誰にも見られないように、頭から車庫に入れた。

物音をきいて、母の梅子が出てきた。狭い庭に支柱を立て、ビニール・シートを張っただけの車庫だった。くぐもった音が聞こえる。車で帰省することが増えた彼のために、梅子が乏しい貯金をはたいてつくった急ごしらえの車庫だ。立派なものは必要ない、すぐに家ごと建てかえるのだから。枚川を離れたがらない母親に、彼がそう約束したのだ。

「おかえり……どうしたんだい、その顔は」

母の声を聞いたとき、ようやく彼は泣き出した。声を押えるため拳《こぶし》を噛《か》みながら。

梅子は彼をとがめなかった。話を聞き終えると、こう言った。

「死体をなんとかしなくてはね」

奥の部屋に、車庫の屋根をつくったとき余った分のビニール・シートをしいて、死体を運び込んだ。梅子は冷静で、徹底していた。脳溢血の後遺症で右手が利かなくなっていたが、彼に指示する声はきっぱりして、終始乱れなかった。

指示通り、浩一は死体の衣服をはぎ、ひとまとめにして紙袋に突っ込んだ。上着のポケットから札入れが出てきた。運転免許証と身分証明書が入っていた。

「日下敏夫。母さん、知っているかい」

彼の手からそれを引ったくるように取りあげると、ほかのものと一緒に袋に入れ、口を縛って、梅子は答えた。

「市役所の財務課長補佐さんだよ」

死体をシートにくるんで縄《なわ》をかけてしまうと、奥の部屋に隠した。

「車はどうしようかね」梅子は言った。「傷がついているんだろう?」

その夜七時ごろ、ローカル・ニュースで枚川市役所の財務課長補佐が行方不明になっていることが報じられた。浩一はそれを聞いたあと、車庫から車を出した。浩一は、ターンしそこねたふりをして、車の前部を向かいの家の石垣《いしがき》にぶつけた。

呼び付けたレッカー車はあっさりと車を引き取っていき、十五分で代車が届けられた。

「あたしは、前々からお向かいの石垣が気に入らなかったんだよ」梅子は息子に言った。

深夜を待って、代車に乗り込むとき、トランクの中に死体を積んだ。シャベルもいっしょに積み込んだ。枚川市を離れるまで、なに一つ邪魔は入らなかった。

市内から一時間以上走った山中で車を停《と》め、浩一はシャベルと懐中電灯を手に車を降りた。このあたりは県の自然保護林に指定されており、伐採される予定も、掘り起こされる危険もない。雑木林のなかを少しのぼり、斜面のなかほどに手頃《てごろ》な場所を見つけた。車に戻って死体を引っぱりあげ、埋めてしまえばいい。すべて彼一人でやった。梅子はライトもラジオも消した暗闇《くらやみ》のなかで、じっと前を見つめたまま待っていた。

ビニール・シートの上に掘った土をかぶせているとき、運びあげたときに縄がゆるみ、死体のねじ曲がった左手がはみ出していることに気がついた。今にもその手が動きだし、浩一の足首をつかみそうな気がした。

それよりもなお恐ろしかったのは、その左手の薬指に指輪が光っていたことだった。見落としていた。危ないところだった。その指輪を引き抜きながら、浩一は額の汗をぬぐった。死体が発見される可能性が薄いとはいえ、万が一ということもある。そのとき、身元がわかるようなものを残しておくのは危険だった。

かぶせた土を元どおりに踏み固め、車に戻った。恐怖と重労働のために腕が震え、しばらくは運転できなかった。

ようやくエンジンをかけたとき、梅子が小さく、だがきっぱりと宣告した。

「あなたが悪いわけじゃないんですからね。忘れてしまいなさい」

だが、浩一にはそう思えなかったし、忘れることもできなかった。

直美との結婚式を無事に終え、吉武浩一となって新婚旅行から戻ってくると、まっさきに、郵送で取り寄せている地元紙を開いてみた。そこに大きく、「日下敏夫」の名前が載っていた。吉武は血の気が引いていくのを覚えた。

だがそれは、日下財務課長補佐が依然消息を絶ったままであることと、彼が失踪《しっそう》以前に公金を横領していたことを報じる記事だったのだ。

東京での生活は順調だった。枚川での事件は闇に埋もれた。日下敏夫の失踪について、疑いを抱くものは誰もいなかった。吉武の身の安全は保証されたも同然だった。

ただひとつだけ、彼の心を悩ませ、靴のなかの石のようにしつこくうずき続けるのは、日下敏夫の遺族――もちろん、表向きにそう言うことは絶対に許されなかったが――への罪の意識だった。

彼らの夫は、父親は横領犯だった。それは疑いのない事実だ。だが、彼は好んで姿を消したのではない。逃げ出したのでもない。弁解の機会も、情状《じょうじょう》酌量《しゃくりょう》の余地も、罪をあがなう時間も与えられないよう、日下敏夫を消してしまったのは自分なのだ。そのために、彼の妻子が取り残されている。その責めが自分にあると思うと、激しい罪悪感に襲われた。

枚川に帰るたびに、少しずつ情報は入った。吉武はできるだけの手を尽くし、日下敏夫の妻子が今どうしているのかを知ることに努めた。

日下敏夫の妻、啓子と、まもなく五歳になる一人息子の守は、二人きりになった今、公務員住宅を出て、市内に一間のアパートを借りて生活していた。

吉武はそのアパートを訪ねた。市内でも一番古い建物の一つで、持ち主が市の建築課に愛想を振りまくのをやめれば、すぐにも取り壊し命令が出そうな代物《しろもの》だった。

狭い私道で待っていると、少年と母親がやってきた。買い物にでも行ってきたのだろう、母親は両手に、少年も腕に、茶色い紙袋を持っている。その紙袋に印刷されている店の名前は、同じ市内でもはずれの方角にある、遠い町のものだった。この近辺では、彼らに日用品や食料を売ってくれる店がないのだということを、吉武は悟った。

子供が仰向いて母親に何か話しかけ、二人は軽く笑った。アパートのどこかで、ぴしゃりと窓を閉める音がした。

日下母子が腐食の進んだアパートの階段をあがっていく。その後ろ姿を見つめながら、吉武は無言で叫び続けていた。

なぜここを出ていかないのだ。君たちはなぜここに留《とど》まっているのだ。この先どうなるか目に見えているのに、それでもなおここに留まり続けるのはなぜなのだ。

そのとき以来、日下母子《おやこ》は吉武の心に住み着いてしまった。東京でどんな暮しをしていても、彼らのことが片時も心から離れなくなった。

吉武は、旧家としてのつてを利用して、ひそかに日下啓子に働き口を世話した。家族には罪がないのだ、気の毒だからと言えば、そういう建前論に逆らえる人間はいない。そして、慎重をきして複数の興信所を使いながら、日下母子の暮しぶりを調査した。彼らが何か困っていたら、すぐにも、いつでも、手をさしのべる用意があった。

吉武自身の仕事は順調だった。新日本商事の路線転換は成功し、社内における彼の地位は、一年ごとに重要なものになっていった。義父の彼に対する信頼度も高くなってきた。

しかし皮肉なことに、それと反比例するように、彼と直美の間は冷えていった。直美は二人の間に子供が恵まれないことを原因と考えていたが、彼にはそうではないことがわかっていた。

彼の心の仕事以外の部分が、常に日下母子に占められているからなのだ。そこにはもう、ほかの人間が入る余地はなかった。

日下敏夫が失踪して五年を経ても、啓子と守は枚川を離れる様子がなかった。吉武の手元には、隠し撮りされた彼らの写真が増えていった。

自宅の書斎で一人きりになり、机の引き出しからそれらの写真を出してながめるとき、吉武の心は不思議なほどの安らぎに満たされるのだった。罪の意識と同時に、奇妙な一体感に包み込まれる。そのときは、この母子こそ、彼の妻であり子供であった。

啓子は優しい面《おも》だちに悲しげな目をした女性だった。苦労も、彼女からもちまえの優しい雰囲気《ふんいき》まで奪ってはいなかった。少年は健康に育っていた。写真によって、彼の目のなかに早すぎる悟りに似た影を見つけることもあったが、つられて吉武もいっしょに微笑《ほほえ》んでしまうほど、屈託のない笑顔が輝いていることもあった。

この子に会いたいものだ。その願いは、彼の心のなかの新しい希望になった。

事件から八年後、新日本商事の取締役に昇格した年の春、彼は枚川へ帰った。枚川では、公立学校の運動会は四月末に行なわれる。長い冬を抜けたお祭りを兼ねたものになるのだった。遠くからでもいい、彼は少年の姿をその目で見てみたかったのだ。少年は十二歳になっていた。

校庭の金網の外で、開会式からずっと立ちづめでいることも忘れ、少年の姿を目で追いかけた。元気な子だった。足も速い。

最後の競技、六年生の組対抗リレーのとき、少年はアンカーで登場した。赤いたすきを斜めにかけ、生真面目《きまじめ》な顔をしていた。

バトンを受けた少年が走り始めると、彼は金網に指をかけ、食い入るようにして見つめた。

あの子には翼があるようじゃないかと思った。五位でスタートしたのに、心憎いほどの落ち着いた走りっぷりでぐいぐい間隔をつめてくる。三人をごぼう抜きして最終コーナーを回り、彼の取り付いている金網の向こうの直線コースへ入ってくると、鼻の差でゴールのテープを切った。生徒たちの一部から歓声が上がった。彼も拍手していた。いいぞ、よくやった。夢中でそう声に出していた。

金網の向こうの父母席の端に立っていた女性が、彼を振り向いた。

少年の母親だった。日下啓子だった。彼女のそばにはずんぐりとした老人がいて、いっしょに手を叩いている。

満開の春の、桜の匂《にお》いの下だった。吉武の肩に桜の花びらが落ちてきた。あの日の冷たい雨ではなく、暖かい陽《ひ》の光と桜の花に包まれた場所で、日下啓子が彼を見ていた。そして、ゆっくりと頰《ほお》をほころばすと、彼にむかって軽く頭を下げた。見も知らぬ男が彼女の子供に向けてくれた賛辞に感謝して。

実家に戻った吉武を、梅子が出迎えた。母親は無表情に言った。

「何をしに帰ってきたんですか。あなたの家は東京でしょう」

その夜、暗い部屋のなかで一人きりになったとき、吉武浩一は、もう動かすことができなくなっている事実を、あらためて確認した。

彼は日下母子を愛していた。彼らの健気《けなげ》さを、意志の強さを、彼らの生きていく方法を、すべてをひっくるめてこよなく愛していた。自分があの雨の朝に捨ててしまったものを彼らは捨てていないし、これからも決して捨てることはないのだ。

それから半年後、梅子が死んだ。葬儀のあと、家を処分する前に、彼は床をはがしてあの紙袋を見つけた。すっかり腐っていたが、いっしょに処分するつもりだった梅子の遺品とともに、焚火《たきび》で燃やした。残されたのは、最初は処分に困り、次第に捨てるに忍びなくなってずっと保管しておいた、日下敏夫の結婚指輪だけになった。

彼はそれを指にはめてみた。指輪は彼の指の第二関節で止まった。日下敏夫が拒否しているように、彼は感じた。

それ以来、枚川には帰っていない。

日下母子の暮しぶりを調査することは続けながら、吉武は東京での生活を続けた。直美はもう、彼を単なる重役の一員としか見ないようになった。

吉武が新日本商事の副社長に就任した年の暮、日下啓子が急死した。

人目を避け、とじこもって、彼はおいおい泣いた。とうとう彼女に償う機会を与えられなかったことを恨んだ。

十六歳になった守は、親戚《しんせき》の家に引き取られた。吉武はまた興信所を使い、新しい家族と彼の生活ぶりを観察した。それが平和なものであることを知ると、彼の心にも束《つか》の間《ま》の平穏が訪れた。

その平穏を根底から揺るがせたのが、菅野洋子の事故死だったのだ。

警察にある友人関係をつてに、彼は事故の詳しい状況を教えてもらった。理由は何とでもつけられた。そして、事故の状況が浅野大造に、守の伯父にきわめて不利なものであり、目撃証言がないために彼が苦境に立たされていることを知った。

そのころ、彼には井田ひろみという愛人が存在していた。彼女との関係は、直美との歪《ゆが》んだ結婚生活のなかから隠花植物のように生じてきたものだったが、ある夜、シャワーを浴びて出てきたひろみの化粧っけのない顔をながめていたとき、吉武はある発見をしていた。

井田ひろみは日下啓子に似ているのだ。そして、彼女を住まわせるのに、代官山でも麻布でもなく東京の下町を選んだのは、渋る彼女を説きふせてまでそうしたのは、ほんのわずかでも守の近くにいる時間が欲しかったからだと、自覚した。

そのときが来た、と思った。

実際に、彼は事故当夜そのマンションにいた。だがそこへ行く途中、事故現場は通らなかった。もちろんなにも目撃しなかった。翌朝新聞を読むまでは、事故が起きたこと自体さえ知らなかったのだ。

だが、事故現場を通った、事故を目撃したと証言することはできる。

そのために彼自身で、身なりを変え充分に注意を払って調査をした。下町の人たちは、自分たちの町で起きた事故に無関心ではいない。仕事関連で手に入れた新聞記者の名刺にも効果があった。被害者の服装、事故の様子、車の色——すべてを聞き込み、頭に叩《たた》き込み、警察に出頭してからは、証言が不自然に詳しくならないよう気を配った。

現在の新日本商事における彼の存在は、愛人にまつわるスキャンダル程度のもので揺らぐほど軽くない。離婚も心配しなかった。直美は、彼との結婚という冒険に失敗して以来、どんなことにも大胆な判断を下すことがなくなっていたからだ。

嘘《うそ》の証言をしよう。それは同時に、日下守に近づく道でもある。そしてあの子の将来を私の手で開いてやるのだ。

あの子のためだ。それだけを考えていた。私のしたことの何分の一かでも償えるなら、これは安い取引だ。耐えられないことはない。嘘をつくこともなんでもない。今までずっと嘘を生きてきたのだから。

すべてあの子のためだった。守のためだった。これからは私があの子についていてやれる。横領犯の父親が存在しているよりも、はるかに恵まれた未来を与えてやれる。あの子の母親も、むしろそれを喜んでくれるかもしれない。

私はあの子の成長を見てきた。それだけを楽しみに……それだけを心に……

8

テープが終わった。

「ひどい話だ」原沢老人はつぶやいた。「本当に、ひどい話だ」

ドアに寄りかかり、守は聞くともなくその言葉を聞いていた。身体の内側に、自分が小さく縮こまってしまったような気がした。

胃がむかついた。

「信じるかね？」老人が訊《き》いた。

長い沈黙の間、テープの巻き戻る音だけが聞こえていた。

「信じないわけはないね？　君は私がどれだけのことをやってのけられるか知っている。その好悪《こうお》は別としても」

守はうなずいた。「信じるよ。つじつまもあってる」

「どうしたいかね？」

「それを――警察に」

「君が持っていくかね？」

「あんたが告白書を送るときに」

「ほう、それは無理だ」

守は頭をあげた。信じられない。

「どうしてさ？　だってあんたがこれを――そのためにやったんだろ？」

「いいや、違うよ、坊や」

老人は胸をそらした。これまでの話はほんの前置きで、これを言うために力を残していたのだというかのように、声が力強くなっていた。

「私の言ったことを覚えているかね？　私は君とわかりあえると言った。私と君には共通点があると言った。それがなぜなのか考えてごらん」

老人はデッキのエジェクト・ボタンを押すと、テープを取り出した。それを手に窓に近づいた。

「こんなものは君に聞かせるためだけのもので、なんの価値もない」

そう言うなり驚くほど素早い動作で窓を開け、テープを外に投げ捨てた。

守は窓に走り寄った。声も出なかった。テープはゆるいカーブを切り、五階下の闇《やみ》のなかに落ちていった。窓からのぞくと、下には油の浮いた運河の水が光っていた。

「なんてことを！」

「あきらめなさい。あれは催眠下にある人間の告白だ。もともと証拠能力を認められるものではないよ」

坊や。老人は厳しい声で続けた。「私は高木和子のしたことを暴露するだけでは満足できなかった。司法の手に任せるだけでは満足できなかった。君にしても同じことだろう？　我が国の裁判所の刑は軽いよ」

「じゃ、どうしろって言うんだよ？」

「君は騙《だま》されていた。十二年ものあいだ騙され続けていた。そのうえに、吉武の目撃証言に助けられることで、また二重に騙されたのだ。あの男は君の父親を殺して逃げただけでなく、自分の心の平安のために、自己満足のためだけに、君を騙し、君に近づき、君に好かれたいと願っている。欺《あざむ》きながら、それで君に赦《ゆる》してもらえると思っている。十二年前に切り売りした良心を、不当なやり方で買い戻そうとしているのだ」

それを赦せるかね？　老人はゆっくりと訊いた。

「これは君の問題だ。君だけの問題だ。私は何もしないし、解決するのは君しかいない。私自身の告白書のなかでは、菅野洋子の事故現場に吉武がいるはずのなかったことも書かないつもりだ。だから、方法は一つしかないよ、坊や」

原沢老人は、冷たく守を見据《みす》えた。

「君の手で裁くことだ」


原沢老人と別れたあとも、守の耳には老人の声があふれていた。

（私は吉武に一つのキーワードを与えておいた）

通りには信号が瞬《またた》き、車のテールライトが輝く。

（簡単な言葉だ。実に簡単だ。こう言えばいい）

風が守の背中を押す。

（東京は今夜も霧ですね）

東京は今夜も霧ですね。小さくつぶやいてみた。

（それで吉武はきれいに自殺する。君はそばにいて見ていることもできる）

家に帰ることなどできそうにない。

（もう、君に会うことはないだろう。私は君が正しい選択をすることを願っているよ）

最初からすべてそうだった。騙されていた。

(私は君のお父さんに償わなければならなかった。だから、しなければならないことをしているだけだ)

償いたかった。

(事情があるのに名乗り出てきてくれたのよ。有難いことじゃない)

より子は感謝をこめてそう言った。大造は吉武の世話で働いている。

母さんに仕事を世話し、僕たち二人が枚川で暮していけるようにしたのもあいつだった。

それは償いではない。

守はあらんかぎりの力で否定した。それは哀れみだった。吉武浩一は僕たちを哀れみ、これからも哀れみ続けようとしているのだ。

(彼らを生きのびさせ、際限のない言い訳を述べ続けさせるつもりかね?)

それはできない。なぜならそれは――

(坊や、それは君の魂を削ることだ)

空には刃《やいば》のように研ぎ澄まされた月が光っていた。

9

客のいない「ケルベロス」の店内で、高木和子は待っていた。守がドアを押したとき、振り向いた彼女の顔は、今日一日で十年の歳月を経たかのように疲れ果てていた。

　言葉をはさまず、しっかりと三田村の手を握りしめたままの和子に、守は語った。そうすることで自分の気持も整理できるように思って、できるだけ詳しく、原沢老人がなぜ四人の女性たちを殺そうとしてきたのか、老人を代弁するつもりで語り続けた。

　守が語り終えると、暖かな「ケルベロス」の店内に冷え冷えとしたものが漂った。

「あたし――」和子は手で頬を押えた。「あたしたち、ひどいことをしてきたわ」

　守は黙っていた。

「ひどいことをしてきたけど……でも、これはあんまりよ」

（ひどい、ひどい、あんまりだ）

「殺すことはないじゃない」和子はすすり泣いた。「殺されるほどのことなんかしなかった」

「もういいよ」三田村が静かに言った。和子は激しくかぶりを振り、守を見あげた。

「ね、あんたはどう思う？　あんたもあたしたちは殺されても仕方ないと思う？　あんた、三田敦子がどうなったか知ってる？　首がとれちゃったのよ。バラバラになっちゃったのよ。加藤文恵だって、お葬式のとき、棺桶《かんおけ》を開けてお別れすることができなかった。彼女、顔がなくなっちゃってたのよ」

　和子は守にしがみつき、ジャケットに涙を落としながらゆさぶり始めた。

「あたしにはわからない。どうしてそこまでしなきゃならなかったの？　教えてよ。あたしたちはそれほどひどいことをした？　お願いだから教えてよ。あたしたちは死ぬほどの罰を受ける必要があったの？」

涙で汚れた和子の顔から、守は目をそむけていた。

「あたしたち、みんな悪いって思ってた。気が咎《とが》めてた。でも仕方なかったのよ。一度始めたら、あたしたちだけの意思じゃやめられなかった。どうしようもなかったの。誰も好きこのんでやってたわけじゃなかったわ！」

いいいいいいいい、いいいいいいいい、いいい、かかか、彼らに際限のない言い訳を述べ続けさせるかね、坊や？

床を見つめたまま、守はポツリと言った。

「あの人は、もう殺しをやめますよ」

三田村が、泣き続ける和子の肩を抱き、守を見た。

「もう彼女を狙《ねら》わないってことかい？」

「そうです」

守は老人から渡された封筒を差出し、その内容を説明した。和子は封筒に触れようともしなかったが、三田村は受け取って、自問するようにつぶやいた。

「もう殺しはしない……でも、なぜだ？」

カウンターのスツールからすべりおり、守はドアに向かった。

「今のあの人は、仲間を欲しがってるんです」

最終章　最後の一人

1

その日、東京にはめずらしく、雪が降っていた。

新日本商事の本社は、スマートな歓楽の街、六本木にある。地下鉄の階段をあがり、六本木通りに出ると、すぐそばに麻布警察署があった。建物の前で、守は足をとめた。

僕はこれから人を殺しに行くところです。

入り口で頑張《がんば》っている制服の警官の目は、六本木通りの車の流れを追いかけていた。守が肩越しに振り向くと、どこまでも燦然《さんぜん》と輝く都会の上に、雪は黙々と降り続けている。道路は濡《ぬ》れて光り、ヘッドライトを照り返して、地上の銀河をつくりだしていた。

吉武の指定してきた喫茶店「破風館」は、古風な造りの店だった。

ドアは重かった。それ自体に意思があり、守に、ここで引き返して帰れと告げているかのようだった。今ならまだ間に合う。

いいや。もう手遅れだ。守は店内に足を踏み入れた。

ダウンライトに照らされた店内は薄暗く、空気までコーヒーの香りに満ちていた。ほぼ満席の客たちも、琥珀色《こはくいろ》に染まって見える。

奥のボックスから吉武が立ちあがり、守にむかって手をあげた。

守は吉武に近づいていく。その一歩一歩が吉武の十三階段だった。

「あいにくの天気だったね。寒かったろう」

気づかわしげに、吉武は言った。

守は思った。あんたが親父《おやじ》を殺した朝の雨も冷たかったろうね。

「平気ですよ。雪は好きだから」

「そうか。まあ、枚川に比べれば東京の雪なんて可愛《かわい》いものだからね。雪の赤ん坊だ」

吉武は陽気に言った。テーブルの上には空になったエスプレッソのカップがあった。ウエイトレスが近づいてきた。吉武はエスプレッソを追加し、守はそっけなく「アメリカン」と言った。

「ところで、話とはなんだい？」

守は電話で、話したいことがあるから時間を空けてもらえないかと頼んだのだった。僕のほうからうかがいます。会社の近くでかまいません。

「身体《からだ》のほうはもう大丈夫なんですか」

「すっかりね。なあに、もともと悪いところなんかなかったんだ。医者も首をひねっていたよ。私は根が丈夫な体質でね」

守は息がつまるのを感じた。口がきけなかった。吉武のゴルフ焼けした顔から目をそらすことができなかった。

あんたがゴルフをしているあいだも、酒を飲んでいるあいだも、もっともらしい顔で刑事に証言しているあいだも、親父はずっと死んでたんだ。どことも知れない山のなかで骨になっていたんだ。僕が親父を憎み、母さんが帰らない親父を待ち続けていたあいだにも、あんたはずっと幸せだった。あんただけは幸せに生きていた。

「どうかしたのかい」吉武の顔が曇った。「さっきからずっと、妙に怖い顔で私を見ているね」

「そうですか」

カップに手をのばし、つかみそこねた。黒い液体が陶器の縁にそって流れだし、守の指を濡らした。血もこんな色をしているのだろうかと思った。

「火傷《やけど》しなかったかね？」

吉武が手をのばした。守は椅子《いす》ごと身体を引いた。

あんたは僕たちを哀れんだ……哀れんだ……哀れんだ……

なによりもそれが赦《ゆる》せないんだ。わかるか？

「風邪をひいたんじゃないかい？　服がずいぶん濡れているし、顔が青いよ。傘《かさ》をさしてこなかったのかい？」

寒さのために震えているのではないのだ。

「今日は帰ったほうがいいね。話はまた、別の機会にしよう」吉武は、胸ポケットを探って札入れを取り出した。「ご家族が心配するよ。この近所で、シャツとセーターぐらいなら買えるだろう。着替えて帰りなさい」

さし出された一万円札を、守はテーブルからはらい落とした。

さあ、言え。東京は今夜も霧ですね。けりをつけてしまおう。

隣のテーブルの男が、床に落ちた札と二人の顔を見比べている。やがて手をのばし、札を拾ってテーブルに戻した。守も吉武も、それに目もくれなかった。

ようやく、吉武が口を開いた。

「いや……気に障ったなら申し訳ない。私はその……うまく言えないが……」

そこに言わんとすることが書かれているかのように、カップを手にしてのぞきこんだ。

「君が——いや、君を自分の子供のように思うことがあるんだよ。それでときどき、ぶしつけなことをしてしまうらしい。かんべんしてくれないか」

さあ、言ってしまえよ。簡単なことだ。東京は今夜も霧ですね。

吉武は煙草《たばこ》を取り出し、所在なげにもてあそんでいた。叱《しか》られた子供のように頼りなく見えた。

店内のざわめきが聞こえる。こんな大勢の人間が生きているこの都会で、一人ぐらい死んだって誰が気にするだろう。

（菅野洋子を殺してくれてありがとう）

親父は僕にそう言うだろうか。守は考えた。吉武を殺してくれてありがとう、と。

そのとき、不用意に顔が浮かんできた。声が聞こえてきた。

（守、どんなことにも言い訳を見つけちゃいかん）

（僕は日下君に償いたかったんだ）

宮下陽一は守のために死のうとしたのだった。自分がすごくちっぽけで惨《みじ》めに見えた）

（僕は自分のしたことが後ろめたかった。償いならどんな方法でしてもいいなんて思っちゃいけない。

守は歯を食いしばった。

「今日は、ここで失礼したほうがよさそうだ」吉武が言った。「出ようか」

先に立ってレジに歩いていく。

守は店を出た。雪が降る。降り積もる。都会も、守も冷えていく。

吉武が出てきた。吐く息が白い。守の息も白い。生きた呼吸の色は、雪よりもまだ白かった。

守と吉武は、「破風館」からもれる暖かい光のなかで向き合った。雪は粉雪に変わっていた。二人の髪は老人のように白くなった。

三十年たち、五十年たっても、僕は自分のしたことに自信をもっていられるだろうか。守は思った。いつか死ぬときがきても、後悔せずにいられるだろうか。

「せめて傘だけは買いなさい」吉武が言った。「うちに帰ったら熱い風呂《ふろ》につかって暖まるんだよ」

僕はここにあんたを殺すためにやって来たんだ。

「それじゃ、これで」吉武が背を向けた。

広い背中だった。親父も生きていたらきっとこんな背中をしていただろうと思った。

肩越しに、吉武は言った。「また、会えると思っていいかな」

守は答えなかった。吉武は歩き出した。

一歩。二歩。遠くなる。

あんたはアンフェアな取引をした。十二年前切り売りした良心を、汚い手を使って買い戻そうとしたんだ。

それも自分のためだけに。

「吉武さん！」

守は叫んだ。遠い街灯の下で吉武は振り向いた。

そこには時間があった。十二年分の距離があった。声さえ届かないその距離を、無心に降り続ける雪が埋めていく。

「吉武さん、東京は――」

「え？　なんだって？」手を耳に当てる。

(彼らの言い訳を聞き続けるのかね？)

「東京は今夜も――」

(でも僕は日下君に償いたかった——)

今夜の東京には雪が降っている。

吉武は守のそばに引き返してきた。

「なんて言ったんだい？」

迷いの糸が切れた。守は言った。

「東京は今夜も霧ですね」

瞬間、吉武は首をかしげた。守は息を殺した。あの老人に騙《だま》されていたのかと思った。なにも起こらないのではないかと思った。

やがて、吉武の目に、あの焦点の合わない感じが浮かんできた。瞳《ひとみ》の色が薄くなった。

彼は目を見開いた。あたりを見回した。見えない追手の影を見つけた。そして急ぎ足で去っていく。あとには、雪と守と凍った都会が取り残された。

これでいいんだ。守は歩き出した。

(本当にいいのか？)

心のなかで、守は呼びかけた。母さん。母さんは親父を信じていた。離婚届を置いてはいったけど、結婚指輪をして家を出ていった親父を信じていた。そこに親父の心があったから、だから待っていた。

それは無器用だけど、正しいやり方だった。

(私のしたことの何分の一かでも償えるなら)

雪が襟首《えりくび》に落ちてきた。あいあい傘のカップルが守を振り向き、顔を見あわせてから追い越していく。

（菅野洋子を殺してくれてありがとう。あいつは殺されて当然だったんだ）

だが、彼女は怯《おび》えていた。悔いていた。

（ねえ、教えて、あたしたちは本当に――）

私は彼女たちに正当な対価を支払わせてやっただけだ。

違う。

守は来た道を走り出した。吉武の姿は消えていた。またたく歩行者用信号をつっきって新日本商事のビルを目ざした。

正面玄関は閉じていた。滑って膝《ひざ》を打ち、立ち上がって夜間受付を探した。通行人にぶつかり、その傘に積もった雪が守の顔にかかった。

守衛室の明りが見えた。受付の窓を平手で叩《たた》いた。

「副社長の部屋はどこです？」

とがめるような声が返ってくる。「あんた、誰だね？」

「日下といいます。どこですか？」

「何の用？」

「い、い、何階なんです？」

「五階だよ、あんたね――」

守はエレベーターに向かった。守衛が追ってくる。ボタンを押すと、五階でとまっていたランプがゆっくりと動き出した。守は階段へ走った。

五階。左右対称にドアが何列も並んでいる。壁の案内図を探す。左手の廊下のつきあたりだ。廊下のカーペットに濡れた足跡を残し、雪のしみた重いジャケットをゆさぶりながら走った。

秘書室を走り抜け、体当たりでドアを開けたとき、吉武はデスクの向こうの大きく開け放った窓に身を乗り出していた。

「吉武さん！」

言葉は届かなかった。聞こえなかった。

吉武の膝が窓枠《まどわく》にかかる。

届かないかと思った。飛びついてコートの端をつかんだ。どこかが破れる音がした。ボタンが飛んだ。二人はもつれるように床に倒れ、はずみで肘《ひじ》つきの回転椅子が床を滑っていった。

守はデスクの足にもたれかかった。吉武はまばたきしていた。

息を切らした守衛が駆け込んできた。

「いったいこりゃ——副社長、どうなさいました？」

暗示は切れていた。キーワードはもう無効だ。吉武の目を見ればわかった。

「私は——」吉武は口を開けて守を見た。「こんなところで……日下君、私はいったい何を……君はどうしてここに……」

「お知りあいですか？」守衛が口をはさんだ。

「ああ、そうだ。しかし……」吉武は守を見、雪の吹き込む窓を見あげた。

「君はもういいよ」守衛に手を振ってみせ、彼がいぶかしげな顔で部屋を出ていくと、守と吉武はまた二人になった。

守は吉武の顔を見ていた。目尻《めじり》に細かなしわがより、日焼けの色も褪《あ》せるほど青白くなった顔を。前の開いたコートが浮浪者のそれのようにだらしなく身体を包んでいる。

「あなたに言い忘れたことがあってきたんです」

デスクにつかまり、守は立ち上がった。窓に近寄り、下を見おろした。歩道はすっかり白くなり、色とりどりの傘が行きかう。

窓をしっかり閉め、鍵《かぎ》をおろした。そして背を向けたまま、吉武に言った。

「これで、もうお会いすることはありません。これで最後です」

部屋を出るとき、まだ床に座ったままの吉武が見えた。手をついて詫《わ》びているような姿だった。

ゆっくりと階段を降りる。途中で一度、座り込んで休まなければならなかった。

外に出ると、雪は一段と激しくなっていた。ジャケットもズボンも白く変わった。

このまま一生ここに立っていよう。ポストみたいに。そう思った。

雪にまみれて歩きだすと、白い歩道に足跡が残った。下山だ。登りきれなかった。

電話ボックスを見つけた。

呼出し音は何度も鳴った。原沢老人はもう、歩くこともできないほど弱っているのだろうか？

「もしもし」声が聞こえた。

「僕だよ」

長い沈黙があった。

「もしもし？　聞こえてるかい？　今夜は霧じゃなくて雪だ」

顎《あご》が震え始めた。

「聞こえてるんだろ？　雪なんだ。僕にはできなかったよ。できると思ってたのに、駄目《だめ》だった。わかるかい？　あんたみたいにはいかなかったんだ。僕は吉武を助けちゃったよ」

頰《ほお》についた雪が溶けて流れた。

「僕にはできなかった。親父《おやじ》を殺したやつなのに、僕にはできなかった。殺せないよ。あんたにはわかるかい？　僕にはできなかった。笑っちゃうよ」

丸めた拳《こぶし》でボックスの壁を叩きながら、守は本当に笑いだしていた。とまらなかった。

「あんたは立派だよ。狂ってるけど立派だよ。あんたは自分が正しいと思ってやったんだろ？　僕には何が正しいかもわからないよ。なにもかも知りたくなかった。なにも知らないままでいたかった。ちきしょう、あんたを殺してやれたらどんなにいいだろう！」

ボックスの外は吹雪に変わっていた。雪がガラスを叩く、軟らかな音がする。

電話に頭をつけ、守は目を閉じた。

「さよなら、坊や」

ゆっくりと受話器を置く音が聞こえた。

私は返事をしないし、二度と帰ってはこない。

家への長い道のりのあいだ、守はおぼろな夢を見ていた。狂った地軸の上に立ち、出てくるあてのない兎《うさぎ》を待ってステッキを振り続ける、老いた魔術師の夢だった。

2

浅野家の玄関で倒れ、それから九十日間、守はベッドから出ることができなかった。

肺炎を起こして、一時は入院を勧められる状態だった。高熱でうとうとと眠り続け、ときどき寝返りをうって何かつぶやいたが、そばについている浅野家の人たちにも聞き取ることができなかった。

意識がまったくなかったわけではなかった。周囲の様子も、人の顔も、ぼんやりと見分けがついていた。大造、より子、額に触れる真紀の白い手。どうかするとそばに母がいるような気がして、起き上がろうとすることもあった。

父親の顔は見えなかった。思い出そうとしても、指で砂をすくうように空《むな》しかった。

長い眠りのあいだ、枕元《まくらもと》で交わされている真紀とより子の会話を聞いた。

「どうしてこんな真似《まね》をしたんだろうね……傘《かさ》もささないで、あんな大雪の日に」

真紀はそばにいて、じっと守を見おろしている。

「ねえ、お母さん」彼女は静かに言った。「こんなふうに感じたこと、ない？　この子、わたしたちに何か隠してるな、って」

少し考えてから、より子は答えた。

「ああ、あるよ」

「わたしもあるの。すごく強く感じることがあったわ。でもね、どうしてだろうって考えると、そこでいきづまっちゃうの。想像できないの」

「あたしもだよ」

「だけどね、この子があたしたちから何か隠しているなら、それはきっと、隠しておいたほうがいいことだからなのよ。知らせないほうがいいことだから、自分だけの胸の奥にしまって、話そうとしないの。寂しいけど、わたし、それだけはわかるのよ」

お母さん——真紀はより子に向き直った。

「そうやって、この子、わたしたちを守ってくれてるのかもしれない。だからね、この子が自分から言い出すときが来るまで、お願いだから問いつめないであげてくれる？　それが、わたしたちにできる精一杯のことだって気がするから」

より子は答えた。「そうするよ。約束する」

大造が部屋に入ってきた。

「どうしたの、お父さん」

「氷を買ってきた」

回復期に入ると、見舞客がやって来た。

あねごは、顔を見せたときから半分泣いていた。

「めずらしいなぁ」まだあまり力のない声で、守はからかった。「赤い雪が降るんじゃないか？」

「バカ」彼女は涙をふきもしなかった。「でも、そんなへらず口がたたけるところを見ると、もう死なないね」

「死ぬもんか。肺炎ぐらいでいちいち死んでたんじゃ、これから先生きていけないよ」

「あのさ」

「うん」

「あたしね、日下君がすごく遠くにいっちゃったような気がしてんだよね」

「ずっとここにいたのに」

「ううん。確かにいなくなってた」

「じゃ、戻ってきたんだ。いつだって、呼べば聞こえるところにいるよ。あねごは声が大きいから」

宮下陽一が来てくれたとき、守は彼に、一つ頼み事をした。

「あの『不安な女神たち』、複製かなんか手に入るかな?」

「できると思うよ。画集から切り取ってもいいし」

「欲しいんだけどな」

「お安い御用だよ。すぐ手に入れてあげるよ」陽一はうれしげに、だが少し不思議そうに言った。「急に、あの絵が好きになったの?」

「好きになれたかどうかは自信ないけど、わかるようになった気がする」

高野がやって来たとき、真っ先にあのビデオ・ディスプレイのことをきいてみた。

「まだお偉方と全面戦争の状態だよ」高野は答えた。「でも、善戦してるんだぞ。社員のなかにも動揺が広がってきているからね」

「みんなにも、サブリミナル広告のことを話したんですか?」

「うん。こっちは数で対抗するしか手がないからね。今、組合にも働きかけてるところだ。組合の幹部に例のビデオの写しを見せたら、椅子《いす》から飛び上がったよ。なんせ、僕は現実に刺し殺されかかった身だからね。説得力あるさ」

早くよくなれよ。みんな待ってる。佐藤君が砂漠《さばく》の話をしたがってる。あっちじゃ、風が生きているそうだ……

守の心は、かしいだまま動きを止めてしまった柱時計の振り子のようになっていた。今はまだ、吉武のことも、原沢老人のことも考えられなかった。しばらくはそのまま静かに動きを止めて、なにも感じずに過ごしていたいと思っていた。

二月の末、関東地方はまた大雪にみまわれた。

その朝、大造が守と真紀に、免許が戻ったら車で送ってやれるのになぁ、と言った。


大造は新日本商事を辞め、東海タクシーで働き始めた。免許停止期間が終われば、また運転手稼業《かぎよう》に戻るのだ。

大造自身のなかでは、何かがずっと揺れ続けていたのだった。それでも、菅野洋子の死があまりにも強い力で引き止めていたので、車に戻るにはそれよりも強い力が必要だったのだ。

その力となったのは、一通の手紙だった。

ていねいな筆跡で書かれたその手紙は、あの事故の日、大造が「回送」の表示を引っ込めて乗せた女性客からのものだった。

彼女の夫はクモ膜下出血で倒れていた。彼女が病院にかけつけたとき、医師はもう打つ手はないと宣告した。

ただ一つ、奥さん、ご主人を呼んでごらんなさい。精一杯呼びかけてごらんなさい。ご主人を死の淵《ふち》から連れ戻せるのは、もう奥さんの声だけです。

言われたとおり、彼女は夫の手を握り、懸命に呼びかけた。彼女がここにいることを、待っていることを呼びかけ続けた。

それに応《こた》え、夫は戻ってきた。彼は生還したのだった。

「もし私が間に合わなかったら——あのとき浅野さんが乗せてくれず、空港にかけつけるのが遅れて一便でも遅い飛行機に乗っていたら、主人は帰ってこなかったでしょう。

それだけをお礼申し上げたくて、お手紙を書きました。どうぞ、これからも、私のような客のためにお仕事を続けてください。浅野さんのタクシーは、命を運んでいるのです」

この手紙が、大造が心のなかに掲げていた半旗を再び高くあげさせたのだった。

三月に入っても、原沢老人の告白は世に出る様子がなかった。

心配する浅野一家を説き伏せて、三月最初の休日に、守は一人で枚川に帰った。十二年前、父親が朝早く、あんな場所で何をしていたのか知りたかったのだ。

枚川ではぽつぽつと梅が咲き始めていた。山の稜線《りょうせん》は、まだくっきりと白い。

市立図書館に行き、十二年前の市街地図を借り出した。現在とはまったく違っているのだ。

古い町並みを指でたどり、父親が何をしようとしていたのか、見つけた。

日下啓子と「じいちゃん」の眠る小高い公営墓地には、まだ雪が残っていた。

「親父がどこへ行こうとしていたか、わかったよ」

その建物は、今では市の中心部にある。十二年前には、建物ももっと小さく、山のふもとに位置していた。あの間道は一本道で、まっすぐにそこに続く近道だった。早朝を選んでそこに向かっていたのは、できるだけ職場の混乱を避けるためだったのだろう。

県警の、枚川警察署の建物だった。

「親父、公金横領を自首するつもりだったんだな」

東京に戻る特急のなかで、守はようやく、じいちゃんの言葉の意味がわかったと思っていた。お前の親父さんは弱かった。弱かった親父さんの悲しかったところをわかるようになるときが、きっとやってくる。

親父は弱かったけれど、卑怯者《ひきょうもの》ではなかった。間違った方法で手にしたものの代償を、正しいやり方で払い直そうとしていたんだ。そう思った。

これでよかった。親父、これでよかったと思ってくれるだろ？　僕は吉武を殺さなかった。殺せなかった。それでよかったんだな。

3

原沢老人の告白書は、三月の下旬に警察の手に渡った。

それからの騒動は、すべてを知り覚悟していたはずの守さえ驚かせ、混乱させるほどのものだった。警察が来た。マスコミが来た。近所の住人たちも、なんでもかんでも知りたがった。

四人の女性たちの写真は、あちこちの新聞・雑誌を飾り、ワイドショー番組のヘッドラインに並び、世間の噂《うわさ》の種になった。

ある日、そんなニュースの一つで高木和子の写真を見たより子が、驚いたように指さして言った。

「この人、菅野さんのお通夜《つや》の夜に、怪我《けが》したあたしを助けてくれた人だよ」

悪徳商法糾弾の声も高まったが、それがたぶんに感情的で一過性のものであることに、守は漠とした不安を感じていた。嵐《あらし》は強いが、通りすぎるのも早い。そして、やみくもにすべてをなぎ倒してしまうものだ。

たとえば、菅野洋子の妹のような存在を。それが心にかかったが、今はもう守にできることはなくなっていた。

言葉どおり、原沢老人は、吉武の証言の嘘《うそ》を指摘していなかった。吉武は今でも善意の目撃者であり、事件が再燃するに従って、再び彼もマスコミに追いかけ回される存在になった。彼が何と答えているか、何を話しているか、それを聞かないうちに、守はいつもテレビやラジオのスイッチを切った。

催眠術への関心も、一挙に高まった。「ローレル」の書籍コーナーにも、堅い学術研究書からハウ・ツー本まで、関連の本が平台に山積みされて、飛ぶように売れていく。

そのうちの一冊を、守も手にとってみた。読み通したとき、やっぱり原沢老人は間違っていたと、あらためて思った。

百人が百人、老人の言ったように自在に、自己破壊的な暗示にかかるものではない。あの女性たちが老人にあやつられ、逃げて逃げて逃げることで死んでいったのは、もともと彼女たちの心の底に、（逃げなければならない）という思いがあったからなのだ。

言いかえれば、彼女たちは悔やんでいた。恐れていた。

なにもないところに実はならない。彼女たちは「罪悪感」という実をつけた樹木だった。原沢老人のしたことは、乱暴にそれをゆさぶって、根刮《ねこそ》ぎ倒してしまったこと――ただそれだけだ。

原沢老人は、罰しやすい罪人だけを罰したのだ。本当に罰されるべき人間は、もっとほかにいるのかもしれないとは考えなかった。

あるいは、魔術師のみる暗い夢のなかでは、すでにその二つの区別もつかなくなっていたのかもしれない。

その一点を分かりあえないまま別れたことに、守はかすかな後悔を感じた。

高木和子は、「ケルベロス」で嵐を避けていた。

原沢老人の告白による騒動が始まったとき、彼女はそこを出ようと考えていた。三田村に迷惑をかけたくなかった。

だが、彼はそれを許さなかった。

「逃げ回ることなんかない」そう言った。「君はもう、充分に償いを済ませているよ。どこの誰よりも、君がいちばん深く、今度のことを理解しているはずだ」

「あたしのこと、軽蔑《けいべつ》しないの？」

三田村は笑った。「君はね、ちょっと転んだんだよ。僕は君が立ち上がるのに手を貸した。だから、いつまでも同じ場所にいないで、そろそろ歩き出さないか？」

四月に入ってまもなく、和子が外から戻ってくると、三田村が言った。

「日下君が来ていたよ。君に伝言をことづかった」

「なんて言っていたの？」

和子は心を決めた。あの子になら非難されてもいい。あの子には非難する資格がある。

「あなたがこれを無事に切り抜けられるよう祈っています。それから――」

「それから？」

「菅野洋子さんの通夜のとき、おばさんをかばってくれてありがとう。そう言っていた」

カウンターの端に手をつき、和子は黙って顔を伏せた。やがて、小さく言った。

「あの子、あたしを赦《ゆる》してくれたのね」


どうやって親父を探そうか。守はそのことばかり考えていた。

枚川のあたりの自然保護林。市内から車で一時間の距離。目印になるものもなくては、一人では無理だった。どうやって警察を動かそう。土手に腰かけ、考え込む時間が多くなった。

思いがけず原沢老人からの手紙が届いたときも、それを手に土手にあがっていった。

少し懐《なつ》かしくさえ感じられるあの呼びかけで、手紙は始まっていた。

「坊や。

驚かせただろうか。君がこの手紙を読むころ、私はもうこの世のものではない。

意志の力は偉大なものだね。私はまだ、この手紙を自分の手で書いているのだよ。君と会ったころに比べると倍近い鎮痛剤を使ってはいるが、まだ、生きている。

この手紙は、君の手元には、告白書一式よりはかなり遅れて届くことだろう。遺言でそう指示しておくからね。今君がこれを読んでいる時点で、もし必要でなくなっていたら、破って捨ててくれればいい。

坊や。君はあのとき、いっそ私を殺してやりたかったと言った。なにも知りたくなかったと言った。

君は吉武を殺さなかった。

坊や、それでも私は、君と私にはわかりあえる部分があると思う。私たちは、異なる部分はあるが一部を共有している集合のようなものなのだ。少なくとも君は、私のしたこと、私のしようとしたことを、ほかの誰よりもよく理解してくれることだろう。今ごろ、ごみためをひっくり返したような騒ぎをしているに違いないマスコミや、いわゆる有識者の誰よりもだ。

私と君とでは、選んだ手段が違っていた。私は自分を間違っていたとは思わないし、君もまた、そうだろう。吉武を殺さなかったことを悔いてはいるまい。

君はなぜ、吉武を殺せなかったのだろう。単に殺人ができなかっただけだろうか。それは違うと、私は思う。人間は誰でも、やむを得ない状況に置かれれば殺人をするものだ。進んですることさえある。

君が吉武を殺せなかったのは、たとえ君自身はそれと意識していなくても、あの男が、あの男なりのやり方で、君と君の母親を愛してきたことに気づいたからだよ。

君は吉武を理解した。理解して、哀れんでやった。

死ぬ間際《まぎわ》に、私は君に贈るものがある。

君が電話をくれた数日後、私はまた吉武に会った。そして、一度解催眠したあと、また新しい暗示とキーワードを与えた。それをここに書き留めておこう。

ただ、忘れてはいけない。複合キーワードだからね。この言葉を口にするとき、彼と右手で握手することだ。それもまた、いいとは思わないかね？

私の最後の仕事だ。君のために使ってほしい。

私が、橋本信彦にウイスキーを贈っていたことを覚えているかね？　私はいつでも、その人物がいちばん必要としているものを贈る人間なのだ。そしてこのキーワードは、橋本にとってのウイスキーのような形で、君を滅ぼすものではない。

吉武を哀れんだなら、彼に自首する機会を与えてやりなさい。

そして、もう過去にとらわれないことだ。これからの君には、未開だが有為な人生が待っているのだから。

さようなら、坊や。今度こそ本当のお別れだ。すべて終わったら、私のことは永久に忘れてしまうことだよ。

君の住む町に桜は咲いているだろうか。最後にあの春を謳《うた》う花を見られないことだけが、心残りだ」

手紙の終わりには、短いキーワードが添え書きしてあった。

そのキーワードを見たとき、守はようやく、老人と分かりあえていた——手遅れだったけれど分かりあえていたのかもしれないと思った。

キーワードは簡単に記憶できた。

桜は満開だよ。対岸を彩《いろど》る花をながめながら、守は手紙を細かくちぎり、運河に向かって風に飛ばした。


午後七時に、吉武と会う約束の「破風館」のドアを押した。

彼はこの前と同じボックスに座っていた。

二人とも、とりとめのない話をした。吉武はよく笑い、守とまた会えたことを喜んでいた。守もよくしゃべった。二人とも、原沢老人の話題には触れなかった。

店を出た。春の暖かい宵《よい》に、街はクリスタルガラスのように輝いていた。

手を上げて別れるとき、守は吉武を呼びとめた。

「一つ、お願いしたいことがあったんです」

「なんだね？」

守は右手を差し出した。

「握手してください」

吉武は一瞬ためらったが、大きな右手をさしのべて、守の右手をしっかりと握った。その手は冷えていたが、がっちりとしていた。

そのとき、内緒話するように身を寄せて、守は言った。

「魔術師の幻想」

ゆっくりと歩く吉武の後ろを、守もついていった。麻布警察署の前で、吉武は立ち止まった。

建物を見上げる。そして、落ち着いた態度で中へ入っていった。守はそれを見届けて、歩き出した。

「アマンド」のピンク色のネオンの見えるところまで来たとき、同い年ぐらいの女の子が二人、地下鉄の階段をあがってくるのに行きあった。二人ともロングヘアのきれいな娘で、興奮に目が躍っていた。夜はこれからよ、と、二人の顔には書いてあった。

守と目があうと、女の子たちはくすくす笑った。

「ハイ」一人が声をかけてきた。「すてきな夜じゃない？　どこへ行くの？」

「うちに帰るんだよ」と、彼は答えた。

＊　金庫破りの技術等につきましては、杉山章象氏著「金庫破り」（同時代社）を参考にさせていただきました。謹んで厚く御礼申し上げます。

＊　文中のサブリミナル広告に関する記述は、集英社刊「情報・知識イミダス」から、冒頭のエピグラムは、創元推理文庫・中村保男訳「ブラウン神父の秘密」から、それぞれ引用したものです。

＊　作中に登場する人名・団体名等は、すべてフィクションです。

解説

北上次郎

宮部みゆきが日本の戦後エンターテインメント界に突如として現れた逸材であることは、もはやここに書くまでもない。一九八五年に「我らが隣人の犯罪」で第二十六回オール讀物《よみもの》推理小説新人賞を、八六年に「かまいたち」で第十二回歴史文学賞（佳作）を、そして八九年の『魔術はささやく』で第二回の日本推理サスペンス大賞を、九二年には『龍《りゅう》は眠る』で日本推理作家協会長編賞と、『本所深川ふしぎ草紙』で第十三回吉川英治新人文学賞を、それぞれ受賞。時代小説からミステリーまで何を書いても傑作を生み出してしまうというとんでもない作家である。おそらく今後も傑作を続々と書き続けていくだろう。宮部みゆきはそういうすごい作家である。

しかし、幾つもの賞を受賞したからすごいというものではない。それらの受賞は宮部みゆきの作品が正当に評価されたという結果で、この作家の幸運を語ってはいるものの、その内容を語ってはいない。では、いったい何がすごいのか。

宮部みゆきの小説はいつもスリリングなのだ。サスペンスにあふれているという意味でスリリングなわけではない。登場人物がどんなことを考えていて、次に何をするのか皆目見当がつかないという意味でスリリングなのである。したがって物語も半分を過ぎるまでいつも全貌《ぜんぼう》が見えてこない。いったい何が始まるのだ、という期待に押されてページをめくっていくと、まず登場人物の素顔が少しずつ行間から立ち上がってくる。同時に物語の輪郭も少しずつ浮かんでくる、といった具合だ。退屈な小説は、主人公から脇役《わきやく》まで登場した途端に、それがどういう人物であるのか、生い立ちから性格までたちまち見えてしまって発見がないものだが、〈説明〉と〈描写〉の違いをわかっている宮部みゆきの小説には、そういうことは滅多に、いやほとんど起こらない。

残念ながらこのことが数少ない例外であることは書いておいたほうがいい。巷《ちまた》にあふれている小説の大半は、〈描写〉より〈説明〉を中心にしているのだ。あるいは、〈描写〉を指向しても力量不足のために結果として〈説明〉に堕《お》ちてしまう。宮部みゆきが際立《きわだ》つのは実にこの点である。類稀《たぐいまれ》な資質と努力と小説に対する誠意によって、この作家の作品は凡百の小説から鮮やかに一歩も二歩も抜け出ている。

したがって宮部みゆきの小説は油断できない。物語の途中でそれまで隠れていた背景が見えてきても（それは悪徳商法であったり、超能力であったり、カード破産であったりと、社会的問題であることが多いが）、それはこの作者が語ろうとすることを効果的に浮き彫りにするための素材にすぎない。社会的な問題を扱うことが多いといってもこの作家は社会派ミステリーを指向しているわけではないのである。そういう背景と渾然《こんぜん》一体となって、宮部みゆきの世界で多く語られるのは〈愛〉だ。家族の愛、親子の愛、異性への愛。宮部みゆきは

〈愛の作家〉である。こう書くとなんだかハーレクインみたいになってしまうが、それは小説の普遍的な素材だから宮部みゆきだけの話ではない。それにしても『龍は眠る』のうまさを見よ。これは一級の恋愛小説でもある。

この作家が中でも群を抜いているのは、良質の文章といきいきとした会話と心に残る挿話《そうわ》が際立っていることもあるが、何よりも考え抜かれた構成のためである。どの長編を繙《ひもと》いてもいい。物語をどこから語るのかというプロットに関して、宮部みゆきは驚くほど絶妙だ。物語が意外な方向に進んでいくと時に思われるのは、すでに作者の魔術にかかっているからで、そういうふうに読者を迷宮に案内するのが宮部みゆきの作品なのである。油断できないというのは、背景が見えてきてもそれがけっして核ではなく、作者がどこに案内してくれるのか最後のページまでわからないからである。

もうひとつ、宮部みゆきの小説が斬新《ざんしん》な印象を強く与えているのは、この作家が旧来の小説とは異なる地点からドラマを作っている点だ。あるいはこれこそが宮部みゆきのもっとも特異な個性なのかもしれない。

たとえば『魔術はささやく』のラスト近くに、主人公の少年が裁く側にまわる件《くだり》がある。謎《なぞ》がすべて解かれたあとだから、本来ならもうドラマはないはずだ。ところが、宮部みゆきはこのあとに、少年が裁く側に果たしてまわることが出来るのかというドラマを用意する。そして、なんとこれが真のクライマックスなのだ。そこまで語られてきたドラマはこのクライマックスにたどりつくためのもので、物語はすべてそこに収斂《しゅうれん》される。旧来の小説ならば、クライマックスはそれ以前に作られただろうが、宮部みゆきは旧来の小説が終わった地点から物語を始めるのである。この作家の画期的な新しさは、実にこの点にある。さらに伯父がもう一度職場に復帰するドラマと、失踪《しっそう》した父親の謎を解明するドラマを付けて、そのクライマックスを感動的に盛り上げるのだから、このうまさには脱帽だ。

『魔術はささやく』の構造を分析してみればいい。メインの謎は三人の女性が次々に自殺して、しかもそれが関連しているらしいという謎である。誰かが彼女たちを自分から死ぬように仕向けたのではないかと四人目の女性はおびえているとの設定で、これがメインの謎だ。その自殺の関連の謎、背景にいる謎の人物、このふたつが解かれれば物語は完結する。そういう物語でもいいのだ。もちろん、紙上のリアリティのために広告の件は必要だろう。いきなり解明されるとファンタスティックな印象を読者に与えるので、説得力を増すために広告の件を途中で挿入しておく必要はある。しかし、通常の物語ならこれだけでいい。背景に社会的な問題まであるのだ。これでも立派な社会派ミステリーだろう。

宮部みゆきの作品が通常の小説と異なる点はそういう旧来の小説の枠《わく》を飛び出るところにある。前記したように『魔術はささやく』のクライマックスはメインの謎の解明ではなく、裁く側にまわった少年の心の揺れ動きだ。そのもっとも大きな特徴を際立たせるために少年の父親は公金を横領して失踪したことにする。近隣から冷たい目で見られても頑固《がんこ》に郷里を離れなかった母親の思い出。泥棒《どろぼう》の子は泥棒だと学校でいじめる生徒と少年をかばう親しい友。そういうドラマを積み上げていく。

宮部みゆきはこういうエピソードがいつも群を抜いていて、この『魔術はささやく』も級友や教師やバイト先の同僚たちの描写がいい。テーマが壮大で構成が絶妙でも、細部がよくなければ退屈なものになるが、この作者はディテールに関しても絶妙なのだ。まったく文句のつけようがない。

とにかく、真のクライマックスに向けて少年側のそういうドラマを作り上げる。そしてそれを補うように少年を見守っている男の独白を途中に何度も挿入する。宮部みゆきは騙《だま》し絵《え》を作ることにも当然ながら秀《ひい》でているので、油断しないとつい引っかかってしまう（ネタをばらすことになるので詳しいことは書けないが、けっして読者の予想通りにはならないから安心して読まれたい）。

ここまでドラマを用意すれば、あとは少年と事件との接点だけだ。どこに接点を作るか。それは不自然であってはならない。そこで伯父をタクシーの運転手にして、三人目の女性が飛び込んできてよけられず、伯父がはねたことにする。目撃者がいないので伯父が警察に逮捕されるという設定にすれば、少年がその事件の背景を探らなければならなくなる理由も出来る。このようにして、『魔術はささやく』の大枠は完成する。あとはどういう順番でこの物語を語るのかという具体的な問題になる。どこに二人の男の独白を挿入するか。あとはどういう順番でこのプロットを凝ればいい。

『魔術はささやく』の構造はそのように分析できる。通常の物語とは違ったところからこの作家が小説に取り組んでいることを、この構造から読みとることが出来る。何を語るのかということに腐心するあまり、どう語るのかということが忘れられているのが昨今の日本エンターテインメントの現状であることを考えれば、この資質と努力と誠意は賞賛に値する。こういう〈技術〉は注目されることが少ないが、宮部みゆきはこの〈語りのテクニック〉については群を抜いている。どんな賛辞を並べてもまだ足りないだろう。小説を読むことの至福とはこういう作品を読むことを言うのである。

（平成四年十一月、文芸評論家）

この作品は平成元年十二月新潮社より刊行された。

宮部みゆき著

レベル7《セブン》

レベル7まで行ったら戻れない。謎の言葉を残して失踪した少女を探すカウンセラーと記憶を失った男女の追跡行は……緊迫の四日間。

宮部みゆき著

返事はいらない

失恋から犯罪の片棒を担ぐにいたる微妙な女性心理を描く表題作など6編。日々の生活と幻想が交錯する東京の街と人を描く短編集。

宮部みゆき著

龍は眠る

日本推理作家協会賞受賞

雑誌記者の高坂は嵐の晩に、超常能力者と名乗る少年、慎司と出会った。それが全ての始まりだったのだ。やがて高坂の周囲に……。

宮部みゆき著

本所深川ふしぎ草紙

吉川英治文学新人賞受賞

深川七不思議を題材に、下町の人情の機微とささやかな日々の哀歓をミステリー仕立てで描く七編。宮部みゆきワールド時代小説篇。

宮部みゆき著

かまいたち

夜な夜な出没して江戸を恐怖に陥れる辻斬り〝かまいたち〟の正体に迫る町娘。サスペンス満点の表題作はじめ四編収録の時代短編集。

宮部みゆき著

火車

山本周五郎賞受賞

休職中の刑事、本間は遠縁の男性に頼まれ、失踪した婚約者の行方を捜すことに。だが女性の意外な正体が次第に明らかとなり……。

松本清張著
西郷札
傑作短編集(三)
西南戦争の際に、薩軍が発行した軍票をもとに一攫千金を夢みる男の破滅を描く処女作の「西郷札」など、異色時代小説12編を収める。

松本清張著
佐渡流人行
傑作短編集(四)
逃れるすべのない絶海の孤島佐渡を描く「佐渡流人行」、下級役人の哀しい運命を辿る「甲府在番」など、歴史に材を取った力作11編。

松本清張著
張込み
傑作短編集(五)
平凡な主婦の秘められた過去を、殺人犯を張込み中の刑事の眼でとらえて、推理小説界に新風を吹きこんだ表題作など8編を収める。

松本清張著
駅路
傑作短編集(六)
これまでの平凡な人生から解放されたい……。停年後を愛人と送るために失踪した男の悲しい結末を描く表題作など、10編の推理小説集。

松本清張著
わるいやつら
(全二冊)
厚い病院の壁の中で計画される院長戸谷信一の完全犯罪！　次々と女を騙しては金をまき上げて殺す恐るべき欲望を描く長編推理小説。

松本清張著
歪んだ複写
―税務署殺人事件―
武蔵野に発掘された他殺死体。腐敗した税務署の機構の中に発生した恐るべき連続殺人を描いて、現代社会の病巣をあばいた長編推理。

帚木蓬生著　白い夏の墓標

アメリカ留学中の細菌学者の死の謎は真夏のパリから残雪のピレネーへ、そして二十数年前の仙台へ遡る……抒情と戦慄のサスペンス。

帚木蓬生著　十二年目の映像

東大安田講堂攻防戦と時計台内部から撮影したフィルムが存在した。情報社会を牛耳る巨大組織テレビ局の裏面を撃つ異色サスペンス。

帚木蓬生著　カシスの舞い

南仏マルセイユの大学病院で発見された首なし死体。疑惑を抱いた日本人医師水野の調査が始まる……。戦慄の長編サスペンス。

帚木蓬生著　臓器農場

新任看護婦の規子がふと耳にした「無脳症児」のひと言。この病院で、一体何が起こっているのか——。医療の闇を描く傑作サスペンス。

帚木蓬生著　閉鎖病棟
山本周五郎賞受賞

精神科病棟で発生した殺人事件。隠されたその動機とは。優しさに溢れた感動の結末——。現役精神科医が描く、病院内部の人間模様。

帚木蓬生著　逃亡（上・下）
柴田錬三郎賞受賞

戦争中は憲兵として国に尽くし、敗戦後は戦犯として国に追われる。彼の戦争は終わっていなかった——。「国家と個人」を問う意欲作。

新潮文庫最新刊

青山光二著
吾妹子《わぎもこ》哀し
少しずつ壊れてゆく認知症の妻。だが、夫の老作家は、老いた妻の姿に、若い日の愛の記憶を甦らせていた……。川端康成文学賞受賞作。

津村節子著
絹扇
絹織物の町・福井に生まれたちよの、健気で哀しく美しい人生。貧しくとも情感あふれる庶民の姿を、福井の産業史に重ねた真心の物語。

小川勝己著
撓田《しおなだ》村《むら》事件
―iの遠近法的倒錯―
厄災の記憶を封印した撓田。新たに発生した連続殺人は、怨念の連鎖か、地霊の祟りか。横溝正史へのオマージュ漂うミステリの雄編。

内田幹樹著
操縦不能
高度も速度も分からない！　万策尽きて墜落を待つばかりのジャンボ機を、地上でシミュレーターを操る、元訓練生・岡本望美が救う。

司馬遼太郎著
司馬遼太郎が考えたこと 15
―エッセイ 1990.10～1996.2―
'95年1月、阪神・淡路大震災。'96年2月12日、司馬遼太郎は腹部大動脈瘤破裂のため急逝。享年72。最終巻は絶筆までの95篇。

野口悠紀雄著
「超」税金学講座 知っているようで知らない消費税
消費税の仕組みを分かっていますか？　迫り来る大増税時代を踏まえ、野口教授が日本の税制の欠陥を突き、あるべき税制改革を説く。

魔術《まじゅつ》はささやく

新潮文庫　み－22－1

平成　五 年 一 月二十五日　発　行
平成十八年二月十五日　六十二刷

著　者　宮《みや》部《べ》みゆき

発行者　佐藤隆信

発行所　株式会社　新潮社

郵便番号　一六二―八七一一
東京都新宿区矢来町七一
電話　編集部(〇三)三二六六―五四四〇
　　　読者係(〇三)三二六六―五一一一
http://www.shinchosha.co.jp

価格はカバーに表示してあります。

乱丁・落丁本は、ご面倒ですが小社読者係宛ご送付ください。送料小社負担にてお取替えいたします。

印刷・大日本印刷株式会社　製本・加藤製本株式会社

ISBN4-10-136911-9 C0193